L'ÉTAT DU
QUÉBEC
2017

L'ÉTAT DU QUÉBEC 2017

20 CLÉS POUR COMPRENDRE LES ENJEUX ACTUELS

INSTITUT DU **NOUVEAU MONDE**

DEL **BUSSO**

Merci à nos partenaires

Distribution au Canada : Socadis
Diffusion en France : Tothèmes Diffusion

© Institut du Nouveau Monde / Del Busso éditeur, 2016
www.inm.qc.ca / www.delbussoediteur.ca

Dépôt légal : 4ᵉ trimestre 2016
Bibliothèque et Archives nationales du Québec

ISBN papier 978-2-923792-96-5
ISBN PDF 978-2-924719-01-5
ISBN Epub 978-2-924719-00-8

IMPRIMÉ AU CANADA

L'état du Québec 2017

Direction
Annick Poitras, journaliste indépendante, avec la collaboration de Michel Venne, directeur général de l'Institut du Nouveau Monde (INM)

Production
Sophie Seguin-Lamarche, directrice des communications, INM

Édition
Annick Poitras, avec la collaboration d'Emmanuelle Gril, journaliste indépendante

Révision
Christophe Horguelin
Edith Sans Cartier

Rédaction
Brigitte Alepin
J. Maurice Arbour
Jean-Pierre Aubry
Jean-Martin Aussant
Stéphane Berthomet
Alexandre Bigot
Lisa M. Birch
Frédéric Boily
David Boisclair
Philippe Bourke
Pierre-Olivier Brodeur
Cédric Brunelle
Pierre Deschamps
Pierre Doray
Fabien Durif
Dominic Duval
Myriam Ertz
Isabelle Fontaine
Pierre Fortin
Chantal Francoeur
Martin Frappier
Alexis Gagné
Camille Girard-Robitaille
Jean-Herman Guay
Claude-André Guillotte
Pierre J. Hamel
Maripier Isabelle
Bruno Jean
Marcelin Joanis
Thérèse Laflèche
Michel Lafleur
Stéphanie Lapierre
Frédéric Lapointe
Claude Lessard
Carole Lévesque
Hélène Mayrand
Julien McDonald-Guimond
Élisabeth Mercier
Henry Milner
Joëlle Noreau
Herman Okomba-Deparice
Laura O'Laughlin
François Pétry
Pierre-Olivier Pineau
Annick Poitras
Marie-Hélène Proulx
Jacques Roy
Arnaud Scaillerez
Alain-Guy Sipowo
Alexandre Taillefer
Gérard Talbot
Diane-Gabrielle Tremblay
Jonathan Trudel
Michel Venne
Nicolas Zorn

Réflexion et contribution (#2DéfisQc)
Jean-Martin Aussant
Claude Béland
Frédéric Boily
Dinu Bumbaru
Joanne Castonguay
Youri Chassin
Françoise David
François Delorme
Simon Durivage
Marc Dutil
Pierre Fortin
Marie-Claude Goulet
Jean-Herman Guay
Louise Harel
Michel Hébert
Élizabeth Larouche
Jacques Létourneau
Pascale Navarro
Eva Ottawa
Gilles Ouimet
Guillaume Perreault
Marie-France Raynault
Cécile Rousseau
Stéphanie Trudeau
Philippe Viel

Conception de maquette
Jean-François Proulx, balistique.ca, assisté de Laurent Francoeur-Larouche

Site Web
Francis Huot, INM
(inm.qc.ca/edq2017)

Infographie
Josée Lalancette, Folio infographie

Caricatures
Gracieuseté du journal *Le Devoir*
Garnotte
Manon Derome (recherche)

Institut du Nouveau Monde
5605, avenue De Gaspé
Bureau 404
Montréal (Québec) H2T 2A4
514 934-5999
Sans frais : 1 877 934-5999
inm@inm.qc.ca // inm.qc.ca

TABLE DES MATIÈRES

AVANT-PROPOS

L'état du Québec se construit en 90 jours, d'un couvert à l'autre. Une belle folie collective, qui réunit dans son tourbillon plus de 50 auteurs, des experts et chercheurs qui donnent temps et énergies pour alimenter la réflexion sur un Québec toujours en changement, même dans ses entêtements et ses *statu quo*.

On regarde en avant, pour voir ce qui se pointe à l'horizon. Puis on jette un œil au-dessus de son épaule, juste au cas où on aurait oublié quelque chose, et parce qu'on sait que le passé en dit toujours beaucoup sur l'avenir.

L'état du Québec incarne donc cette pause entre hier et demain. C'est le temps de prendre une grande respiration et de capturer le moment présent.

Et que trouve-t-on alors ? Un Québec tourmenté, écartelé entre les besoins de ses jeunes, de ses aînés, de ses immigrants, et son économie qui bat de l'aile. Un Québec qui se cherche aussi de nouvelles ambitions.

Au premier chef, l'éducation, que tous souhaitent remettre au cœur d'un projet de société. Mais « comment faire » est la question piège de l'examen. Aussi complexe est le débat autour de l'aide médicale à mourir, dans lequel s'entrechoquent émotions, valeurs, éthique et droit.

Mais il y a également les défis de la sécurité à l'ère du terrorisme djihadiste, le risque de radicalisation, l'économie de partage qui fout le bordel un peu partout. Il y a bien sûr la politique et son pouvoir de fasciner, comme le font le gouvernement Trudeau et la discussion sur la réforme du mode de scrutin.

L'année 2017, c'est aussi Montréal, cette « ville moyenne de Presqu'Amérique », qui fête ses 375 ans. C'est également les 100 ans de l'impôt au Canada à l'époque trouble du numérique et des paradis fiscaux. Sans oublier les 20 ans du Chantier de l'économie sociale, qui après tout ce temps n'est plus un chantier, mais plutôt l'économie qui pourrait sauver notre économie, désormais en croissance « molle ». L'expression fait sourire, je sais. Mais n'empêche que c'est sérieux : la nouvelle réalité économique resserre à la fois les choix à faire en matière de finances publiques et le virage énergétique, auquel les Québécois ne sont pas forcément prêts.

Un autre anniversaire à souligner, celui de la Commission royale sur les peuples autochtones, qui vingt ans plus tard, se révèle peut-être le socle de la réconciliation enclenchée aujourd'hui. C'est aussi l'an 1 du dépôt du rapport de la commission Charbonneau, ce cauchemar qui nous a fait rire et pleurer dans une honte partagée. A-t-on avancé? Les femmes continuent également de se poser cette question, mais dans un autre spectre d'idées : agressions sexuelles, fraternité entre « féministes », parité, iniquité...

choix de société difficiles qui, espérons-le, refléterons ce que nous voulons devenir.

L'état du Québec, une production de l'Institut du Nouveau Monde (INM), ne pourrait voir le jour sans la générosité

> # *L'état du Québec* incarne cette pause entre hier et demain. C'est le temps de prendre une grande respiration et de capturer le moment présent.

Les inégalités sociales, ce fléau mondial, parlons-en aussi, car le Québec n'en est pas épargné. Comment être plus équitable envers tous les citoyens? En instaurant un revenu minimum garanti? Ou un salaire minimum à 15 dollars? Les avis sont largement partagés.

Encore une fois, il n'existe pas de formule magique. Comme dans tous les enjeux auxquels nous faisons face, il faut peser les pour et les contre, et faire des

de ses nombreux auteurs et de ses partenaires : les Fonds de recherche du Québec, la firme Léger, les quotidiens *Le Devoir* et *Métro Montréal*, et les magazines *L'actualité* et *Châtelaine*.

Merci aussi à nos nombreux lecteurs.

Annick Poitras
Journaliste indépendante
et directrice de *L'état du Québec 2017*

CONFIANCE **ENVIRONNEMENT** ÉCONOMIE

DÉVELOPPEMENT DURABLE IDÉES **VIVRE-ENSEMBLE**

JUSTICE **ÉDUCATION** GÉNÉRATIONS **INÉGALITÉS**

INNOVATION CITOYENS CULTURE

CHANGEMENTS **IMMIGRATION SOCIÉTÉ CIVILE**

CROISSANCE **SANTÉ** RÉGIONS AVENIR

#2DéfisQC

Cette édition de *L'état du Québec* présente les résultats d'un sondage exclusif Léger – *L'état du Québec* – *L'actualité* sur deux grands défis pour le Québec : l'éducation et la vieillesse (voir texte en page 23).

Pour élargir la réflexion, nous avons demandé à des centaines d'experts et de personnalités publiques de résumer, en quelques lignes, quels sont à leur avis les deux défis les plus importants auxquels fait face le Québec. Près de 200 personnes ont répondu à l'appel. Voici un échantillon des idées qui reviennent le plus souvent. De quoi inspirer rêveurs et décideurs !

LES DEUX DÉFIS DE...

Marie-France Raynault
Chef du Département de santé publique du CHUM

PROTÉGER NOS ACQUIS SOCIAUX

Stopper la destruction de l'État québécois tel qu'il s'est développé dans les 40 dernières années. Cet État a permis notre essor dans tous les domaines et a mis en place des politiques sociales modernes.

« INTERNATIONALISER » NOTRE PENSÉE

Trop souvent, nos débats se déroulent en vase clos, sans comparaisons internationales, comme si le Québec était une société si distincte qu'elle ne pouvait tirer des enseignements d'autres sociétés développées.

Michel Hébert
Chroniqueur politique au *Journal de Québec*

REHAUSSER L'ÉDUCATION

Notre réseau d'éducation est généreux, mais il a mal vieilli et la qualité des diplômes est parfois discutable. Il faut rehausser les exigences et revenir à l'enseignement des matières fondamentales. Les réformes des années 2000 n'ont pas eu les effets souhaités, notamment sur le décrochage.

GÉRER LE VIEILLISSEMENT DE LA POPULATION

Puisque les prévisions démographiques semblent dicter l'embauche croissante de main-d'œuvre étrangère qualifiée, il faut envisager l'immigration sereinement. Le vieillissement entraîne aussi l'accroissement de certaines enveloppes budgétaires au détriment d'autres. L'État sert-il équitablement les Québécois de tous les âges ?

Louise Harel
Ex-chef de Vision Montréal

SE LIBÉRER DES ÉNERGIES FOSSILES...

... en favorisant l'électrification des transports.

ACCUEILLIR EFFICACEMENT LES NOUVEAUX ARRIVANTS...

... en misant sur la francisation et leur intégration au marché du travail.

Jean-Martin Aussant
Directeur général, Chantier de l'économie sociale

TENIR UN DISCOURS POSITIF

Le Québec est l'un des meilleurs endroits au monde où vivre, selon l'OCDE. Si de grands personnages dans le passé nous ont donné les moyens de nos ambitions, les prochains devront nous redonner les ambitions de nos moyens. Et ça commence par la fin des discours présentant les Québécois comme une bande d'incapables.

NE PAS BAISSER LA GARDE CULTURELLE

Bien que la proportion de contenu culturel local consommé au Québec soit enviable, nous baignons dans la culture américaine. Les gouvernements, le secteur privé et les collectivités doivent demeurer conscients que la culture québécoise aura toujours besoin qu'on la défende et qu'on la promeuve. La dernière chose qu'on veut pour la planète, c'est l'homogénéité culturelle. Le Québec doit continuer à contribuer à sa façon.

Gilles Ouimet
Ex-député du Parti libéral du Québec

RÉTABLIR LA CONFIANCE DANS NOTRE DÉMOCRATIE

Sans ce lien de confiance, tous les efforts pour améliorer notre société seront vains.

RÉINVENTER NOTRE SYSTÈME D'ÉDUCATION

Avec un taux d'analphabétisme inquiétant et un taux de diplomation (et de décrochage) navrant, il faut plus qu'une réforme : il faut faire du renouvellement de notre système d'éducation une priorité absolue !

Françoise David
Députée et co-porte-parole de Québec solidaire

DÉVELOPPER UN QUÉBEC VERT

Lutter résolument contre les changements climatiques et créer des emplois durables partout au Québec.

CONSTRUIRE UN VIVRE-ENSEMBLE UNIQUE

S'appuyer sur une histoire et une culture particulières en Amérique du Nord et sur l'apport de l'immigration, du français comme langue commune, de l'adhésion à des valeurs telles que l'égalité entre les femmes et les hommes, la justice sociale, le respect des libertés et des droits humains. Et promouvoir ce vivre-ensemble.

Stéphanie Trudeau
Vice-présidente de la stratégie, de communication
et du développement durable, Gaz Métro

AMÉLIORER L'ÉCOLE PUBLIQUE

Porter une attention particulière à la réussite des garçons et augmenter le taux général de diplomation.

VITALISER NOTRE ÉCONOMIE

Rendre le Québec attrayant pour les entreprises étrangères en diversifiant nos activités, tout en maintenant une base industrielle plus verte et concurrentielle.

Philippe Viel
Responsable des communications à l'Union des consommateurs

DIMINUER L'ENDETTEMENT INQUIÉTANT DES MÉNAGES...

... en agissant sur l'accès trop facile au crédit, les tarifs de télécommunications trop élevés, les systèmes de santé et d'éducation qui obligent de plus en plus à mettre la main au portefeuille par l'application du principe de l'utilisateur-payeur (par exemple, les tarifs dans les CPE), etc.

AMÉLIORER L'ÉQUILIBRE ENTRE LES DROITS DES CONSOMMATEURS ET CEUX DES ENTREPRISES...

... par un encadrement plus strict des pratiques commerciales et un meilleur accès à la justice, incluant une exécution des jugements plus efficace à la Cour des petites créances.

Youri Chassin
Chercheur à l'Institut économique de Montréal et chroniqueur

DÉCENTRALISER LES SERVICES PUBLICS

La santé et l'éducation sont les principaux exemples de secteurs où les décisions devraient se prendre plus près des services rendus aux citoyens, pour leur laisser davantage de choix.

NE PAS FREINER L'INNOVATION

Les lois anachroniques qui freinent les innovations comme Uber, Airbnb, les camions de bouffe de rue et l'entrepreneuriat de la nouvelle économie doivent être abandonnées. Bien que de puissants corporatismes s'y opposent, le gouvernement doit aussi prendre en compte l'intérêt des citoyens.

Frédéric Boily
Politologue, Université de l'Alberta

DIALOGUER SUR LA DIVERSITÉ RELIGIEUSE

En raison de son passé religieux, culturel et politique, le Québec semble devenu allergique à la question de la place de la religion dans l'espace public, qu'il faut pourtant affronter. Si le débat doit permettre de discuter de manière informée, en revanche les partis politiques doivent éviter d'instrumentaliser les questions identitaires.

TRAITER LES RÉGIONS ET LES VILLES ÉGALEMENT

Il existe des divergences entre les diverses régions du Québec et les grands centres urbains sur le plan du développement économique, social et démographique. Il faut éviter de mettre en vigueur des politiques qui accentuent ces inégalités et qui créent un Québec à plusieurs vitesses dans lequel certains citoyens se sentiraient exclus.

Pierre Fortin
Économiste et professeur émérite à l'Université du Québec à Montréal

CONJUGUER INTELLIGEMMENT PASSÉ, PRÉSENT ET FUTUR

Investir autant pour préparer l'avenir de nos enfants qui grandissent (services de garde, éducation primaire, secondaire et postsecondaire) que pour soigner nos aînés qui vieillissent (santé, services sociaux).

REDEVENIR UNE SOCIÉTÉ DE CONFIANCE

Apaiser les conflits et oppositions qui ont été exacerbés ces dernières années – magouilles, collusion et corruption, riches contre pauvres, natifs contre immigrants, régions contre villes, élus contre administration publique, etc.

Jacques Létourneau
Président de la Confédération des syndicats nationaux (CSN)

OFFRIR UN REVENU ET DES SERVICES PUBLICS DÉCENTS

L'État doit veiller au maintien ou à la mise en place des conditions qui assurent un revenu décent à tous, et ce, tout au long de la vie : normes du travail, salaire minimum, services de garde éducatifs, aide sociale, politique soutenue de création d'emplois de qualité. Il doit aussi assurer des services publics de qualité.

VIVRE LA TRANSITION ÉNERGÉTIQUE

Il faut se libérer de la dépendance envers les hydrocarbures, lutter contre les changements climatiques et adopter des technologies propres comme moteur de développement durable pour maintenir notre qualité de vie.

Dinu Bumbaru
Directeur des politiques à Héritage Montréal

FAIRE DU TERRITOIRE UN PATRIMOINE COMMUN

Ici comme ailleurs, l'Histoire fascine. Mais la géographie, elle, est souvent négligée, comme l'illustrent tristement le gaspillage et la dégradation de nos paysages identitaires à coups de projets, de rénovations et de décisions prises sans vision d'ensemble ni appréciation des dimensions culturelles, y compris autochtones, de nos territoires. Notre territoire culturel doit être mieux reconnu et protégé.

ENTRETENIR LE DOMAINE CIVIQUE

Par leur architecture, les écoles, les universités, les hôpitaux, les parcs, les bureaux de poste, les églises et autres édifices ou lieux publics témoignent de l'effort de leurs bâtisseurs au service d'une valeur collective. En 2016, la détérioration et la désaffection de ce patrimoine crée une hypothèque invisible qu'il faut lever en engageant un vaste chantier de réparation, de réappropriation et de réanimation du domaine civique.

Simon Durivage
Ancien journaliste et animateur à Radio-Canada

RÉUNIR LES QUATRE SOLITUDES

Il n'y a plus deux solitudes au Québec, il y en a quatre : les francophones, les anglophones, les immigrants et les Autochtones. Nous devons multiplier les efforts pour réunir tous les Québécois et revoir notre attitude souvent craintive par rapport aux grands projets publics ou privés. Nous devrions débattre sainement plutôt que de manquer de transparence ou de monter aux barricades.

RELEVER LE NIVEAU DE L'ÉDUCATION

Tous les efforts faits à ce jour ont à peine diminué le décrochage scolaire et le Québec ne produit pas suffisamment de diplômés universitaires. De plus, la qualité de notre français parlé et écrit régresse. Nous sommes une nation si fière de sa langue, pourquoi ne l'utilisons-nous pas mieux ?

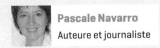

Pascale Navarro
Auteure et journaliste

COMBATTRE LES INÉGALITÉS SYSTÉMIQUES DE GENRE ET DE RACE
Éduquer les citoyens à cet enjeu complexe et mal compris.

SORTIR DE L'IMPASSE POLITIQUE
La souveraineté a «siphonné» les débats politiques pendant les 30 dernières années. Rien n'avance... Demandons-nous si c'est la bonne direction.

Marie-Claude Goulet
Médecin et militante pour la justice sociale

PROTÉGER NOTRE TERRITOIRE
Les projets de pipelines et d'extraction d'hydrocarbures mettent en péril des centaines de cours d'eau et l'accès à l'eau potable, de même que des terres agricoles et des terres habitées par les Premières Nations. La santé de l'environnement et de la population est en jeu.

SAUVEGARDER ET AMÉLIORER LES SERVICES PUBLICS
Une société qui n'est pas en mesure de bien soigner sa population et de lui offrir une éducation de qualité est une société malade. La solidarité, la justice sociale et la coopération sont de bons remèdes !

Joanne Castonguay
Directrice de recherche Pôle santé de HEC Montréal

INNOVER DE FAÇON DURABLE
Les perspectives économiques laissent présager une croissance modeste. Le Québec doit donc devenir beaucoup plus efficient dans les secteurs public et privé, et ce, en tenant compte de son empreinte sur l'environnement. Ceci implique non seulement d'avoir de bonnes idées, mais de savoir les réaliser afin de générer les bénéfices promis.

LEVER LES OBSTACLES À L'INNOVATION
Notre secteur public et le gouvernement doivent devenir beaucoup plus flexibles et agiles pour permettre le développement d'une réglementation adaptée aux enjeux actuels et soutenir le Québec dans le virage vers la quatrième révolution industrielle.

Cécile Rousseau

Médecin, professeure à l'Université McGill
et directrice scientifique au Centre de recherche SHERPA

PRÉSERVER LA RELATION AVEC LA TERRE...

Le Québec est riche d'espaces et d'eau, mais si nous n'y prenons garde, ces ressources essentielles seront mercantilisées (elles commencent à l'être).

... ET AVEC L'HUMAIN

Le Québec est aussi un lieu où il fait bon vivre. Cependant, nos politiques sociales, qui contribuent à cette paix et qui ont mis du temps à être instaurées, peuvent être rapidement détruites.

François Delorme

Économiste, professeur à l'Université de Sherbrooke

LUTTER CONTRE LES INÉGALITÉS

Favoriser la mobilité sociale en renforçant l'éducation et la lutte contre le décrochage scolaire.

DONNER UNE VALEUR AU CARBONE...

... pour lutter contre les changements climatiques.

Jean-Herman Guay

Politologue, Université de Sherbrooke

RÊVER LES YEUX OUVERTS

Depuis 20 ans, le Québec a perdu le goût de l'avenir. Des blocages multiples ont conduit à une léthargie collective dangereuse. Le cynisme, parfois justifié, mais souvent trop systématique, est devenu une idéologie dominante dans les milieux intellectuels et éducatifs et dans les médias. Il faut sortir de la morosité, de l'impuissance et de la démission.

SE REFAIRE CONFIANCE

Surmonter une méfiance, un doute à l'endroit des acteurs politiques et sociaux, doute qui nous conduit collectivement à rester chez soi, dans la fausse sécurité de l'individualisme.

Marc Dutil
Président et chef de la direction, Groupe Canam

REDÉFINIR L'INDÉPENDANCE...

... comme un état d'esprit, une confiance par rapport à demain, et non seulement un statut politico-légal. Pour que l'énergie soit investie dans le futur.

FAIRE DU QUÉBEC UNE MARQUE FORTE...

... qui attirera les meilleurs talents de la planète. Parce que pour créer une équipe gagnante, il faut savoir recruter avec un esprit ouvert.

Élizabeth Larouche
Ex-députée et ministre du Parti québécois

MISER SUR L'ÉDUCATION, NOTRE AVENIR

Le monde et les moyens de formation sont en pleine mutation. Il faut opérer des changements majeurs à tous les niveaux d'enseignement. Notre avenir en tant que peuple dépend de l'importance que nous accorderons à l'éducation.

MIEUX VIVRE ENSEMBLE TOUT EN ÉTANT DIFFÉRENTS

Il faut mettre en place une consultation sur l'intégration des immigrants, afin d'assurer leur contribution pleine et entière à notre société. Et nous interroger sur notre relation avec les Premières Nations et sur la place que nous leur donnons.

Claude Béland
Ex-PDG du Mouvement Desjardins

RÉTABLIR LA DÉMOCRATIE...

... afin que le projet de société du Québec soit le projet de la majorité de ses citoyens.

TRANSFORMER LES MAISONS D'ENSEIGNEMENT...

... en des lieux d'éducation aux valeurs et aux comportements appropriés en vue du rétablissement d'une social-démocratie au Québec.

Guillaume Perreault
Acteur

SORTIR DU MARASME POLITIQUE

Transformer les façons de faire des gouvernements pour qu'ils soient obligés de s'adresser à l'intelligence, à la culture et au sens des responsabilités des citoyens, qui eux pourront aborder les enjeux et les idées qui leur sont présentés.

S'ÉPANOUIR AUTREMENT

Éduquer la population et les générations futures à s'épanouir spirituellement, à délaisser une part du matérialisme et de l'individualisme nord-américains, et sensibiliser les gens à la nécessité de trouver le bonheur et l'épanouissement en soi, dans son entourage et dans une forme de simplicité volontaire.

Eva Ottawa
Présidente du Conseil du statut de la femme

BRISER LES STÉRÉOTYPES QUI PERPÉTUENT LA VIOLENCE ET LES INÉGALITÉS

L'égalité de droit est acquise pour les femmes, l'égalité de fait est encore loin d'être atteinte. La violence est la manifestation la plus significative de la persistance des inégalités entre les femmes et les hommes. Pour espérer l'endiguer, nous devons éduquer très tôt les jeunes à l'égalité, leur parler et les écouter, et leur donner la chance de réfléchir et de s'exprimer, par exemple sur le consentement. Bref, aider la prochaine génération à dénoncer les croyances et à briser les stéréotypes qui perpétuent les inégalités.

AMÉLIORER LES CONDITIONS DE VIE DE TOUTES LES FEMMES

Toutes les femmes, y compris les femmes immigrantes et les femmes autochtones, doivent pouvoir bénéficier des avancées du féminisme. Je souhaite comme femme et comme autochtone établir des ponts entre les nations pour offrir des points de rencontre dans le respect et l'égalité. Le défi est grand, mais réaliste et réalisable... ensemble !

Crédits photo : Alexandre Messier (Dinu Bumbaru), Serge Gosselin (Élizabeth Larouche), Liliane Côté (Eva Ottawa), Samedi Ravenelle (Guillaume Perreault), CSN (Jacques Létourneau), Maude Chauvin (Jean-Martin Aussant), Groupe Canam (Marc Dutil), Fabian Thauvoye, *Journal de Québec* (Michel Hébert), François Roy, *La Presse* (Philippe Viel)

Introduction

LES QUÉBÉCOIS, L'ÉDUCATION ET LA VIEILLESSE

Sondage exclusif Léger/ *L'état du Québec* / *L'actualité*

Parmi les défis que doit relever le Québec, deux apparaissent parmi les plus importants et sont au carrefour des préoccupations générationnelles : l'éducation et la vieillesse. En préparant cette 21ᵉ édition de *L'état du Québec*, l'Institut du Nouveau Monde et un de ses partenaires, le magazine *L'actualité*, ont demandé à la firme Léger de sonder les Québécois sur ces dimensions importantes de notre avenir collectif.

Il en ressort que lorsqu'on demande aux Québécois auquel de ces deux défis il faut accorder la priorité, une majorité répond l'éducation. Parallèlement, neuf Québécois sur dix estiment qu'il faut aussi accorder plus de place aux aînés, qui mènent une vie de plus en plus active. Le Québec serait-il pris entre deux feux ? Oui, mais il existe également une volonté de créer une société pour tous les âges.

MICHEL VENNE
Directeur général, Institut du Nouveau Monde (INM)

Lorsqu'on demande au Québec quel choix on devrait faire, collectivement, entre s'occuper prioritairement de l'éducation et s'occuper avant tout de la qualité de vie des aînés, 57 % des répondants optent pour l'éducation, contre 27 % sement plutôt que comme une dépense (7 %), et l'éducation universelle et gratuite est considérée comme une bonne chose. Dans les mêmes proportions (85 %), les Québécois affirment que le système public d'éducation a contribué

Qu'ils soient jeunes ou vieux, les Québécois identifient les mêmes défis collectifs.

pour la qualité de vie des aînés ; 13 % ne savent pas.

Dans tous les groupes d'âge, l'éducation l'emporte sur la qualité de vie des aînés, y compris chez les plus âgés, qui priorisent l'éducation dans une proportion de 53 %. Mais les plus jeunes (de 18 à 44 ans) valorisent l'éducation dans des proportions dépassant les 70 %.

Pour 87 % des Québécois, l'éducation est perçue surtout comme un investis-

de façon très ou assez importante à leur qualité de vie.

FORMER D'ABORD DES CITOYENS...
MAIS AUSSI DES TRAVAILLEURS
La moitié des Québécois (52 %) sont d'avis que le rôle le plus important de l'école est de préparer les jeunes à être des citoyens actifs et informés. Cette proportion grimpe à 65 % chez les 25 à 34 ans, à 63 % chez la génération Y (née entre 1981 et 1995) et à

PRIORITÉ : ÉDUCATION OU QUALITÉ DE VIE DES AÎNÉS

Si le Québec devait choisir entre s'occuper prioritairement de l'éducation ou prioritairement de la qualité de vie des aînés, collectivement, quel choix devrait-il faire ?

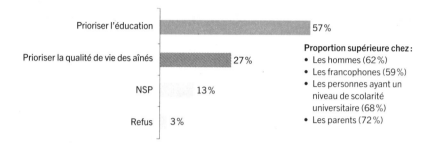

Prioriser l'éducation — 57%

Prioriser la qualité de vie des aînés — 27%

NSP — 13%

Refus — 3%

Proportion supérieure chez :
• Les hommes (62 %)
• Les francophones (59 %)
• Les personnes ayant un niveau de scolarité universitaire (68 %)
• Les parents (72 %)

	Total	Selon l'âge des répondants					
		18-24	25-34	35-44	45-54	55-64	65 +
n =	1 001	109	160	131	146	184	271
Prioriser l'éducation	57%	73%	70%	70%	46%	40%	53%
Prioriser la qualité de vie des aînés	27%	20%	16%	15%	33%	39%	34%
NSP / Refus	16%	8%	14%	15%	21%	21%	12%

Le sondage web a été réalisé par Léger **du 21 au 27 juillet 2016**, auprès d'un échantillon représentatif de **1 001 Québécois âgés de 18 ans et plus** et pouvant s'exprimer en français ou en anglais.

60 % chez les personnes ayant fréquenté l'université.

En revanche, 46 % de la population pensent que l'école devrait surtout servir à préparer les jeunes à faire leur entrée sur le marché du travail. Cette proportion est plus élevée qu'en 2010. En effet, la firme Léger avait alors posé une question similaire dans un sondage, et 38 % des répondants voulaient que l'école publique forme d'abord de futurs travailleurs.

Ainsi, l'appui à l'école comme antichambre du marché du travail semble se renforcer. Les Québécois voient voir un lien direct entre la réussite scolaire et la possibilité de bien gagner sa vie. Pour neuf personnes sur dix, les jeunes ont plus de chances de se trouver un emploi bien rémunéré s'ils obtiennent un diplôme d'études secondaires (88 %) ou s'ils poursuivent leurs études au cégep ou à l'université (89 %). Et pour 95 % des

OPINION SUR LA PRÉPARATION DES JEUNES À DEVENIR DES CITOYENS ACTIFS ET INFORMÉS

Croyez-vous que le système scolaire québécois prépare bien les jeunes à devenir des citoyens actifs et informés?

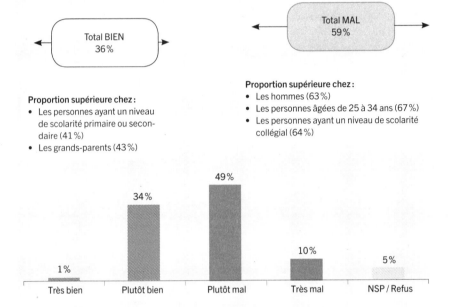

Total BIEN
36%

Total MAL
59%

Proportion supérieure chez:
- Les personnes ayant un niveau de scolarité primaire ou secondaire (41%)
- Les grands-parents (43%)

Proportion supérieure chez:
- Les hommes (63%)
- Les personnes âgées de 25 à 34 ans (67%)
- Les personnes ayant un niveau de scolarité collégial (64%)

Très bien	Plutôt bien	Plutôt mal	Très mal	NSP / Refus
1%	34%	49%	10%	5%

Le sondage web a été réalisé par Léger **du 21 au 27 juillet 2016,** auprès d'un échantillon représentatif de **1 001 Québécois âgés de 18 ans et plus** et pouvant s'exprimer en français ou en anglais.

répondants, favoriser la réussite scolaire des enfants est une des meilleures manières de lutter contre la pauvreté.

La lutte au décrochage scolaire est aussi l'action qui reçoit le plus d'appuis (21%) sur une liste de huit façons de combattre l'analphabétisme, devant l'augmentation du nombre d'heures d'enseignement du français au primaire (20%), l'offre de services d'alphabétisation pour les adultes (14%), la mise sur pied de campagnes médiatiques (10%) ou le financement de groupes communautaires en alphabétisation (9%).

OPINION SUR LA PRÉPARATION DES JEUNES À FAIRE LEUR ENTRÉE SUR LE MARCHÉ DU TRAVAIL

Croyez-vous que le système scolaire québécois prépare bien ou non les jeunes à faire leur entrée sur le marché du travail ?

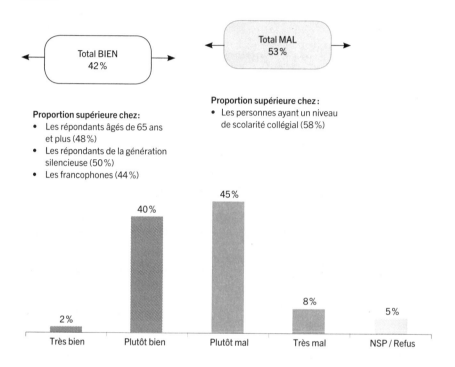

Total BIEN
42 %

Total MAL
53 %

Proportion supérieure chez :
- Les répondants âgés de 65 ans et plus (48 %)
- Les répondants de la génération silencieuse (50 %)
- Les francophones (44 %)

Proportion supérieure chez :
- Les personnes ayant un niveau de scolarité collégial (58 %)

Très bien	Plutôt bien	Plutôt mal	Très mal	NSP / Refus
2 %	40 %	45 %	8 %	5 %

Le sondage web a été réalisé par Léger **du 21 au 27 juillet 2016**, auprès d'un échantillon représentatif de **1 001 Québécois âgés de 18 ans et plus** et pouvant s'exprimer en français ou en anglais.

ALLONGER LE PARCOURS SCOLAIRE OBLIGATOIRE ?

La perception voulant que l'obtention d'un diplôme soit payante est confirmée par l'économiste Pierre Fortin, qui a établi que sur 50 ans de vie active, le gain individuel cumulatif découlant de l'acquisition d'un premier diplôme est de 520 000 à 560 000 dollars (voir le texte en page 51).

Si les diplômés universitaires peuvent réellement espérer une rémunération plus élevée, les jeunes de 18 à 24 ans sondés n'en sont toutefois pas convaincus. Ils sont plus nombreux à croire en l'effet positif d'un diplôme d'études secondaires pour améliorer leurs chances d'occuper un emploi bien rémunéré (94 %) qu'aux bénéfices de la poursuite

Êtes-vous d'accord ou non avec les énoncés suivants?

■ Tout à fait d'accord ■ Plutôt d'accord ■ Plutôt en désaccord ▫ Tout à fait en désaccord ■ NSP / Refus

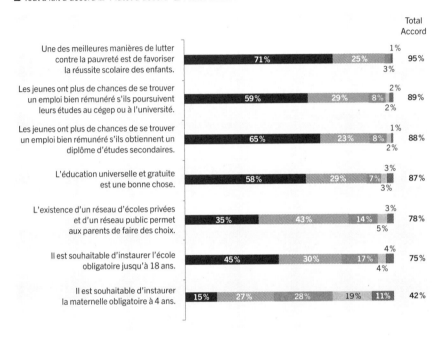

Le sondage web a été réalisé par Léger **du 21 au 27 juillet 2016**, auprès d'un échantillon représentatif de **1 001 Québécois âgés de 18 ans et plus** et pouvant s'exprimer en français ou en anglais.

d'études au cégep et à l'université (77 %). Voilà une donnée qui paraît inquiétante pour les établissements d'enseignement postsecondaire au Québec.

Ce sont d'ailleurs les jeunes qui sont les moins favorables à l'instauration de l'école obligatoire jusqu'à 18 ans – au lieu de 16 ans comme c'est le cas à l'heure actuelle. Le taux d'appui à une telle mesure est de 62 % chez les 18-24 ans et de

68 % chez les 25-34 ans alors qu'il atteint 75 % dans la population en général !

Si les trois quarts des Québécois favorisent l'allongement du parcours scolaire obligatoire « par le haut », ils sont plus réfractaires à l'allonger « par le bas » : 47 % des Québécois s'opposent en effet à l'instauration de la maternelle obligatoire à 4 ans, contre 42 % qui trouveraient cette mesure souhaitable.

PERCEPTIONS EN VRAC SUR L'ÉDUCATION

Les élections scolaires

- Au total, 34 % des répondants disent avoir lu des reportages sur le projet de loi 86 qui proposait, entre autres, d'abolir les élections scolaires et d'accroître le rôle des parents dans la gouvernance scolaire. Parmi ceux-là, 52 % approuvent l'abolition des commissions scolaires contre 46 % pour l'ensemble des répondants, cette proportion dépassant les 60 % chez les personnes de 55 ans et plus et les habitants de la région de Québec. À l'été 2016, le gouvernement libéral de Philippe Couillard a changé son fusil d'épaule et renoncé à abolir les élections scolaires.

Les écoles publiques et privées

- Si 78 % croient que l'existence d'un réseau d'écoles privées et d'un réseau public permet aux parents de faire des choix (voir le texte en page 37), 14 % sont en désaccord avec cette affirmation.

Le « Printemps érable »

- Quelque 55 % des répondants pensent que la crise étudiante de 2012 n'a eu aucun impact sur l'accessibilité à l'éducation postsecondaire ; 14 % jugent qu'elle a eu des répercussions positives et 7 % qu'elle a eu un impact négatif.

BILAN DE LA CRISE ÉTUDIANTE DU PRINTEMPS 2012

Au printemps 2012, le Québec a connu une crise étudiante que certains ont appelée le « Printemps érable ». Dans le cadre de ce mouvement étudiant, les principales associations étudiantes collégiales et universitaires réclamaient diverses mesures visant à accroître l'accessibilité à l'université, telles que la gratuité, de meilleurs prêts et bourses, etc. Quatre ans plus tard, quel bilan faites-vous de l'impact de la crise étudiante ?

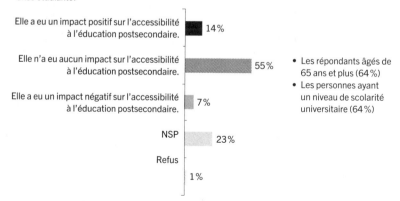

Elle a eu un impact positif sur l'accessibilité à l'éducation postsecondaire. — 14 %

Elle n'a eu aucun impact sur l'accessibilité à l'éducation postsecondaire. — 55 %

Elle a eu un impact négatif sur l'accessibilité à l'éducation postsecondaire. — 7 %

NSP — 23 %

Refus — 1 %

- Les répondants âgés de 65 ans et plus (64 %)
- Les personnes ayant un niveau de scolarité universitaire (64 %)

Le sondage web a été réalisé par Léger **du 21 au 27 juillet 2016**, auprès d'un échantillon représentatif de **1 001 Québécois âgés de 18 ans et plus** et pouvant s'exprimer en français ou en anglais.

VIVRE PLUS VIEUX EST UNE CHANCE

Où se termine la jeunesse et quand commence la vieillesse ? En moyenne, selon l'ensemble des répondants à notre sondage, on est jeune jusqu'à 42 ans, et on devient vieux à 68 ans !

Mais comme l'âge est toujours un concept relatif, pour le quart de la population, on est encore jeune passé le cap des 50 ans et on ne devient vieux qu'à partir de 80 ans...

Pour 52 % de la population, vieillir est perçu comme étant une chance, contre 32 % qui jugent le vieillissement comme un fardeau. L'augmentation de l'espérance de vie est perçue comme une bonne chose par 73 % des répondants (et par 82 % des aînés de 65 ans et plus) et comme une mauvaise chose par seulement 13 % de la population.

Cette perception positive de la vieillesse a cependant ses limites... Seulement 46 % des Québécois souhaitent devenir centenaires !

DEUX INQUIÉTUDES : LA SANTÉ ET LA SÉCURITÉ FINANCIÈRE

S'ils désirent vivre plus longtemps, les Québécois veulent le faire en étant en santé et dans une relative sécurité financière, deux conditions qu'ils sont loin d'être certains de pouvoir réunir.

La principale inquiétude des Québécois en ce qui a trait à leurs vieux jours est de ne pas recevoir les soins dont ils auront besoin pour rester en santé (81 %).

D'ailleurs, s'ils vieillissaient malades, les deux tiers des Québécois envisageraient probablement d'utiliser les dispositions permettant de bénéficier de l'aide

SOURCES D'INQUIÉTUDE EN PENSANT À SES VIEUX JOURS

Lorsque vous pensez à vos vieux jours, que ceux-ci soient lointains ou que vous y soyez déjà, quelle est votre principale source d'inquiétude ? Veuillez classer les items suivants, en commençant avec la plus importante source d'inquiétude et en terminant avec la moins importante source d'inquiétude.

Ma santé, ne pas recevoir les soins dont j'aurais besoin pour rester en santé	81 %
Manquer d'argent pour maintenir ma qualité et mon niveau de vie	65 %
Me retrouver seul, isolé	49 %
Perdre contact avec les membres de ma famille	28 %
Ne plus comprendre le monde dans lequel je vis	31 %
M'ennuyer	19 %
Je n'ai pas d'inquiétude / d'autres inquiétudes pour mes vieux jours	5 %
NSP / Refus	2 %

Le sondage web a été réalisé par Léger **du 21 au 27 juillet 2016**, auprès d'un échantillon représentatif de **1 001 Québécois âgés de 18 ans et plus** et pouvant s'exprimer en français ou en anglais.

PROBABILITÉ D'ENVISAGER D'UTILISER LES DISPOSITIONS PERMETTANT DE BÉNÉFICIER DE L'AIDE MÉDICALE À MOURIR

Pour vous-même, est-ce que vous envisageriez d'utiliser les dispositions permettant de bénéficier de l'aide médicale à mourir ?

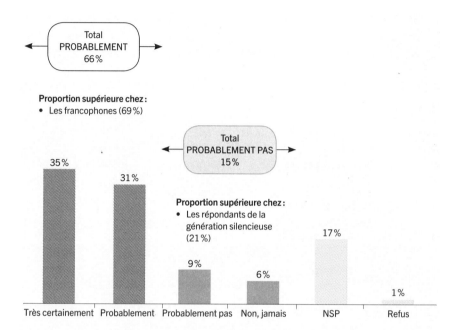

Le sondage web a été réalisé par Léger **du 21 au 27 juillet 2016**, auprès d'un échantillon représentatif de **1 001 Québécois âgés de 18 ans et plus** et pouvant s'exprimer en français ou en anglais.

médicale à mourir (voir la clé Santé en page 56).

Attention : il existe cependant une certaine confusion autour du sens à donner à l'expression *aide médicale à mourir*. Selon le Dr Antoine Boivin, de l'Université de Montréal, consulté par *L'état du Québec* à ce sujet, « beaucoup de gens confondent la cessation de traitement (arrêter un respirateur) et l'utilisation de médicaments dont un effet secondaire peut être de raccourcir la vie, avec ce qui correspond à l'aide médicale à mourir, soit l'injection d'un médicament mortel par un médecin à la demande d'un patient ».

UNE RETRAITE ACTIVE, MAIS BIEN FINANCÉE ?

En moyenne, les Québécois pensent prendre ou ont déjà pris leur retraite à

62 ans, mais personne ne souhaite être relégué dans l'ombre lorsqu'il se retire du marché du travail.

En effet, neuf répondants sur dix pensent qu'on devrait accorder une plus grande place aux aînés dans notre société. Et si 42 % affirment que les aînés devraient céder la place qu'ils occupent aux plus jeunes, une majorité de répondants (51 %) est en désaccord avec une telle affirmation. Un débat à suivre, dans un contexte où de plus en plus de baby-boomers souhaitent travailler à temps partiel durant leur retraite.

D'ailleurs, presque la moitié des répondants (44 %) jugent que les retraités d'aujourd'hui ont une meilleure vie que les générations précédentes au même âge. Mais cette embellie ne durera pas. Selon 61 % des Québécois, les travailleurs d'aujourd'hui auront une moins bonne retraite que leurs prédécesseurs. Ô surprise : les trois quarts des membres des générations Y et X (gens âgés entre 21 et 51 ans), moins nombreux à bénéficier d'un régime de retraite au travail, sont de cet avis.

À l'égard de la qualité de la retraite des plus jeunes, l'inquiétude est aussi

EMPLOI DU TEMPS À LA RETRAITE

Quand vous serez à la retraite, ou maintenant que vous êtes à la retraite, comment occupez-vous ou occuperez-vous votre emploi du temps?
(Plusieurs mentions possibles)

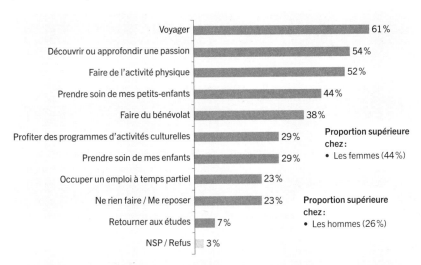

Le sondage web a été réalisé par Léger **du 21 au 27 juillet 2016**, auprès d'un échantillon représentatif de **1 001 Québécois âgés de 18 ans et plus** et pouvant s'exprimer en français ou en anglais.

SOURCES DE BONHEUR EN PENSANT À SES VIEUX JOURS

Lorsque vous pensez à vos vieux jours, que ceux-ci soient lointains ou que vous y soyez déjà quelle est votre principale source de bonheur ? Veuillez classer les items suivants, en commençant avec la plus importante source de bonheur et en terminant avec la moins importante source de bonheur.

J'aurai enfin du temps libre pour faire ce qui me plaît.	81%
Je vais vivre longtemps et en santé.	68%
Je pourrai prendre soin de mes petits-enfants.	53%
Je pourrai faire du bénévolat, m'engager dans des groupes communautaires.	43%
Je serai riche parce que je toucherai mes rentes de retraite.	12%
Je n'ai pas d'autres sources de bonheur.	—
NSP / refus	8%

Le sondage web a été réalisé par Léger **du 21 au 27 juillet 2016**, auprès d'un échantillon représentatif de **1 001 Québécois âgés de 18 ans et plus** et pouvant s'exprimer en français ou en anglais.

palpable : 49 % des Québécois croient que la retraite des étudiants d'aujourd'hui sera moins bonne, 11 % qu'elle sera meilleure et 25 % qu'elle sera aussi bonne.

Il faut souligner toutefois que les Québécois ne mettent pas les chances de leur côté : moins de la moitié des répondants disent planifier leur retraite sur le plan financier (48 %) et 20 % n'ont pas du tout commencé à le faire ! Les efforts de campagnes publiques en matière de littératie financière et d'importance de l'épargne-retraite doivent donc être maintenus : le message semble lent à passer.

UNE SOCIÉTÉ POUR TOUS LES ÂGES

À cause de l'intensité de son baby-boom durant l'après-guerre, le Québec est une des sociétés dans le monde où le vieillissement de la population sera le plus rapide. Ce phénomène change beaucoup de choses. L'équilibre entre les générations est bousculé. La proportion des jeunes diminue. Les aînés vivent plus longtemps et en meilleure santé qu'avant. Des besoins nouveaux apparaissent. La vraie question posée par le vieillissement collectif est celle-ci : comment les générations vont-elles créer la solidarité nécessaire pour constituer une société pour tous les âges ?

Entre 2009 et 2011, avec les Rendez-vous des générations, l'Institut du Nouveau Monde avait rallié des dizaines de partenaires dans 15 régions dans le but de sonder plus de 4 000 citoyens âgés de 12 à 90 ans. Cette démarche unique avait permis de tirer quelques constats et d'énoncer des propositions aujourd'hui confirmées par ce sondage.

À l'égard du vieillissement, la population ressent une inquiétude perceptible dans l'émergence et la récurrence des

PERCEPTIONS EN VRAC SUR LA VIEILLESSE

Les conditions d'emploi

- Au total, 29% des gens pensent que les travailleurs d'aujourd'hui ont de moins bonnes conditions d'emploi que les générations précédentes, contre 38% qui pensent le contraire; 38% pensent que les jeunes aux études auront de moins bonnes conditions que les travailleurs d'aujourd'hui, contre 28% qui pensent qu'elles seront meilleures.

Les conditions de vie

- Parmi les répondants, 55% disent que les aînés ont des conditions de vie enviables et 40% affirment que les retraités actuels ont des conditions de vie auxquelles «je n'aurai pas accès».

Les aidants naturels

- Quelque 12% des répondants se qualifient d'aidants naturels et 35% connaissent quelqu'un qui en est un. Seulement le tiers des répondants se disent prêts à devenir aidants naturels; un tiers également disent qu'ils ne le sont pas et un autre qui ne sait pas.

thèmes liés à la santé, au financement des services publics et des retraites, et à une éventuelle pénurie de main-d'œuvre qui minerait notre économie. Les Québécois demandent aux décideurs de reconnaître l'importance du phénomène du vieillissement et d'adopter une ou des politiques à cet égard.

Qu'ils soient jeunes ou vieux, les Québécois identifient les mêmes défis collectifs. Pas toujours pour les mêmes raisons, c'est vrai. Mais le fait que tous se préoccupent des mêmes problèmes indique qu'il est important de discuter pour trouver, ensemble, les bonnes solutions.

Surtout, notre société éprouve un besoin d'instaurer et de multiplier les lieux et les occasions de dialogue entre les personnes de générations différentes.

Il faut démystifier les préjugés et démonter les tabous à l'égard du vieillissement, combattre l'âgisme et le jeunisme, aborder franchement le partage du pouvoir et des responsabilités entre les générations et concevoir des pistes de collaboration, de partage et de transmission entre Québécois de tous les âges.

C'est le souhait que font les Québécois: être en mesure d'entretenir ce dialogue sans quoi d'éventuelles chicanes sur le partage des ressources financières collectives, entre autres, pourraient mener à une «guerre» des générations. Personne n'en sortirait gagnant. C'est ainsi que la priorité accordée ici à l'éducation, et dans d'autres contextes à la protection de l'environnement et à un développement durable – une autre priorité qui réunit les citoyens les plus jeunes et les plus âgés – révèle une volonté d'alliance porteuse d'avenir.

MÉTHODOLOGIE

Un sondage web a été réalisé par la firme Léger du 21 au 27 juillet 2016, auprès d'un échantillon de 1 001 Québécois âgés de 18 ans et plus et pouvant s'exprimer en français ou en anglais. À l'aide des données de Statistique Canada, les résultats ont été pondérés selon le sexe, l'âge, la langue parlée à la maison, la scolarité et la présence d'enfants dans le ménage afin de rendre l'échantillon représentatif de l'ensemble de la population à l'étude. Aux fins de comparaison, un échantillon probabiliste de 1 001 répondants aurait une marge d'erreur de ±3 %, et ce, dans 19 cas sur 20. Le rapport complet des résultats est disponible sur le site de *L'état du Québec 2017* : http://inm.qc.ca/edq2017. ◊

Notes et sources, p. 322

À lire, d'autres analyses sur les générations et la démographie aux pages 300 et 316. Ce rapport du sondage est disponible sur le site web de l'INM à www.inm.qc.ca/edq2017.

Éducation

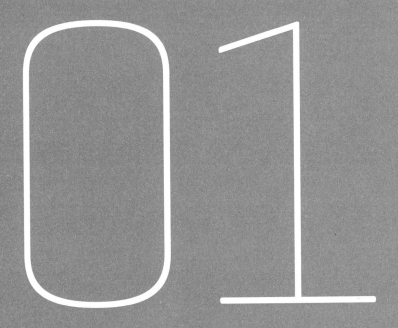

L'ÉVOLUTION INQUIÉTANTE DE L'ÉCOLE À TROIS VITESSES

Au Québec, plus d'un élève sur dix du primaire et du secondaire fréquente désormais une école privée, un record en Amérique du Nord. En conséquence, les écoles publiques offrent de plus en plus de programmes particuliers à l'intention des élèves les plus doués. La conjugaison de ces phénomènes n'est pas anodine : elle crée un enseignement de base à trois vitesses, soit le privé, le public enrichi et le public ordinaire.

CLAUDE LESSARD
Professeur émérite à l'Université de Montréal
et ex-président du Conseil supérieur de l'éducation

L e Québec se berce-t-il d'illu-sions à propos de son système d'éduca-tion, qu'il a tendance à percevoir comme démocratique, égalitaire et performant? Le discours dominant dans les champs scientifique, médiatique et politique veut que, depuis la Révolution tranquille, notre système d'éducation ait fait des bonds prodigieux en matière d'accès et de réus-site à tous les niveaux d'enseignement. Il y serait arrivé grâce à un investissement massif dans l'offre d'éducation et en soute-nant la demande des différentes couches sociales au moyen de programmes d'in-tervention en milieux défavorisés au préscolaire, au primaire et au secondaire, et en offrant la gratuité scolaire jusqu'à la fin du collégial, de même que des prêts et bourses pour aider à poursuivre des études universitaires.

Ce discours correspond à une réa-lité facilement observable par tout un cha-cun : il suffit de comparer les taux d'accès aux niveaux secondaire et postsecondaire à la fin des années 1950 à ceux d'aujourd'hui

pour constater l'élargissement social de l'accès à l'éducation. Aujourd'hui, la majo-rité de chaque cohorte d'élèves entre au cégep, et ainsi le Québec a le taux de par-ticipation au postsecondaire le plus élevé au Canada. Malgré des coupes budgé-taires importantes, le Québec maintient pour l'essentiel un régime de gratuité sco-laire à l'enseignement préuniversitaire et régule mieux la croissance des frais de scolarité universitaire que les autres États nord-américains.

Mais ce tableau a tendance à occul-ter d'importantes transformations qui affectent l'enseignement primaire et secondaire et qui fragilisent des acquis en fait de démocratisation de l'éduca-tion[1]. Les inégalités d'autrefois changent de nature (il s'agit moins d'accès à l'édu-cation que de qualité de l'expérience sco-laire et de ses conséquences à long terme), et elles se déplacent aujourd'hui vers l'in-térieur même du système éducatif. De telle sorte qu'une école à plusieurs vitesses est en train de s'installer durablement – une forme de «démocratisation ségrégative», suivant le concept développé par le chercheur Pierre Merle[2].

Selon ce dernier, la démocratisation peut être quantitative (allongement des études) ou qualitative (le parcours scolaire et sa destination sont moins dépendants de l'origine sociale). Elle peut aussi être uniforme, profitant de manière à peu près semblable à tous les milieux sociaux, ou au contraire ségrégative, c'est-à-dire que l'accès élargi est inégal, suivant les secteurs et les domaines de formation. Par exemple, dans les universités québécoises, il y a un écart entre les facultés de médecine, dont le recrutement social est toujours réservé à une élite, et les sciences sociales, dont le recrutement social est plus populaire.

poraire durant les années 1960, conséquence de l'intégration d'établissements privés au réseau public. Aujourd'hui, le secteur privé regroupe environ 13 % des élèves du primaire et du secondaire, avec une plus grande présence au secondaire (plus de 20 %) qu'au primaire (5 %). En ce qui concerne le secondaire, c'est quatre fois plus qu'en 1970-1971.

À l'enseignement obligatoire, l'un des phénomènes les plus marquants de l'école à trois vitesses est le retour en force de l'enseignement privé, après un recul temporaire durant les années 1960.

LE RETOUR EN FORCE DU PRIVÉ
À l'enseignement obligatoire, l'un des phénomènes les plus marquants de l'école à trois vitesses est le retour en force de l'enseignement privé, après un recul tem-

Sur ce plan de la fréquentation des écoles privées, le Québec est d'ailleurs le champion incontesté en Amérique du Nord, en grande partie parce que l'État québécois soutient financièrement ces établissements, ce que la plupart des provinces canadiennes et des États américains ne font pas.

Ces statistiques cachent des disparités importantes entre les régions du Québec. En effet, l'enseignement privé est concentré dans les régions urbaines et dans les quartiers favorisés. Par exemple, il y a à Montréal une cinquantaine d'établissements privés et, sauf erreur, on en retrouve peu dans les quartiers pauvres.

Dans la région de Québec, 42 % des élèves du territoire de la commission scolaire des Découvreurs fréquentent le privé[3]. À la commission scolaire Marguerite-Bourgeoys, dans l'ouest de Montréal, le pourcentage correspondant est de secondaire d'abord, puis, plus récemment, au primaire. Cette diversification a pris la forme de projets particuliers et de programmes enrichis, justement conçus pour retenir les élèves de niveau moyen à très bon : des programmes d'enrichis-

La réponse du secteur public à cette concurrence a été pour l'essentiel de diversifier l'offre des programmes, au secondaire d'abord, puis, plus récemment, au primaire.

39,4 % ; à la commission scolaire de la Région-de-Sherbrooke, c'est 35,4 % ; à la commission scolaire de Saint-Hyacinthe, 33 %. On pourrait allonger cette liste à une trentaine de commissions scolaires où le secteur privé draine entre 15 et 45 % des élèves du territoire.

Depuis les années 1980, le secteur public a pris conscience de ce mouvement, d'autant plus qu'il s'agit d'élèves de niveau scolaire moyen à très bon, issus de familles instruites et financièrement à l'aise – les parents d'élèves fréquentant le privé sont proportionnellement plus nombreux à détenir un diplôme universitaire et à avoir des revenus supérieurs.

QUAND L'ÉCOLE PUBLIQUE S'ADAPTE

La réponse du secteur public à cette concurrence a consisté pour l'essentiel à diversifier l'offre des programmes, au

sement en sports, en arts, en sciences, en informatique, en anglais, des programmes d'éducation internationale (PEI), de sports-études ou d'arts-études. Il est difficile de savoir avec précision combien d'élèves du secteur public sont inscrits dans l'un ou l'autre de ces programmes, car ils ne sont pas toujours déclarés au ministère de l'Éducation[4]. En 2007, le Conseil supérieur de l'éducation estimait prudemment leur proportion à environ 20 %[5].

Ces élèves ont la particularité d'être mobiles : en fonction de leurs intérêts, ils s'inscrivent dans des écoles publiques qui ne sont pas toujours celles de leur quartier. Ainsi, du moins dans les grandes agglomérations urbaines, s'est développé entre le privé et le public un quasi-marché scolaire, les écoles rivalisant entre elles pour attirer et retenir les élèves.

L'accessibilité de ces programmes particuliers ne fait pas consensus, les données d'ensemble fiables faisant défaut. Dans certains cas, il y a une véritable sélection : par exemple, on ne peut participer à un programme de sport d'élite sans les aptitudes physiques requises et si on ne performe pas convenablement sur le plan scolaire, car le programme exige que les élèves consacrent beaucoup de temps à l'activité sportive en question.

Dans d'autres cas, la sélection est implicite. C'est ainsi, par exemple, que des élèves handicapés et en difficulté d'adaptation et d'apprentissage (EHDAA) ne

cadre de l'horaire scolaire habituel, il faut que les élèves couvrent plus rapidement le reste du programme scolaire obligatoire, ce qui de fait élimine les élèves incapables de suivre le rythme accéléré et de fournir le surplus de travail exigé à l'école et à la maison.

Ainsi, un tri scolaire et social se fait, engendrant un système à trois vitesses : le privé, le public enrichi et le public ordinaire. Ce morcellement a des effets réels sur les parcours scolaires, sur leur qualité, sur leur durée et sur la carrière subséquente de l'élève. Une récente étude confirme en effet que les chances d'accès

Les écarts de qualité s'accentuent. Et puisqu'ils sont reconnus publiquement par le biais des palmarès des écoles, des familles de la classe moyenne capables de « magasiner » l'école de leur enfant cherchent à « minimiser les risques » pour celui-ci.

peuvent participer à un programme d'anglais intensif à la fin du primaire, ou que ceux qui ont des retards en français ou en mathématiques ne peuvent s'inscrire à un programme d'enrichissement en arts. Car, pour que l'enrichissement se fasse dans le

à l'université sont affectées par le parcours suivi[6]. Ses auteurs concluent que la stratification scolaire a un effet réel, indépendamment des aptitudes et aspirations des élèves, de la scolarité des parents et de leurs projets pour leur enfant. La stratification scolaire a un effet propre sur le destin socioscolaire des élèves.

Mais cette structuration des parcours scolaires a aussi des répercussions sur l'expérience scolaire et les conditions d'apprentissage : comme les groupes d'élèves tendent à s'homogénéiser, la mixité sociale est moins forte ; des élèves en difficulté se retrouvent en plus grand nombre dans les classes ordinaires, ils sont moins tirés vers le haut par moins de pairs performants ; des enseignants sont démunis et démotivés par des groupes faibles et très faibles ; le cursus normal s'appauvrit.

Ainsi, les écarts de qualité s'accentuent. Et puisqu'ils sont reconnus publiquement par le biais des palmarès des écoles, renforçant parmi les parents informés la propension à éviter certaines écoles ou certains types de classes, un cercle vicieux s'installe : des familles de la classe moyenne capables de « magasiner » l'école de leur enfant cherchent à « minimiser les risques » pour celui-ci.

Cela explique peut-être pourquoi le système d'éducation du Québec, tout en étant au-dessus de la moyenne des pays de l'OCDE en fait de performance, est le moins équitable des systèmes canadiens : les écarts de réussite des élèves entre les établissements y sont plus élevés, selon l'indice d'inclusion académique calculé par l'OCDE dans le cadre du PISA[7].

DES QUESTIONS À EXPLORER

Il faut s'inquiéter des effets sur l'école publique de la concurrence que représente l'école privée. Le financement privé par des fonds publics et la complémentarité souhaitée avec le réseau public méritent un examen sérieux. Sa contribution à la mixité sociale et sa capacité à répondre aux besoins des élèves EHDAA doivent être renforcées.

Le réseau public devrait aussi revoir ses pratiques. Par exemple, pourquoi ne pas exiger un temps minimum prescrit aux matières du primaire et du secondaire ? Si le programme normal comprend essentiellement des savoirs de base, nécessaires à tous, comment justifier leur compression dans les programmes particuliers ? Pourquoi ne pas verser dans le parascolaire une partie ou la totalité du temps consacré aux programmes particuliers, quitte à augmenter le nombre d'heures de présence à l'école ? Ne faudrait-il pas davantage valoriser le programme normal, notamment au primaire et au premier cycle du secondaire, au lieu d'en marginaliser certains éléments pourtant jugés incontournables (comme l'apprentissage de la langue d'enseignement) ? Les programmes particuliers ont leur valeur, mais pourquoi les limiter aux meilleurs élèves et ne pas les offrir à tous en fonction de leurs intérêts (et non de leurs aptitudes) ? En somme, nous devons réfléchir collectivement aux conséquences du régime de concurrence que l'école publique fait subir à une proportion importante de ses élèves.

Enfin, on devrait, à tous les niveaux d'enseignement, se soucier davantage de la composition des groupes-classes, sur le plan tant des capacités scolaires que des caractéristiques sociales. Si l'enseignement privé et les programmes particuliers ont pour effet d'homogénéiser les populations d'élèves, alors il faut craindre l'augmentation des écarts entre les réseaux d'enseignement privé et public, entre les écoles publiques et entre les groupes-classes. Des recherches démontrent qu'à certaines conditions, l'hétérogénéité scolaire a des effets positifs sur l'apprentissage et que l'hétérogénéité sociale est nettement favorable au vivre-ensemble[8]. Il conviendrait de prendre exemple sur d'autres pays pour mieux réguler la composition des groupes d'élèves en fonction d'une hétérogénéité souhaitable.

VINGT ANS PLUS TARD...

Il y a 20 ans, la Commission des États généraux sur l'éducation, dont le premier chantier fixait comme priorité de « remettre l'école sur ses rails en matière d'égalité des chances », écrivait ceci :

Il nous paraît urgent de mettre un frein à la stratification des écoles primaires et secondaires en s'assurant que la priorité soit accordée à la relance des écoles publiques et que celles-ci demeurent ouvertes à tous les élèves.

Cela doit, d'une part, se traduire par un moratoire sur l'ouverture d'établissements privés et par une diminution progressive des subventions accordées à ce réseau, la possibilité d'une intégration au réseau public étant offerte aux établissements qui éprouveraient des difficultés.

D'autre part, cela signifie que les écoles publiques ne pourront s'adonner à des pratiques de sélection durant la période de scolarité obligatoire [...]. Ce choix que nous venons d'énoncer comporte une obligation de diversité pédagogique au sein de l'école commune. [...] Nous croyons que l'école doit offrir des menus adaptés aux goûts et aux aptitudes de chaque élève, à condition toutefois que la diversification ne compromette pas l'atteinte des objectifs d'une formation de base commune jusqu'à la fin de la 3e secondaire et qu'elle ne contribue pas à la marginalisation des catégories d'élèves les plus vulnérables[9].

Cette priorité de remettre l'école sur ses rails en matière d'égalité des chances apparaissait urgente il y a 20 ans. Que dire, sinon qu'elle l'est toujours ? ◊

Notes et sources, p. 322

LES UNIVERSITÉS DE L'APRÈS-PRINTEMPS ÉRABLE : ENTRE ESPOIR ET DÉCEPTION

Dans l'histoire du Québec, le Printemps érable de 2012 a été l'un des mouvements sociaux les plus importants d'opposition à des décisions gouvernementales, et le plus important en éducation, ne serait-ce que par l'ampleur de la mobilisation sociale. Quels mouvements de fond a-t-il entraînés et que nous laisse-t-il en héritage ?

PIERRE DORAY
Professeur, Département de sociologie, Centre interuniversitaire de recherche sur la science et la technologie, Université du Québec à Montréal

L e Printemps érable a pris fin en septembre 2012 avec la défaite électorale du Parti libéral du Québec (PLQ) et l'arrivée au pouvoir du Parti québécois (PQ). L'après-Printemps commence avec la préparation du Sommet sur l'enseignement supérieur, promesse que le PQ avait formulée en campagne électorale. Ce dernier se tiendra de décembre 2012 (rencontres préliminaires) à février 2013. Toutefois, le gouvernement du PQ n'aura pas l'occasion de transformer les différentes propositions en actions et en politiques, car il perdra les élections du 7 avril 2014. Le PLQ reprendra alors les rênes du pouvoir et centrera son action sur la « rigueur financière et administrative ».

Le printemps 2016, avec la présentation du budget, sonne officiellement la fin de l'austérité, sans pour autant que soit rétabli à son niveau antérieur le financement des établissements d'enseignement. Plus récemment, la ministre responsable de l'enseignement supérieur annonçait qu'elle avait demandé aux présidents de deux chantiers de travail du Sommet de lui soumettre des avis sur l'opportunité de créer à nouveau un conseil des universités et un conseil des collèges, lesquels avaient été abolis au début des années 1990 par un gouvernement libéral.

Globalement, les acteurs de l'enseignement supérieur n'ont pas chômé au cours des quatre dernières années. Tour d'horizon et décryptage.

LE SOMMET SUR L'ENSEIGNEMENT SUPÉRIEUR ET SES SUITES

Dès son arrivée au pouvoir à l'automne 2012, le PQ prépare le Sommet sur l'enseignement supérieur, dont l'objectif est de « faire du Québec une société du savoir pour toutes et tous[1] ». On établit alors une solide corrélation entre le développement des universités et l'avenir du Québec, vision que le parti avait défendue dans les débats de l'année précédente. Plus précisément, les discussions doivent « prendre appui sur notre volonté collective de valoriser l'égalité des chances, l'excellence et l'innovation ainsi que la gouvernance responsable et le financement durable de l'enseignement supérieur au Québec[2]». Au moins trois des quatre thèmes du Sommet font écho au Printemps érable : l'accessibilité et la participation aux études supérieures, la gouvernance et le financement des universités, la qualité de l'enseignement supérieur. Le quatrième porte sur l'apport de la recherche au niveau tant régional ou local qu'international, thématique chère aux dirigeants universitaires, pour qui le

plus accessible, et flexible quant au mode de remboursement. De plus, un chantier de travail est mis sur pied pour poursuivre la réflexion sur le sujet ; son rapport sera déposé au printemps suivant.

Sur le plan de l'organisation du système, on prévoit l'adoption d'une loi-cadre sur la gouvernance des universités ainsi que la création d'un conseil national des universités. Deux chantiers de travail sont donc lancés, l'un sur la gouvernance et l'autre sur la création d'un éventuel conseil national des universités. L'objectif

> Deux chantiers de travail sont lancés : l'un sur la gouvernance et l'autre sur la création d'un éventuel conseil national des universités.

«sous-financement chronique» met à mal cette contribution.

L'annulation de la hausse des droits de scolarité qui avait conduit au Printemps érable fera partie des retombées du Sommet. Cette hausse est remplacée par une indexation annuelle calculée selon l'indice de croissance des revenus disponibles des familles. Les associations étudiantes sont déçues, elles qui revendiquaient le gel ou l'abolition des droits. Des mesures sont alors introduites pour améliorer le programme gouvernemental de prêts et bourses, de façon à le rendre

est de consulter les acteurs universitaires et de faire des propositions qui puissent guider la rédaction d'éventuels projets de loi. Le rapport sera remis au printemps ou à l'été suivant. Deux autres chantiers sont amorcés dans la foulée : un sur le financement des universités et l'autre sur l'enseignement collégial ; les rapports seront remis en décembre 2014.

Des effets collatéraux se font également sentir. D'une part, les recteurs des universités décident de la dissolution de la CREPUQ (organisme de services interuniversitaires et de représentation politique créé en 1963) à la suite de débats ayant suscité de fortes tensions entre les membres et mis en évidence des différences de vision jugées irréconciliables. Les activités de coordination et les services communs sont regroupés dans un nouvel organisme, le Bureau de coopération interuniversitaire (BCI). D'autre part, des tensions émergent aussi au sein du mouvement étudiant, qui se manifestent entre autres par la désaffiliation d'associations locales d'avec les grandes fédérations.

L'UNIVERSITÉ AU TEMPS DE L'AUSTÉRITÉ

En avril 2014, l'élan du Sommet est freiné par la victoire électorale du PLQ, et ce, avant même que tous les rapports des chantiers ne soient remis. L'heure est maintenant à la rigueur, ou à l'austérité, dans toutes les sphères d'activité gouvernementale. Les établissements scolaires, les cégeps et les universités ne font pas exception et doivent se soumettre aux impératifs politiques en réalisant des coupes budgétaires, en principe sans que les services aux personnes soient affectés ou que les déficits des établissements augmentent. L'ère de l'austérité s'installe dans un concert de grincements de dents, car les différents milieux ont de la difficulté à respecter les conditions imposées par le gouvernement. Cette orientation politique met à mal les institutions d'enseignement, qui se retrouvent devant des demandes jugées contradictoires et qui rendent difficiles les relations sociales à l'interne.

Un enjeu de gouvernance apparaît particulièrement problématique à la lumière du contexte budgétaire : les salaires des recteurs sont jugés trop généreux ou injustes, le recteur d'une très petite université gagnant davantage que certains de ses homologues responsables d'établissements plus importants, ou recevant certains avantages connexes (logement payé, chauffeur, voiture luxueuse, etc.) qui apparaissent comme des privilèges. La ministre responsable de l'enseignement supérieur annonce d'ailleurs une consultation qui aura lieu à l'automne 2016.

L'enjeu de la gratuité des études et la question de l'avenir des droits de scolarité ne deviennent toutefois pas caducs dans l'après-Printemps érable. En 2014, Gabriel Nadeau-Dubois coordonne la publication d'un livre, *Libres d'apprendre*, qui plaide pour la gratuité. Les auteurs rappellent que celle-ci était un objectif à long terme des auteurs du rapport Parent de 1964, le gel des frais de scolarité conduisant de facto à la gratuité des études universitaires. Selon eux, le contexte actuel donne à cette revendication toute son importance et confirme la pertinence de cette idée.

Plus récemment, l'Ontario et le Nouveau-Brunswick ont modifié leur politique à l'égard des frais de scolarité pour en favoriser l'accès aux étudiants provenant de familles à faibles revenus. L'Île-du-Prince-Édouard envisageait au printemps 2016 des politiques semblables. Le gouvernement québécois, lui, ne déroge pas de la politique de l'indexation selon la croissance des revenus des familles, sinon pour les étudiants internationaux, à qui il impose des droits de scolarité plus élevés.

VERS UNE RECOMPOSITION ORGANISATIONNELLE ?

Au printemps 2016, l'ère de la rigueur ou de l'austérité est terminée, selon le gouvernement, ce qui ne veut pas dire pour autant que celui-ci se lance dans une vaste opération de réinvestissement dans les réseaux scolaires qui viendrait compenser pour les compressions des années précédentes. Dans cette conjoncture, et à la suite de l'abandon du projet de loi sur l'abolition des commissions scolaires, le ministre de l'Éducation, responsable de l'enseignement préscolaire, primaire et secondaire, propose une consultation sur une politique éducative qui reprend le thème de la réussite scolaire. Cette politique prévoit la création d'un Institut d'excellence en éducation, suivant la proposition d'un regroupement de professeurs en éducation, dont la mission serait d'identifier les meilleures pratiques pédagogiques et de soutenir leur implantation afin d'améliorer la réussite scolaire.

De son côté, la ministre responsable de l'enseignement supérieur envisage de créer trois nouvelles structures : un conseil des universités, un conseil des collèges et une commission mixte de l'enseignement collégial et universitaire qui ferait le lien entre les deux conseils et serait placée sous leur autorité. Les objectifs seraient de répondre aux besoins du nombre grandissant de domaines disciplinaires, d'avoir une évaluation indé-

pendante et autonome de la qualité des programmes, d'assurer la réflexion et la collaboration entre les deux réseaux de l'enseignement supérieur, et de favoriser la fluidité des parcours de formation entre les réseaux. Des consultations sont entreprises afin de formuler des propositions, qui seront rendues publiques au cours de l'automne 2016 et qui devaient servir de matière première à l'élaboration de futurs projets de loi. En parallèle, la survie du Conseil supérieur de l'éducation est remise en question par la ministre. Il est donc possible que l'on assiste à une refonte de la gouvernance de l'enseignement supérieur.

QUEL AVENIR POUR L'ENSEIGNEMENT SUPÉRIEUR ?

Dans l'ensemble, les débats, les discussions, les actions réalisées au cours des quatre dernières années s'inscrivent dans le cadre intellectuel et normatif qui guide l'action gouvernementale depuis maintenant près de 30 ans. La nouvelle gestion publique imposée peu à peu et identifiée à la réingénierie de l'État sous une impulsion néolibérale joue sur au moins deux tableaux : le financement et la gouvernance.

La politique de rigueur budgétaire, mise en œuvre à plusieurs occasions, poursuit la lutte contre le déficit public. Au cours des années, des gouvernements de différents partis ont réalisé des opérations de coupe. Toutefois, seuls des gouvernements du PLQ ont décidé d'augmenter les droits de scolarité pour atténuer l'effet des coupes, la dernière proposition de hausse ayant été la goutte d'eau qui a fait déborder le vase et qui a fait sortir les étudiants – et leurs sympathisants – dans la rue au nom du maintien de l'accessibilité aux études supérieures. *Ipso facto*, la question de l'accessibilité aux études et de la justice scolaire est revenue à l'avant-scène, conduisant à la mise en œuvre, après le Sommet de février 2013, de plusieurs décisions sur les droits de scolarité et le programme de prêts et bourses, que l'actuel gouvernement ne indique que l'Université remplit sa mission. D'autre part, cette notion a connu une certaine faveur publique, de nombreuses personnalités se targuant d'être, justement, des étudiants de première génération.

Le second aspect, les modes de gestion ou de gouvernance, a fait l'objet de moins d'attention ces dernières années à cause d'une fixation sur l'austérité budgétaire. Cette dernière n'est pas sans effet sur la gestion interne des établissements, dans

Les universités sont aussi sous observation : les situations de « mauvaise gestion » sont rapidement dénoncées, comme l'a démontré la controverse sur le salaire des recteurs.

veut pas changer. Il reste que cet enjeu fait toujours partie du débat public, comme en fait foi la publication du livre dirigé par Nadeau-Dubois.

L'enjeu de l'accessibilité a pris un autre visage à la frontière de la recherche et de l'action publique : celui de l'étudiant de première génération, dont les parents n'ont jamais fait d'études universitaires et qui ne bénéficie donc pas d'un héritage familial qui se traduirait en capital éducatif. D'une part, on a constaté que les diverses constituantes de l'Université du Québec accueillaient une proportion plus importante de ces étudiants, ce qui

la mesure où les coupes étaient accompagnées d'une injonction peu réaliste, voire une mission carrément impossible, selon bon nombre d'acteurs et d'observateurs : ne pas réduire les services aux étudiants et ne pas accroître les déficits d'exploitation.

Les universités sont aussi sous observation : les situations de « mauvaise gestion » sont rapidement dénoncées, comme l'a démontré la controverse sur le salaire des recteurs. Il faut rappeler qu'au cours du Printemps érable un argument contre la hausse des droits de scolarité voulait qu'une bonne gestion budgétaire des universités permettrait de ne pas augmenter lesdits droits, les économies réalisées pouvant atténuer le « sous-financement » des établissements.

La période de l'après-Printemps érable se caractérise aussi par la fin du consensus des administrations universitaires sur la mission des universités et leur gestion. L'organisme qui incarnait le consensus (la CREPUQ) s'est sabordé au lendemain du Sommet de 2013. La concurrence entre les universités, largement induite par les modes de financement qui désavantagent les établissements dont l'offre est surtout concentrée dans les études en sciences sociales et humaines, règne toujours. Elle est accentuée par de nouvelles stratégies de distinction, notamment une rhétorique qui vise à créer une division entre, par exemple, les grandes universités de recherche et les autres, les universités urbaines et les universités régionales.

La création des conseils proposés par la ministre responsable de l'enseignement supérieur sera certainement l'occasion de débats sur la gestion des universités et sur l'organisation de l'ensemble du champ de l'enseignement supérieur. Quelle autonomie accordera-t-on aux établissements ? Quel sera le mandat des conseils en ce qui concerne l'évaluation institutionnelle et la reddition de comptes ? Quelle sera leur composition, du point de vue de l'équilibre entre les acteurs universitaires et les autres membres de la société civile ? Et au bout du compte, quelles retombées peut-on espérer du travail de ces conseils sur le fonctionnement en réseau, alors que le monde universitaire est plus que jamais gouverné par la concurrence ? À suivre… ◊

Notes et sources, p. 322

Comment gagner un demi-million de dollars

PIERRE FORTIN

Professeur émérite de sciences économiques, Université du Québec à Montréal, et membre du Groupe d'action pour la persévérance et la réussite scolaires

En 2016, un jeune qui décroche un premier diplôme s'achète un billet de loterie dont il est presque assuré de gagner le gros lot... dont la société bénéficiera aussi. Voici pourquoi, en cinq points.

1. LA BAISSE DU DÉCROCHAGE EST PAYANTE

Le taux de décrochage dans les écoles secondaires, c'est-à-dire le pourcentage de l'ensemble des sortants d'une année qui quittent sans diplôme la formation générale des jeunes, a diminué au Québec de 2002-2003 à 2012-2013. Il est passé de 16 % à 11 % chez les filles et de 28 % à 18 % chez les garçons.

Corrélativement, le taux de diplomation et de qualification avant l'âge de 20 ans a augmenté de 72 % à 77 % entre 2008 et 2014. Malgré l'introduction à partir de 2007-2008 de nouvelles formations moins exigeantes que le diplôme d'études secondaires (DES) — le certificat de formation à un métier semi-spécialisé (CFMS) et le certificat de formation préparatoire au travail (CFPT) —, la tendance est à l'amélioration.

On doit cependant admettre qu'il reste beaucoup à faire, notamment quand on constate que le ministère de l'Éducation de l'Ontario rapporte un taux de diplomation au secondaire de 75 % à 18 ans (l'âge réglementaire d'obtention du diplôme là-bas) et de 84 % à 19 ans[1]. Le Québec traîne encore de la patte.

2. LE POUVOIR INSOUPÇONNÉ DU RACCROCHAGE

Au Québec, la différence entre le pourcentage des jeunes qui ont obtenu un premier diplôme avant l'âge de 20 ans et le pourcentage de ceux qui en détiennent un à l'âge de 30 ans est considérable. Ce phénomène est relié en partie à l'importance accordée par le Québec à l'éducation des adultes et à la formation professionnelle.

Au Québec, 22 % des élèves de la cohorte entrée au secondaire à l'âge de 12 ans en 2007 n'avaient pas encore obtenu de premier diplôme en 2014. Par contre, le taux final de sans-diplômes autour de 30 ans tourne présentement autour de 8 %. Cela témoigne d'un raccrochage important durant la vingtaine.

Combattre le décrochage et favoriser la persévérance consistent donc à faire en sorte que le premier diplôme soit obtenu non seulement par le plus grand nombre possible, mais aussi au plus jeune âge possible.

3. LA SCOLARISATION AMÉLIORE L'EMPLOI ET LES REVENUS

S'il est insensé de réduire l'éducation à la fonction de préparer les jeunes à l'emploi et aux responsabilités de la vie, il serait tout aussi absurde de nier qu'elle joue un rôle important d'intégration économique.

Il faut rappeler que le taux d'emploi et la rémunération sont étroitement liés au niveau de scolarité atteint. Plus on est scolarisé, plus on est actif, moins on chôme et mieux on est

GRAPHIQUE 2

Salaire annuel médian des travailleurs âgés de 25 à 54 ans qui ont occupé un emploi toute l'année à plein temps en 2010 au Québec, selon le plus haut diplôme obtenu (en dollars)

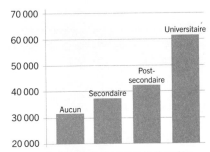

Source: Statistique Canada (Enquête nationale auprès des ménages de 2011).

GRAPHIQUE 1

Taux d'emploi de la population de 25 à 54 ans (% qui occupait un emploi) selon le plus haut diplôme obtenu au Québec en 2015

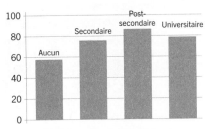

Source: Statistique Canada (Enquête sur la population active).

rémunéré. La glorification médiatique du succès d'une minorité qui n'a aucun diplôme, mais qui réussit quand même, le plus souvent en raison d'un talent exceptionnel ou d'un aléa favorable, cache malheureusement l'éléphant dans la pièce, à savoir l'insuccès de l'immense majorité des sans-diplômes qui ne jouissent pas d'un tel avantage.

Par exemple, les données du recensement de 2011 indiquent que les travailleurs de 25 à 54 ans ayant occupé un emploi toute l'année à plein temps gagnaient un salaire médian plus élevé de 20 % s'ils détenaient un DES. La recherche a conclu que le lien entre le niveau d'éducation et le niveau de revenu est de nature causale: plus d'éducation *cause* plus de revenus[2]. Les graphiques 1 et 2 en témoignent éloquemment.

4. DES EFFORTS QUI VALENT LEUR PESANT D'OR

En 2016, acquérir un diplôme du secondaire avant d'avoir 20 ans devrait procurer au diplômé un gain financier individuel de 520 000 $ à 560 000 $[3] sur l'ensemble de sa vie active.

Le tableau 1 présente une estimation du profil du revenu annuel moyen de la population de 15 à 64 ans par tranches d'âge de dix ans, selon qu'un diplôme du secondaire ou l'équivalent a été obtenu ou non. Le revenu annuel comprend les salaires et traitements, les revenus de travail autonome, les pres-

tations gouvernementales, les revenus de retraite privés, les revenus de placements et les autres revenus réguliers (pensions alimentaires, bourses, etc.). Cette définition du revenu est celle du recensement du Canada.

Si on additionne les gains annuels que le DES procure par rapport au fait de rester sans diplôme, quel avantage financier en résultera-t-il au bout de 50 ans de vie active? La réponse dépend de l'âge auquel le DES est obtenu et du taux de croissance à long terme du revenu intérieur par habitant. Plus une personne acquiert son diplôme jeune et plus la croissance du revenu par habitant durant le cours de sa vie active est rapide, plus son gain cumulatif sera important. Le tableau 2 présente différentes hypothèses en ce sens[5].

TABLEAU 1[4]

Profil estimatif du revenu annuel moyen selon qu'un premier diplôme a été obtenu ou non

Tranche d'âge	Revenu annuel moyen (sans diplôme) (1)	Revenu annuel moyen (diplôme du secondaire) (2)	Gains du diplômé (2) − (1)
15 à 24 ans	11 250 $	12 647 $	1 398 $
25 à 34 ans	26 099 $	32 934 $	6 835 $
35 à 44 ans	30 138 $	40 965 $	10 827 $
45 à 54 ans	31 241 $	44 205 $	12 964 $
55 à 64 ans	27 756 $	37 944 $	10 187 $

Selon le revenu moyen de la population ayant un revenu. En dollars de 2016.
Sources: Statistique Canada (Enquête nationale auprès des ménages de 2011); calculs de l'auteur.

TABLEAU 2

Gain de revenu des diplômés selon le taux de croissance réel (inflation déduite) du revenu intérieur par habitant de 15 à 64 ans

Âge d'obtention du premier diplôme	0,75 % par an	1,0 % par an
17 ans	519 000 $	563 000 $
19 ans	516 000 $	560 000 $
24 ans	508 000 $	552 000 $
29 ans	453 000 $	495 000 $

Source: calculs effectués à partir des données du tableau 1 et des hypothèses faites ci-dessus. En dollars de 2016.

5. UN PREMIER DIPLÔME, UNE VALEUR AJOUTÉE POUR LA SOCIÉTÉ

Il faut considérer l'effort en faveur de la persévérance scolaire comme une arme dans le combat contre les inégalités économiques, et ce, pour deux raisons. Premièrement, le supplément de revenu qu'elle apporte aboutit dans les poches d'un travailleur diplômé du secondaire qui se situe en bas de l'échelle des revenus. Deuxièmement, il y aura des retombées pour les générations futures, car il est démontré que les enfants de personnes diplômées décrochent moins que les enfants de décrocheurs.

De plus, le demi-million de dollars de revenu supplémentaire empoché par le titulaire d'un DES bénéficie aussi à l'ensemble de la société québécoise. L'État, lui, en retirera un double avantage. D'une part, le diplômé payera plus d'impôts et de taxes à partir de son revenu plus élevé. D'autre part, il aura probablement moins recours aux programmes sociaux (santé, assurance emploi, aide sociale, aide juridique, etc.)[6].

Il importe aussi de rappeler que l'argent n'est pas la seule chose qui compte dans la vie. L'avantage du diplôme n'est pas seulement économique, mais aussi psychologique et social. Des études récentes ont dressé une liste probante des impacts favorables de la persévérance scolaire sur l'estime de soi, la bonne santé, la stabilité conjugale, la sécurité financière, la satisfaction au travail, la capacité de planifier pour l'avenir, etc.[7].

Quel gain financier collectif les Québécois retireraient-ils d'un effort individuel, régional et national qui permettrait de faire diplômer 2 700 jeunes Québécois de plus année après année – soit 3 % de chaque cohorte annuelle d'environ 90 000 élèves – et de les amener au diplôme à un âge moyen comparable à celui de l'Ontario? En gros, on peut estimer que cette amélioration du taux de diplomation leur procurerait un gain collectif annuel pouvant atteindre 1,75 à 2 milliards de dollars dans 50 ans, soit en 2066[8].

Si cette somme ne représenterait alors qu'une faible addition de 0,3 % au PIB actuel du Québec, il faut répéter que cet argent enrichirait les travailleurs les moins nantis de notre société, et non les plus riches, ce qui serait un gain majeur pour un Québec qui se veut égalitaire. ¶

Notes et sources, p. 322

Santé

LE POINT SUR LES LOIS QUI CHERCHENT À ENCADRER L'AIDE MÉDICALE À MOURIR

Au Canada, des changements législatifs majeurs ont récemment autorisé l'aide médicale à mourir, sous certaines conditions. Mais plusieurs sont d'avis que celles-ci ne répondent pas aux exigences fixées par la Cour suprême du Canada dans l'arrêt Carter, ni à celles de la Charte canadienne des droits et libertés. Tour d'horizon de l'évolution du droit en la matière et aperçu de ce qu'il pourrait être demain.

PIERRE DESCHAMPS, C.M., AD.E.
Avocat et éthicien

L'aide médicale à mourir administrée aux personnes en fin de vie présentant une condition médicale grave et irréversible constitue une innovation en matière de soins de santé. C'est l'aboutissement d'un long processus de consultation et de réflexion ayant mené à des changements législatifs majeurs tant au Québec que dans l'ensemble du Canada.

Ainsi, en 2009, le Collège des médecins du Québec publiait un document dans lequel il proposait que l'euthanasie soit, d'un point de vue médical, considérée comme un « soin approprié » dans certaines circonstances[1]. En 2012, la Commission spéciale sur la question de mourir dans la dignité proposait comme soin de fin de vie l'euthanasie sous la forme d'une « aide médicale à mourir » et l'amélioration des soins palliatifs[2].

Enfin, en 2014, l'Assemblée nationale du Québec adoptait la Loi concernant les soins de fin de vie, entrée en vigueur le 10 décembre 2015[3]. Dans cette loi, l'aide médicale à mourir est définie comme « un soin consistant en l'administration de médicaments ou de substances par un médecin à une personne en fin de vie, à la demande de celle-ci, dans le but de soulager ses souffrances en entraînant son décès ». Le législateur québécois venait ainsi légaliser l'aide médicale à mourir et en faisait un soin de fin de vie. Toutefois, il imposait aussi diverses conditions limitant l'accès à cette aide, notamment en interdisant qu'une personne puisse y avoir accès par l'entremise de directives médicales anticipées et en le réservant aux personnes majeures en fin de vie aptes à consentir.

Pour sa part, en 2016, le Parlement canadien décriminalisait l'aide médicale à mourir en apportant des modifications au Code criminel[4]. Dans la Loi modifiant le Code criminel, l'aide médicale à mourir est définie comme « le fait pour un médecin ou un infirmier praticien d'administrer à une personne, à la demande de celle-ci, une substance qui cause sa mort ou de prescrire ou de fournir une substance à une personne, à la demande de celle-ci, afin qu'elle se l'administre et cause ainsi sa mort ». Alors que la loi québécoise n'envisage que l'administration par un médecin d'une substance létale, le Code criminel canadien envisage également la prescription par un médecin d'une substance destinée à provoquer la mort d'une personne.

Ainsi, le Québec et le Canada, à la suite de la Belgique, du Luxembourg et des Pays-Bas, sont devenus les plus récents qui n'est « disponible qu'en cas de souffrances exceptionnelles et de mort imminente[7] », une « intervention médicale de dernier recours dans des situations très exceptionnelles[8] », un « soin approprié dans des circonstances exceptionnelles[9] », une « exception dans un contexte de fin de vie[10] », une « éventualité dans un contexte de mort imminente[11] ».

Or, il semble de plus en plus évident que l'aide médicale à mourir n'est pas un

L'encadrement législatif tant québécois que canadien ne semble pas répondre aux exigences posées par la Cour suprême du Canada.

États à permettre à un médecin, dans certaines circonstances, d'aider une personne à mettre fin à ses jours, pourvu que celle-ci réponde aux conditions prescrites par la loi. L'acte par lequel un médecin met fin aux jours d'une personne à sa demande demeure, en dehors de ces pays, un homicide.

UNE PRATIQUE EXCEPTIONNELLE ?

Selon plusieurs mémoires déposés devant la commission parlementaire chargée d'étudier le projet de loi 52 concernant les soins de fin de vie au Québec, l'aide médicale à mourir ne devait constituer pour les organismes ayant présenté ces mémoires qu'une « option de dernier recours[5] », une « option exceptionnelle[6] », soin exceptionnel prodigué seulement lorsque la mort d'une personne est imminente ou doit survenir à brève échéance – mesurée en jours ou en semaines. Elle est souvent offerte et administrée lorsque l'espérance de vie d'une personne se mesure en mois.

Par ailleurs, il appert que, de plus en plus, ce n'est pas surtout la présence de souffrances physiques constantes, inapaisables, incontrôlables, inacceptables qui est à l'origine des demandes d'aide médicale à mourir, mais plutôt la présence de souffrances psychiques ou morales reliées à une perte de sens de la vie, à la crainte d'une déchéance corporelle, à une perte de dignité humaine, à l'impression d'être un fardeau pour ses proches.

L'ACCESSIBILITÉ
À L'AIDE MÉDICALE À MOURIR

Actuellement, tant au Québec qu'au Canada, l'aide médicale à mourir, que ce soit sous la forme prévue dans la Loi québécoise concernant les soins de fin de vie ou encore sous les formes prévues au Code criminel canadien, n'est offerte qu'aux « personnes majeures aptes à consentir en fin de vie » ou dont la « mort est raisonnablement prévisible ». Cet encadrement législatif semble, de l'avis de certains, trop restrictif et contraire à des droits fondamentaux reconnus par la Charte canadienne des droits et libertés, notamment les droits à la vie, à la sécurité et à la liberté, tels que définis par la Cour suprême[12].

Par ailleurs, l'encadrement législatif tant québécois que canadien ne semble pas répondre aux exigences posées par la Cour suprême du Canada, qui a statué dans l'arrêt Carter que l'aide médicale à mourir doit être disponible pour « tout adulte capable qui consent clairement à mettre fin à sa vie et qui est affecté de problèmes de santé graves et irrémédiables (y compris une affection, une maladie ou un handicap) lui causant des souffrances persistantes qui lui sont intolérables au regard de sa condition[13] ».

Ainsi, dans la législation québécoise, le critère de la fin de vie ne semble pas en accord avec l'arrêt rendu par la Cour suprême, non plus que le critère du déclin avancé de la condition de la personne. Au regard de la législation canadienne, le critère de la mort raisonnablement prévisible semble également ne pas correspondre aux critères établis par la Cour suprême

pour qu'une personne puisse avoir accès à l'aide médicale à mourir.

Certains soutiennent, nonobstant l'arrêt Carter de 2015, que l'aide médicale à mourir ne devrait pas être accessible comme soin uniquement aux personnes aptes, mais également aux personnes inaptes et aux mineurs. Ils considèrent aussi qu'une personne devrait pouvoir décider à l'avance d'avoir recours à l'aide médicale à mourir, par l'entremise de directives médicales anticipées, que la fin de vie ne devrait pas être une condition d'éligibilité en matière d'aide médicale à mourir et que les personnes ayant une maladie dégénérative, peu importe son stade d'évolution, devraient avoir accès à l'aide médicale à mourir[14].

LE DROIT DE CHOISIR LE MOMENT
ET LE COMMENT DE SA MORT

En ce qui a trait à l'aide médicale à mourir, ce qui est revendiqué au plan juridique, c'est le droit, que l'on peut définir comme un *intérêt juridiquement protégé*, pour toute personne de choisir le moment et le comment ou les circonstances de sa mort, *sans intervention de l'État*. Ce droit était revendiqué, en 1994, par Sue Rodriguez et, en 2015, par Lee Carter.

Le droit émergent de tout être humain de choisir le moment et le comment de sa mort s'appuie sur le droit à l'autodétermination de toute personne et sur le principe de l'autonomie de la personne, en vertu desquels celle-ci est maître de sa destinée et responsable de ses choix de vie, eu égard à ses propres valeurs, croyances et convictions. Cette tendance lourde du droit à protéger juridiquement le droit de toute personne, quelle que soit sa condition, apte ou inapte, malade ou en santé, de choisir le moment et le comment de sa mort ne semble pas près de s'essouffler.

Bien que les législations canadienne et québécoise soient actuellement très restrictives en matière d'accès à l'aide médicale à mourir – trop, selon certains –, il est à prévoir dans les années qui viennent que le prive les personnes atteintes d'une maladie dégénérative du recours à l'aide médicale à mourir, à cause des conditions d'admissibilité prévues par la loi.

L'AIDE MÉDICALE À MOURIR COMME SOIN DE SANTÉ

Dans les années qui viennent, l'accès à l'aide médicale à mourir pour les personnes inaptes, démentes, qui n'ont jamais exprimé leurs volontés quant à l'aide médi-

> D'un point de vue sociétal, on peut comprendre qu'on hésite à administrer l'aide médicale à mourir à des personnes qui n'y ont jamais consenti.

mouvement de revendication du droit de choisir le moment et le comment de sa mort, en toute liberté, peu importe la condition médicale de la personne, qu'elle présente ou non un déclin avancé et irréversible de sa condition, ira en s'accentuant.

Le critère de la fin de vie est, en effet, contesté par plusieurs parce que trop restrictif et trop imprécis. Il en va de même du critère de la mort raisonnablement prévisible. Du reste, ce critère n'apparaît pas dans la loi belge sur l'euthanasie, non plus que dans l'arrêt Carter. Tout au plus la législation belge opère-t-elle une distinction entre la mort à brève échéance et celle qui ne l'est pas. En outre, le critère du déclin avancé et irréversible de la condition de la personne est remis en question parce qu'il cale à mourir, demeurera une question ouverte et sensible.

Pourquoi ces personnes ne devraient-elles pas bénéficier de l'aide médicale à mourir, sous l'une ou l'autre de ses formes, lorsqu'elles ont perdu tout contact avec la réalité, lorsque leur état d'inconscience les empêche d'avoir une vie qui a un sens, lorsqu'elles vivent seules, sans famille, sans amis, confinées à un CHSLD, par exemple ? À défaut de pouvoir *vivre dignement*, pourquoi ces personnes ne pourraient-elles pas *mourir dignement*, maintenant plutôt que plus tard[15] ? Car, de toute façon, elles sont appelées, comme tous les êtres humains, à mourir.

Si, d'un point de vue juridique, toute personne devrait avoir accès à l'aide médicale à mourir, quel que soit son âge et quelle que soit sa condition, en conformité avec les droits fondamentaux reconnus par la Charte canadienne des droits et libertés et, d'un point de vue médical, avec le droit d'être soulagée de souffrances physiques ou psychiques inapaisables et incontrôlables, il n'en reste pas moins que, d'un point de vue sociétal, on peut comprendre qu'on hésite à administrer l'aide médicale à mourir à des personnes qui n'y ont jamais consenti, par exemple celles n'ayant jamais signé de directives médicales anticipées, ou qui ne sont pas en mesure de donner un consentement libre et éclairé, comme les enfants n'ayant pas l'âge du discernement ou les personnes démentes.

Concernant ces dernières, la question a été examinée en 2013 par un groupe de travail créé par le Collège des médecins du Québec et le Barreau du Québec[16]. Ce groupe en est venu notamment à la conclusion, en ce qui a trait à la possibilité pour un individu atteint d'une maladie dégénérative du cerveau de faire une demande anticipée d'aide médicale à mourir, que cette personne devrait avoir accès à l'aide médicale à mourir si elle satisfait, par ailleurs, aux autres conditions prévues par la loi.

Poussant plus loin sa réflexion, le groupe de travail s'est dit d'avis que, en l'absence de directives médicales anticipées ou de demande anticipée d'aide médicale, le consentement substitué d'un tiers pourrait être recherché. Par ailleurs, dans tous les cas où les patients déments répondraient aux autres conditions donnant accès à l'aide médicale à mourir sans être en mesure de consentir aux soins, une autorisation préalable à l'administration de l'aide médicale à mourir de la part d'une instance administrative ou judiciaire, en plus d'un contrôle après les faits par la Commission sur les soins de fin de vie, pourrait être envisagée.

DES CRITÈRES EN VOIE D'ÉLARGISSEMENT

Sans parler de pente glissante, il appert que les critères initiaux de l'aide médicale à mourir sont en voie d'être élargis afin qu'elle soit accessible à un plus grand nombre de personnes. La fin de vie ou la mort raisonnablement prévisible comme critères exclusifs sont ouvertement contestées, de même que le déclin avancé de la condition d'une personne, afin que les patients atteints d'une maladie dégénérative qui n'est pas dans une phase terminale puissent tout de même y avoir accès.

Au chapitre des critères d'admissibilité, l'inaptitude d'un individu à consentir et sa minorité sont également des éléments qui sont remis en question. Ils constitueraient, en effet, une forme de discrimination, privant la personne de l'exercice d'un droit qui est en voie de devenir un droit fondamental prenant racine dans les droits fondamentaux à la vie, à la liberté et à la sécurité de la personne, soit celui de choisir le moment et le comment de sa mort, sans intervention de l'État, au nom de l'exercice du libre arbitre de la personne. ◊

Notes et sources, p. 322

Aide médicale à mourir : les nouvelles valeurs qui font évoluer le débat

JACQUES ROY
Sociologue et professeur associé à l'Université du Québec à Rimouski

Au cours des trois dernières décennies, de nouvelles valeurs se sont imposées en Occident. Celles-ci ont notamment redéfini notre rapport à la souffrance et à la mort. Cette évolution a eu un impact direct sur le débat entourant les soins de fin de vie et l'aide médicale à mourir.

L'aide médicale à mourir a la cote auprès des Québécois. Selon un sondage réalisé en 2014 dans l'ensemble du Canada par la firme Ipsos, 84 % des Québécois – le pourcentage est aussi fort dans le reste du Canada – sont favorables à l'aide médicale à mourir pour les personnes en fin de vie. Ce large consensus tient en grande partie à certaines valeurs phares qui se sont progressivement imposées au cours des 30 dernières années au Québec comme ailleurs en Occident.

Dans son ouvrage *Déclin de la morale ? Déclin des valeurs ?*, le sociologue Raymond Boudon trace un portrait des valeurs «montantes» dans le monde occidental[1]. Parmi elles, quatre sont directement liées à la question de l'aide médicale à mourir: la quête

Mourir sans Dieu constituera une réalité sans cesse en progression parmi les nouvelles générations d'aînés.

d'autonomie, le rapport à l'autorité, le déclin du religieux et la qualité de vie.

LA QUÊTE D'AUTONOMIE

L'autonomie est aujourd'hui une valeur culte, et on la retrouve de façon marquée dans tous les groupes d'âge. À titre de repère normatif, soulignons qu'elle a été institutionnalisée, entre autres, dans le champ de la santé et des pratiques sociales. Elle prend appui sur la reconnaissance du potentiel des individus, sur le pluralisme des valeurs existant dans la société et sur les choix de vie en découlant.

Parallèlement à cette quête d'autonomie, l'«aura» professionnelle, en particulier celle du corps médical, a perdu progressivement

Les progrès en matière de scolarisation ont contribué à l'émergence d'une distance critique par rapport au savoir professionnel et au développement d'une tendance vers un dialogue plus égalitaire entre les individus et les spécialistes.

Ainsi, les individus souhaitent de plus en plus définir les contours de leur autonomie. Ce constat s'exprime par exemple dans les résultats d'une consultation en ligne effectuée pour le compte de la Commission spéciale sur la question de mourir dans la dignité (2012), réalisée auprès de 6 558 Québécois. On y apprend que 79 % des répondants considèrent que les personnes sont aptes à décider pour elles-mêmes en matière d'euthanasie et que 71 % pensent de même en matière de suicide assisté. De plus, 82 % des répondants estiment que le législateur devrait tenir compte du point de vue de la population dans sa réflexion sur l'euthanasie.

de son prestige. De fait, un processus de distanciation par rapport au pouvoir des professionnels s'est progressivement mis en place, à la faveur de différents phénomènes sociaux, dont les progrès de la scolarisation et la remise en cause des formes d'autorité traditionnelles. Le relativisme ambiant et la multiplication des sources d'information font aussi en sorte que les individus sont plus critiques à l'égard des «experts», surtout dans des domaines touchant les questions d'ordre existentiel.

Bref, sur ce plan, on peut donc avancer que les progrès en matière de scolarisation ont contribué à l'émergence d'une distance critique par rapport au savoir professionnel et au développement d'une tendance vers un dialogue plus égalitaire entre les individus et les spécialistes.

Dans le secteur de la santé, ce nouveau contexte sociétal ne serait pas sans exercer une influence sur le rapport entre patients et intervenants. Il en est ainsi concernant les soins en fin de vie où, de plus en plus, les individus affirmeront leurs choix et leurs perceptions par rapport à ce qu'ils vivent, parfois à l'encontre des recommandations des intervenants. C'est ainsi que la souffrance, thème central dans ce débat, évaluée sur la base des seuils jugés « acceptables » par le personnel médical, fera l'objet de tensions et de contestation au profit de la recherche d'une autodécision en la matière.

Mourir sans souffrir est désormais la quête ultime. Dans les années 1980, l'humanisation des naissances constituait un débat de fond ; aujourd'hui, c'est celle de la fin de vie. Cet argument sera donc fondamental dans l'espace de discussion entre les patients et le personnel médical quant aux soins de fin de vie.

MOURIR SANS DIEU

Le déclin du religieux est un phénomène bien connu, et s'illustre par le recul de la foi et la désertion de l'institution religieuse chez la majorité des Québécois. Mourir sans Dieu constituera une réalité sans cesse en progression parmi les nouvelles générations d'aînés.

Dans les années 1980, l'humanisation des naissances constituait un débat de fond ; aujourd'hui, c'est celle de la fin de vie.

MOURIR SANS SOUFFRIR

La quête d'une qualité de vie figure régulièrement au sommet de la hiérarchie des valeurs des individus dans les sondages d'opinion, tant au Québec qu'ailleurs en Occident. Dans le secteur de la santé, elle sert d'indicateur de premier plan. Parallèlement, les exigences exprimées en matière de qualité de vie par les personnes en phase terminale évoluent. Les frontières se déplacent vers une intolérance grandissante envers la souffrance et les maladies sérieusement invalidantes.

Les repères religieux concernant la signification à accorder à la souffrance sont appelés à s'effacer au profit d'une perception de la souffrance comme étant indésirable et dénuée de sens. La douleur n'est plus méritoire et, comme le fait remarquer la sociologue Céline Lafontaine[2], la recherche d'une qualité de vie supplanterait le caractère sacré de la vie. Cette nouvelle donne est susceptible d'accroître les tensions entre patients et intervenants du secteur de la santé. Dans ce contexte, la souffrance deviendra un enjeu relevant des valeurs des individus et des seuils évalués par les patients eux-mêmes.

Au bout du compte, ces nouvelles valeurs sociétales permettront de repenser le débat entourant l'aide médicale à mourir en accordant aux individus en fin de vie un nouveau pouvoir sur leurs choix, qui tienne compte de leur volonté d'autonomie décisionnelle. Le défi consistera à s'assurer que, tant sur le plan législatif que dans les pratiques, la médiation entre patients et intervenants se fasse dans un cadre où le respect des valeurs des personnes en fin de vie est assuré. ¶

Notes et sources, p. 322

Diversité culturelle

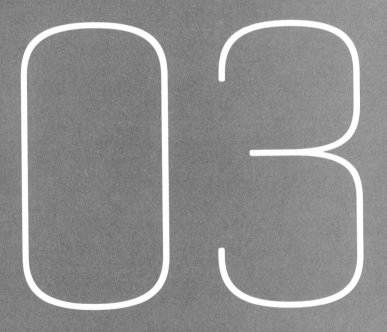

DAESH ET LE DÉFI PROPAGANDISTE

Quinze ans après les attentats du 11 septembre 2001, la menace terroriste a pris une forme nouvelle, plus insidieuse, plus diffuse et plus difficile à combattre que tout ce que l'Occident a dû affronter à ce jour.

STÉPHANE BERTHOMET

Auteur, analyste et conférencier en affaires policières, terrorisme et sécurité intérieure, codirecteur de l'Observatoire sur la radicalisation et l'extrémisme violent, chercheur associé au Centre interuniversitaire de recherche sur les relations internationales du Canada et du Québec (CIRRICQ) de l'École nationale d'administration publique, et chercheur au Centre français de recherche sur le renseignement (CF2R).

L e terrorisme est certainement l'une des formes de criminalité qui ont connu une transformation parmi les plus plus profondes et les plus rapides ces 20 dernières années. L'évolution des idéologies, des structures et des modes opératoires des groupes terroristes ont obligé les forces de sécurité à adapter leurs réponses à des menaces qui, avant même que des solutions adéquates puissent être mises en place, avaient parfois déjà changé de profil. Les attentats organisés et inspirés à travers le monde par Al-Qaïda et Daesh laissent toutefois entrevoir une constante dans la logique poursuivie par ces organisations, soit celle d'agir sur la base d'une stratégie double.

D'abord, ils souhaitent maintenir une pression continue sur les pays visés en y commettant des attentats simples, c'est-à-dire qui impliquent une logistique légère et des cibles faciles à atteindre. Ces attentats visent à occuper l'espace médiatique et à créer un véritable « feuilleton de la terreur », qui garde les autorités et les populations sous pression.

En même temps, les terroristes tentent par tous les moyens de perpétrer un attentat majeur, c'est-à-dire de produire un nouveau 11-Septembre qui restera dans les mémoires et aura un impact sur le pays touché et ses alliés pendant de longues années.

UNE DOUBLE STRATÉGIE, TROIS OBJECTIFS

Le premier objectif de Daesh et d'Al-Qaïda est de maintenir leur image d'« ennemi public numéro 1 » au moyen de campagnes de propagande vantant leur efficacité guerrière et leur capacité à mener des actions terroristes hors des territoires qu'ils contrôlent.

Le second objectif est de pousser les autorités des pays visés à réagir de façon disproportionnée à la suite d'un attentat, aussi bien par l'instauration de lois renforçant de plus en plus la sécurité à l'intérieur du pays que par des interventions militaires élargies et indiscriminées qui feront de nombreuses victimes civiles et contribueront au climat d'instabilité dans les régions où sont installés ces groupes terroristes.

Le troisième but, et certainement le plus important, est de briser l'unité sociale des pays visés. Il suffit pour cela d'y entretenir la division par les tensions qui ne manquent pas de naître de ces attentats, et d'y renforcer la position des « vitrines politiques » de l'islam radical qui transposent

Par ailleurs, les pays occidentaux ne combattent plus seulement des groupes criminels installés dans des zones de conflit, ou des commandos envoyés pour commettre un attentat. Ils font désormais face à une menace intérieure de nature inédite. En effet, l'enjeu le plus nouveau et le plus difficile à surmonter pour les forces de sécurité est le fait que, depuis le

> Nous devons désormais lutter avant tout contre une propagande devenue un moyen de recrutement d'une rare efficience.

ces enjeux dans l'espace public. Le principe est simple : plus un pays « ennemi » est fragilisé sur le plan social ou politique, plus le groupe terroriste sera susceptible d'y trouver des recrues potentielles.

LES OBJECTIFS DU TERRORISME ONT CHANGÉ

Contrairement aux formes de terrorisme politique d'avant les années 1980, le terrorisme islamiste d'essence djihadiste ne cherche pas à atteindre un objectif qui puisse être négociable. Les terroristes basques-espagnols d'ETA-Militaire voulaient par exemple obtenir l'indépendance du Pays basque, et l'Armée républicaine irlandaise (IRA) se battait contre la présence britannique en Irlande du Nord. Pour Daesh, le credo est plutôt : « Soumettez-vous ou mourez. »

tapissage idéologique intensif mené par les organisations djihadistes, ce sont les propres ressortissants des pays visés qui sont susceptibles de devenir les auteurs des attaques.

Cette situation et la pression des enjeux sécuritaires qui en découlent conduisent les institutions policières et judiciaires à considérer que des citoyens sans histoire peuvent se transformer en véritables « ennemis de l'État ». Si en Europe cette nouvelle forme de terrorisme entretient encore parfois des liens avec d'anciens réseaux djihadistes, au Canada cela revient quasiment à devoir déceler la possibilité d'un passage à l'acte chez un individu qui n'a aucun lien avec le milieu criminel, ni même le moindre antécédent criminel.

Nous sommes désormais bien loin des bandes organisées que l'on poursuivait au gré de leur implication dans différentes formes de criminalité et pour lesquelles on utilisait des méthodes et techniques policières éprouvées.

L'ARME DE LA PROPAGANDE

Comment en sommes-nous arrivés là? Certainement en sous-estimant l'efficacité de la propagande djihadiste. À travers nos médias, cette propagande s'est terroriste mondialisée capable de frapper aux quatre coins du monde, Daesh a réussi la plus grande opération de propagande du XXIe siècle. Mieux encore, il est parvenu à faire de sa puissance une prophétie autoréalisatrice : cette prédiction est « au début une définition fausse de la situation qui provoque un comportement qui fait que cette définition initialement fausse devient vraie[1].

> Les gouvernants ont trop souvent voulu croire que la « déradicalisation » – « traiter » les jeunes par un passage en « centre de déradicalisation » – est une solution miracle capable d'inverser le phénomène de l'endoctrinement.

affranchie de l'image qui la confinait à une forme obscure de doctrine terroriste pour se transformer en un message porteur de revendications dignes d'une contre-culture révolutionnaire accessible à tous.

En s'appuyant sur l'image d'un retour fantasmé aux origines de l'Islam avec la restauration du califat – un territoire où la population musulmane reconnaît l'autorité et le pouvoir d'un calife (considéré comme un successeur de Mahomet) – et en vendant l'idée d'une organisation

C'est en simplifiant à l'extrême les arguments de la rébellion et en usant savamment de l'appétence de nos médias pour les images – il suffit pour s'en convaincre de regarder les moyens technologiques mis en œuvre dans l'escalade de l'horreur liée aux exécutions de prisonniers de Daesh – que les terroristes sont parvenus à pénétrer les couches les plus faibles et les plus fragiles de nos sociétés pour y recruter leurs exécutants. Par ailleurs, les médias sociaux se sont révélés d'excellents canaux de diffusion des discours haineux, de la propagande et du recrutement terroriste.

Cette évolution rapide de la menace et des objectifs de recrutement des terroristes placent aujourd'hui les pouvoirs publics des pays démocratiques devant des enjeux inédits. Il ne suffit plus en effet de mettre en œuvre de nouvelles lois et de renforcer les sanctions liées au terrorisme, ni même d'intervenir militairement sur le terrain pour contrer une stratégie destinée à briser les fondements démocratiques des pays visés tout en utilisant nos ressortissants pour nous frapper de l'intérieur. Les groupes et organisations terroristes

et on ne peut leur demander de remplir seuls l'impossible mission de maintenir une sécurité totale dans un contexte devenu aussi critique.

Les toutes dernières statistiques démontrent en effet que malgré les importants moyens répressifs mis en œuvre, plusieurs pays européens connaissent des hausses spectaculaires du nombre de jeunes en cours de radicalisation. Le Canada n'échappera certainement pas à ce phénomène qui frappe les pays occidentaux les uns après les autres.

Face à cette pandémie, les gouvernants ont trop souvent voulu croire que la «déradicalisation» – «traiter» les jeunes par un

Les médias s'interrogent de plus en plus sur leur rôle face à la propagande djihadiste.

– les «réseaux», comme on les appelait dans les années 1990 – ne sont plus les seuls ennemis à combattre ; nous devons désormais lutter avant tout contre une propagande devenue un moyen de recrutement d'une rare efficience.

QUELLES SOLUTIONS APPORTER ?
Les réponses sécuritaires des autorités ne doivent certes pas être écartées, mais elles sont, quand on les emploie seules, surtout utiles à combattre les conséquences et non à s'attaquer aux racines du mal.

Sur le terrain, les policiers font face à des situations de plus en plus complexes,

passage en «centre de déradicalisation» – est une solution miracle capable d'inverser le phénomène de l'endoctrinement. Or, des exemples de plus en plus nombreux, notamment en France, démontrent la fragilité des résultats, voire l'échec de ces tentatives de réformation idéologique, psychologique et sociale des candidats au djihad. Agir ainsi revient un peu à ne soigner que les métastases du cancer sans se donner les moyens d'attaquer la maladie à sa source.

Ce que beaucoup de politiciens et de décideurs n'ont pas encore voulu comprendre, c'est que les stratèges de Daesh nous lancent aujourd'hui un défi idéologique autant que sécuritaire. Il faut donc répondre aux idées par des idées, et lutter contre le déchirement du tissu social par la construction d'une société plus forte, plus unie et solidaire. Et puisque c'est par le message que le mal se transmet, les médias et les réseaux sociaux, qui sont utilisés comme vecteurs de cette propagande, doivent s'interroger sur les mesures à prendre pour continuer à informer sans pour autant tomber dans le piège tendu par les *spin doctors* de Daesh.

La France, prise au piège d'une situation devenue hors de contrôle, commence à comprendre l'urgence d'une telle réflexion, et les médias s'interrogent de plus en plus sur leur rôle face à la propagande djihadiste.

En considérant la question du terrorisme sous l'angle d'un défi de société, du moins en ce qui a trait au recrutement de terroristes au sein même de nos populations, le Québec dispose encore de la marge de manœuvre nécessaire pour tenter d'imaginer des solutions susceptibles de s'attaquer aux causes d'un mal qui ne va pas manquer de nous atteindre.

L'Italie vient par exemple d'annoncer qu'en parallèle des sommes affectées à la sécurité du pays, un montant de 290 millions d'euros servira à des activités culturelles visant « l'enrichissement personnel et le renforcement du tissu social du pays », auxquelles participent plus de 500 000 jeunes de moins de 18 ans.

Face à la barbarie et à la violence, il n'existe pas de solution unique ni de réponse miraculeuse, mais il n'est pas interdit de faire preuve d'imagination et d'intelligence. ◊

Notes et sources, p. 322

RADICALITÉS VIOLENTES : LA PRÉVENTION PLUTÔT QUE LA RÉPRESSION

S'il demeure relativement épargné, le Québec n'est pas immunisé contre les manifestations de radicalité violente. Les attentats de 2014 à Saint-Jean-sur-Richelieu et Ottawa, les dizaines de jeunes qui ont joint les rangs des groupes djihadistes et l'augmentation des crimes et incidents haineux en témoignent. Si les dispositifs sécuritaires et répressifs montrent leurs limites, les approches préventives semblent toutefois prometteuses.

HERMAN OKOMBA-DEPARICE

Directeur, Centre de prévention de la radicalisation menant à la violence

M is en œuvre au printemps 2015, le plan d'action gouvernemental 2015-2018 intitulé La radicalisation au Québec : agir, prévenir, détecter et vivre ensemble[1] a permis l'émergence d'une première vague d'initiatives préventives pour contrer le phénomène des radicalités violentes. Ces initiatives émanent des milieux scolaires, de la santé et des services sociaux, mais également d'acteurs communautaires et non gouvernementaux, tel le Centre de prévention de la radicalisation menant à la violence (CPRMV)[2].

Alors qu'un modèle québécois de prévention de la radicalisation violente semble s'esquisser, il importe désormais de le rendre durable et de s'assurer qu'il aura des retombées effectives.

LES VISAGES MULTIPLES DE LA « RADICALITÉ VIOLENTE »

Trop souvent réduite au seul terrorisme, la radicalisation violente (ou l'extrémisme violent) doit être vue dans toute sa diversité. En ce sens, les manifestations de radicalité violente s'inscrivent dans un spectre allant de l'« événementiel » et du « spectaculaire » – les actions terroristes portant une forte charge symbolique qui se déploient sous les yeux de l'ensemble de la population – jusqu'au « quotidien » et à l'« ordinaire » – les actions violentes, les crimes ou incidents à caractère haineux visant des individus ou des communautés mais qui ne sont pas nécessairement perceptibles par l'ensemble de la société.

Ces diverses manifestations de l'extrémisme violent ont toutes pour point commun l'exercice de la violence au nom d'une croyance, d'une idéologie ou d'un point de vue qui nie la pluralité du monde social et y substitue une lecture dogmatique.

Diversité également en ce qui a trait aux croyances idéologiques et aux visions du monde qui sous-tendent les phénomènes de radicalité violente. Encore trop souvent, la notion même de radicalisation demeure associée à la violence djihadiste (politico-religieuse), alors qu'elle revêt en réalité, y compris au Québec, bien d'autres formes, incluant l'extrémisme de droite.

Les multiples formes de la radicalité violente remettent en question un « vivre-ensemble » fondé sur l'acceptation du pluralisme et le respect des valeurs démocratiques collectives. Elles contribuent également à éroder le sentiment de

Au-delà de cette distinction entre radicalisation non violente et radicalisation violente, il convient d'entrevoir la « radicalisation menant à la violence » comme un processus de « dépluralisation[4] » des valeurs et des points de vue qu'un individu porte sur le monde social. Le processus de radicalisation tend à faire disparaître chez un individu cette pluralité de points de vue différents et concurrents à l'égard de la complexité du monde social, au profit d'un point de vue unique fondé sur une

Le renforcement des mesures répressives, qu'elles soient de nature judiciaire ou policière, a montré ses limites.

sécurité et d'appartenance d'un certain nombre de citoyens, tout en accentuant la polarisation des discours et des comportements au sein de la sphère publique.

Alors que le terme *radicalisation* est entré dans le lexique populaire commun, il demeure sujet à controverse en raison de son sens multiple. Il convient toutefois de préciser que *radicalisation* n'équivaut pas à *radicalisation violente*[3] puisque nombreux sont les exemples historiques de personnalités ou de mouvements dits radicaux (par exemple le mouvement des droits civiques, les suffragettes) démontrant que la radicalité n'est pas nécessairement synonyme d'extrémisme et de violence.

vision dogmatique réductrice et exclusive de la réalité.

Si la radicalisation comme dépluralisation ne conduit pas nécessairement à la violence, elle peut néanmoins être considérée comme un facteur de risque. Elle contribue en effet à rétrécir la pluralité des points de vue qu'un individu entretient sur le monde, et peut ouvrir la porte à un glissement vers un univers où la violence est perçue comme légitime. Cette polarisation à l'extrême des points de vue et l'enfermement dogmatique empêchent l'individu de conserver une certaine distance par rapport à une croyance, à une cause ou à une idéologie et rendent légitime le recours à des moyens violents pour faire entendre la vision du monde qu'il perçoit comme la seule légitime.

QUAND LA RÉPRESSION RENFORCE LA RADICALISATION

Face aux diverses formes de radicalité violente qui traversent nos sociétés, le renforcement des mesures répressives, qu'elles soient de nature judiciaire ou policière, a montré ses limites. En plus de l'effet contre-productif d'un certain nombre de dispositifs répressifs (surveillance grandissante au détriment des libertés civiles, stigmatisation, opposition de la population, etc.), les dispositifs traditionnels ne s'avèrent pas nécessairement les plus efficaces pour prévenir les situations de radicalisation potentielles.

En fait foi la difficulté des autorités publiques, au Canada comme ailleurs, à prendre en charge adéquatement des cas comme celui d'Aaron Driver, sympathisant du groupe État islamique abattu en août 2016 par la Gendarmerie royale du Canada à Strathroy, en Ontario. Surveillé par le Service canadien du renseignement de sécurité depuis octobre 2014 à cause d'activités suspectes sur les réseaux sociaux, Driver avait été arrêté en juin 2015, puis libéré sous de strictes conditions. Individu au parcours de vie chaotique, psychologiquement fragile, en rupture avec son environnement et le reste de la société, il s'est progressivement enfermé dans une dynamique de radicalisation sans issue. Face à cette situation, force est de constater qu'une prise en charge psychosociale plus précoce aurait sans doute permis

d'intervenir en amont sur cette trajectoire de radicalisation[5].

Parce qu'elle sous-tend un processus de repli sur soi, de rejet du dialogue et de la modération, la radicalisation se renforce par la confrontation. En ce sens, les mesures répressives ou punitives, bien que parfois nécessaires, peuvent avoir pour effet de renforcer les dynamiques mêmes de la radicalisation. Il est donc crucial d'explorer de nouvelles avenues pour dépasser le simple traitement sécuritaire des phénomènes extrémistes et de radicalité violente.

DÉRADICALISATION, CONTRE-RADICALISATION OU PRÉVENTION DE LA RADICALISATION ?

Les termes utilisés pour désigner les stratégies de lutte contre la radicalisation violente sont nombreux et pas toujours compréhensibles pour le grand public, et même pour les spécialistes. Ce qui entretient une confusion à la fois sur les approches qu'ils recouvrent et sur les pratiques concrètes mises en œuvre.

Sans doute le plus médiatique, le terme *déradicalisation* renvoie traditionnellement à une perspective qui vise à «défaire le processus de radicalisation et à encourager la réintégration des individus concernés dans la société[6]».

La déradicalisation recoupe en réalité deux types d'approches. D'un côté, celles ancrées dans une perspective psychologique qui fait de la radicalisation un endoctrinement mental, et donc de la déradicalisation une tentative de «déprogrammation». De l'autre, celles centrées sur la radicalisation en tant que processus social d'engagement dans la radicalité violente, et qui visent à désengager l'individu de l'extrémisme (violent), plutôt que de tenter de transformer ou de remplacer ses croyances.

Le terme *contre-radicalisation* désigne pour sa part un ensemble de mesures cherchant à contrer directement les fac-

dances, violence conjugale, intimidation et violence scolaire, etc.).

Parce qu'elle est souvent comprise à tort comme une lutte antiterroriste par d'autres moyens[8], la prévention de la radicalisation menant à la violence ne bénéficie pas toujours d'une bonne presse. Tantôt taxée d'angélisme, tantôt présentée comme du travail policier

La préservation d'un « bien-vivre-ensemble » passe par une approche préventive équilibrée et pluraliste qui permet l'expression de tous.

teurs de radicalisation, qu'il s'agisse des mouvements extrémistes ou de leurs discours. À titre d'exemple, mentionnons les stratégies de *contre-narratifs* visant à décrédibiliser les discours des figures ou des mouvements extrémistes ou à en dévoiler les tenants véritables et les manipulations argumentaires[7].

Enfin, la prévention de la radicalisation renvoie à l'ensemble des actions qui visent à prévenir en amont et à réduire les conséquences négatives des phénomènes de radicalisation violente, et ce, sur le plan tant individuel que collectif. Elle englobe un large spectre de stratégies non répressives comparables à celles adoptées dans d'autres domaines de prévention (suicide, toxicomanie et dépen-

déguisé, elle est pourtant un maillon essentiel de notre résilience individuelle et collective face aux extrémismes sous toutes leurs formes.

Souvent caricaturée, la prévention de la radicalisation menant à la violence doit être comprise dans une perspective de « santé sociétale ». Elle favorise en effet les capacités de résilience individuelle et collective face à la tentation de la polarisation et à l'extrémisme (violent[9]) au profit d'un dialogue politique inclusif dans les limites du débat démocratique.

VERS UNE APPROCHE GLOBALE DE LA PRÉVENTION

Parce qu'elle est un phénomène complexe et multidimensionnel qui se situe à l'entrecroisement des individus et de l'espace social, la radicalisation ne peut appeler de réponses préventives axées sur une seule dimension. Ainsi, la prévention doit être envisagée dans une perspective où une diversité de mesures et de stratégies interviennent.

Entrevoir la prévention de la radicalisation sous le seul angle des initiatives citoyennes et d'un discours sur l'inclusion, c'est demeurer aveugle aux dimensions cognitives, psychologiques et idéologiques inhérentes à la radicalisation menant à la violence. Inversement, analyser cette dernière à la seule lumière des facteurs psychologiques ou individuels, c'est nier le terreau profondément politique, social et idéologique dans lequel elle prend racine.

L'approche de prévention des phénomènes de radicalisation doit donc être non seulement multidisciplinaire, mais aussi globale, s'échelonnant sur un continuum allant de la prévention en amont jusqu'à la prise en charge des situations de radicalisation individuelles en vue de favoriser des mesures de réinsertion sociale, en passant par l'accompagnement des individus les plus vulnérables.

Parce qu'il n'existe pas un parcours type de radicalisation menant à la violence, pas plus qu'il n'existe une cause ou un facteur unique pouvant être identifié comme générateur de ce phénomène, il est crucial d'entrevoir le travail de prévention comme une boîte à outils contenant un éventail de ressources et de stratégies. La prévention ne peut être le travail d'un acteur seul, mais doit être au contraire le fruit d'une mobilisation collective, impliquant chaque citoyen.

À l'étranger, plusieurs approches globales de prévention dans le domaine, incluant le modèle danois[10], reçoivent un écho favorable. Certes, il est encore trop tôt pour mesurer l'efficacité d'un tel dispositif préventif, mais force est de constater que sa légitimité sociale ne fait pas débat.

UNE PRÉVENTION ÉQUILIBRÉE ET PLURALISTE

Au Québec, la mise en œuvre d'initiatives et de dispositifs de prévention de la radicalisation menant à la violence n'est qu'une première étape. Encore faut-il que ces programmes soient pérennisés. Pour ce faire, il est indispensable que chaque initiative soit évaluée à la fois pour ce qu'elle est et pour sa contribution au sein d'un dispositif plus large, chacune venant apporter sa pierre à l'édifice général de la prévention.

Il convient également que le principe de prévention s'inscrive dans une volonté politique durable qui dépasse les circonstances et les enjeux politiques à court terme. La préservation d'un « bien-vivre-ensemble » passe par une approche préventive équilibrée et pluraliste qui permet l'expression de tous sans exclusion. ◊

Notes et sources, p. 322

MIGRANTS ET DILUTION DES VALEURS QUÉBÉCOISES : UN DÉBAT QUI SUSCITE LES PASSIONS

Les vagues migratoires qui ont déferlé sur l'Europe au cours des derniers mois ont créé bien des remous. La discussion a gagné le Québec, qui devra tenter d'aborder la problématique avec prudence. Au cœur du débat, une question se pose : faut-il voir l'immigration comme une occasion à saisir ou comme une menace ?

ALAIN-GUY SIPOWO

Chercheur postdoctoral au Centre sur les droits de la personne et le pluralisme juridique de l'Université McGill, chargé de cours à l'Université Laval

E n 2016, les personnes déplacées, aussi appelées «migrants», ont atteint un nombre record. Selon les chiffres fournis par les organisations internationales, notamment l'Organisation des Nations unies (ONU) et son Haut Commissariat pour les réfugiés (HCR), elles représenteraient une population d'environ 244 millions, soit 3,05 % de la population mondiale. En le considérant sous un angle purement statistique, on pourrait s'empresser de relativiser l'impact du phénomène pour les pays d'accueil et voir dans le durcissement de leurs politiques migratoires un repli identitaire injustifiable qui préfigure la montée de l'intolérance et du populisme.

Pour autant, si les chiffres montrent une réalité, ils ne disent pas tout sur l'ampleur d'une situation. La complexité de la crise migratoire actuelle commande sans doute que toute question qui s'y rapporte soit abordée avec prudence. Le Québec, comme la plupart des pays développés dans le monde, n'a d'autre choix que de prendre de front la question de la migration. Mais il devra le faire avec suffisamment de jugement pour éviter le retour de bâton qui se traduit, en Europe et ailleurs, par la radicalisation des jeunes issus de l'immigration, devenus des proies faciles pour les extrémistes religieux.

OCCASION À SAISIR OU MENACE ?

Au plus fort de la crise humanitaire des réfugiés syriens et de l'afflux de migrants aux portes de pays européens, les dissensions au sein de l'Union européenne sur la réponse à apporter à cette situation sans précédent ont retenti jusqu'en Amérique du Nord, notamment au Canada et au Québec, historiquement connus comme des terres d'immigration. On a vu de nouveau l'ombre du projet de «charte des valeurs québécoises» planer sur le débat politique, en particulier celui concernant l'immigration.

Touchant un sujet sensible, ce débat suscite des passions chez les politiques, souvent sans que personne sache faire preuve de modération. Ainsi, les défenseurs de l'immigration s'opposent à leurs adversaires, non pas parce qu'ils considèrent l'immigration comme un phénomène caractéristique de notre humanité, mais surtout parce qu'elle serait devenue

barrières. Certains politiques n'entendent pas se limiter à une clôture physique. On évoque aussi souvent le test des valeurs, vanté pour être à l'origine du succès de l'immigration sous d'autres cieux.

Ces solutions soulèvent en réalité un débat de fond. L'immigration peut-elle vraiment représenter un danger pour l'identité d'une nation ? En d'autres termes, l'accueil des migrants risque-t-il de conduire à une dilution des valeurs de la société québécoise ? Cette question

Connaître et même maîtriser les sources de l'immigration devient une préoccupation de premier plan pour les dirigeants.

une fatalité dans notre monde «globalisé» et «interconnecté» où aucune société ne peut plus prétendre vivre recluse dans ses valeurs et son identité. À l'autre bout du spectre, ceux qui sont contre l'immigration n'y voient qu'un démultiplicateur des fléaux que connaissent nos sociétés modernes : criminalité, gangs de rue, extrémisme religieux, chômage et même risque de dilution de l'identité et des valeurs de la société d'accueil. À défaut, donc, de se passer des migrants et de l'immigration, on propose des solutions et des mesures aussi inefficaces les unes que les autres. Après la fermeture des frontières, on voit partout s'élever et on promet, en Europe mais aussi aux États-Unis, des murs et des

a structuré le discours politique et les débats de société en lien avec l'immigration au Québec en 2016. Il est fondamental d'y apporter une réponse claire, si les décideurs ont à cœur de sortir des appréhensions d'ordre identitaire qui nuisent à la formulation de politiques migratoires équilibrées dans la plupart des pays développés. Le rapport entre l'immigration et l'identité ne devrait pas toujours être posé comme une opposition. Le danger pour une identité ou des valeurs données ne résulte pas de l'accueil, mais plutôt du rejet du migrant. Car, en général, les conditions de son départ et de son intégration prédisposent le migrant à être un acteur social comme les autres.

UN ENRICHISSEMENT POUR L'IDENTITÉ

L'enjeu identitaire de l'immigration ne se définit pas uniquement par rapport aux politiques d'accueil et d'intégration. Connaître et même maîtriser les sources de l'immigration devient une préoccupation de premier plan pour les dirigeants. La notion de source peut ici s'entendre à la fois comme la cause du départ des migrants et comme leur provenance.

Lorsqu'à l'été 2016 le débat sur le port du burkini, qui a pris naissance en Europe, a fait son apparition à l'Assemblée nationale du Québec, il était clair que ce n'était pas le vêtement en lui-même qui posait problème en réalité, mais plutôt l'origine des personnes qui le revêtent et les valeurs qu'elles apportent avec elles au Québec. Tenue de natation portée par une femme musulmane, ce vêtement a rapidement évoqué le rattachement à un islam radical qui opprime la femme et méconnaît son droit à l'égalité. À travers la stigmatisation du burkini, c'est toute une communauté qui est mise sur la sellette, jugée et condamnée au tribunal de l'opinion. En effet, le problème d'une charte des valeurs est précisément qu'il est difficile, même pour une communauté non pénétrée par l'immigration, de s'entendre sur les valeurs à sauvegarder. Il était alors aisé de constater, au sujet du burkini, une véritable fracture de la société québécoise. Cette fracture ne repose pas sur une quelconque invasion, sur un flux incontrôlé de migrants. Il a suffi d'un cas pour que la nation s'embrase.

La provenance de l'immigration au Québec montre pourtant que les nouveaux arrivants sont dans leur grande majorité susceptibles de se fondre dans la culture et les valeurs de la société québécoise. Contrairement aux idées reçues, sans doute teintées par la montée en puissance de l'intégrisme islamiste, les principaux pays dont est issue l'immigration au Québec ne font pas partie du Moyen-Orient. Les trois premiers pays sont Haïti, la France et l'Italie. Le Maroc et l'Algérie, des pays francophones influencés historiquement par la colonisation française, arrivent seulement au quatrième et au cinquième rang[1].

Le risque de dilution de l'identité est donc difficile à prouver, d'autant que sur une population d'environ 8 millions d'habitants, l'ensemble des personnes nées à l'étranger constitue seulement 12,6 %, soit à peine 1 million[2]. La diversité de cette immigration vient enrichir la société québécoise. Les immigrants au Québec arrivent des quatre coins du monde. Leur responsabilité présumée dans le déclin de la langue française n'est qu'une vue de l'esprit, car près de 8 immigrants sur 10 affirment pouvoir s'exprimer couramment en français[3].

Tout comme sa provenance, la raison pour laquelle le migrant quitte son pays accroît ses chances d'intégration. Il est rare d'en trouver dont la cause du départ soit de venir commettre des actes de terrorisme, former des gangs de rue, intégrer la grande criminalité ou la délinquance, ou « profiter » du système social en place. Parmi les 244 millions de personnes déplacées à travers le monde et recensées en 2015, 65 millions l'avaient été de force, incluant 21 millions de réfugiés, 3 millions de demandeurs d'asile et plus de 40 millions de personnes déplacées dans leur propre pays[4]. Le reste des migrants sont issus de l'immigration dite économique ou du regroupement familial. Eux ont quitté leur pays en quête de meilleures conditions de vie.

Dans la crise des migrants syriens en Europe, certains pays ont justifié la fermeture de leurs frontières par l'argument que 60 % de ces personnes venaient pour des raisons économiques. Il s'agit d'une catégorie de migrants dont le contrôle relève de la seule souveraineté de l'État. Les étiqueter comme entrant dans la catégorie économique, parfois avant même qu'ils ne se soient présentés aux frontières, permet donc à l'État de se décharger de sa responsabilité d'accueillir les réfugiés.

Toutefois, les immigrants, quelle que soit la raison pour laquelle ils fuient leur pays, se caractérisent par leur extrême vulnérabilité et précarité. Leur protection, leur insertion et leur réussite dominent leurs préoccupations. Il s'agit donc d'excellents candidats à l'intégration et à l'appropriation des valeurs de la société d'accueil. Le pire qui peut se produire est une migration secondaire dans un autre pays ou un retour dans le pays d'origine en cas de difficulté d'adaptation.

Le Québec et le Canada, par leur position géographique, ne sont pas exposés à l'afflux massif incontrôlé de migrants comme peuvent l'être les pays européens. Il s'agit d'une position avantageuse qui leur permet de choisir et non de subir l'immigration. Ainsi, au cours des dernières années, 66,6 % des migrants au Québec relevaient de l'immigration économique, 22,5 % relevaient du regroupement familial, 9,7 % étaient des réfugiés et 1,2 % étaient présents pour des motifs humanitaires et d'intérêt public[5]. C'est donc à peine 11 % des migrants que le Québec est contraint d'accueillir par respect des règles internationales. À ce titre, la géographie joue encore en sa faveur, puisqu'en général l'éloignement le protège des arrivées non désirées du style *boat people*. Les réfugiés admis par le Canada et le Québec sont principalement triés sur le volet et accueillis par des structures privées de parrainage, l'État ne prenant en charge qu'une infime partie des arrivants. S'il existe un risque de dilution des valeurs de la société québécoise, il serait à inscrire au compte de la gestion inefficace d'une migration économique dont le Québec a besoin.

LE DÉFI DE L'INTÉGRATION

Un test des valeurs pourrait-il assurer une meilleure intégration des migrants ? L'idée sous-jacente d'une telle proposition est de « forcer » le migrant à s'intégrer et à épouser les valeurs de sa communauté d'accueil. Le test serait un incitatif, car à défaut de le réussir le migrant pourrait ne pas avoir droit à la prolongation de sa résidence ou à la citoyenneté. On rappelle ainsi, pour mieux expliciter le fondement de telles solutions, que l'immigration est un privilège et non un droit.

Cette proposition n'est pourtant vraie que jusqu'à un certain point. L'idée de privilège se justifie à l'admission du migrant, la règle générale en l'occurrence étant celle de la souveraineté de l'État à qui le droit international reconnaît la compétence exclusive de choisir qui il veut admettre sur son territoire. Une fois le migrant admis, cependant, l'argument du privilège ne tient plus pour structurer les politiques migratoires. La discrétion de l'État d'accueil est en effet balisée par un cadre normatif qui délimite les zones d'influence et d'action de celui-ci, ainsi que les espaces de citoyenneté et de liberté de la personne.

On oublie trop souvent que même à l'égard des migrants, les actes de l'État doivent continuer de s'inscrire dans le champ juridique délimité par les règles constitutionnelles et les chartes des droits de la personne. Et sur ce point, il faut savoir mettre de côté les subjectivités personnelles et les appréhensions sans fondement qui caractérisent les rapports à l'immigration, pour agir dans le cadre de la légalité constitutionnelle. Le respect de la règle de droit fait en effet partie des valeurs fondamentales de la société québécoise. À ce titre, le migrant jouit, en vertu des lois nationales et internationales, des mêmes droits de citoyenneté, à quelques exceptions près. Exclu du vote et de l'exercice de certaines fonctions publiques tant qu'il n'est pas devenu citoyen, il a néanmoins droit à bien plus qu'un simple travail. La définition des politiques migratoires doit cesser d'être

gouvernée par les seules préoccupations économiques des pays d'accueil. Il est indispensable de la fonder sur la notion d'hospitalité universelle si l'on veut atténuer le choc des cultures.

Aujourd'hui, le travail, voie royale pour l'intégration des migrants, n'est pas assuré, même lorsque l'immigration demeure maîtrisée. En 2011, le taux de chômage parmi les immigrants atteignait 11,1 %, soit près de 4 points au-dessus de la moyenne québécoise[6]. L'argument de la récession économique que les dirigeants font valoir pour justifier l'impossibilité d'accueillir un plus grand nombre de migrants perd en crédibilité lorsqu'on constate que ceux qui sont déjà présents sur le territoire vivent l'exclusion et la discrimination. Le gouvernement libéral à Québec a établi l'objectif d'admission à 50 000 immigrants pour la période 2012-2015[7]. Les deux principaux partis nationalistes jugent ce choix électoraliste et prônent l'alignement des quotas sur les capacités réelles d'accueil ; il faut, ainsi que le formule sur son blogue le nouveau chef du Parti québécois, Jean-François Lisée, « s'assurer [minimalement] que ces gens qu'on appelle et accueille puissent réaliser leurs rêves[8] ». Pour y parvenir, Lisée confierait la gestion de l'immigration au vérificateur général, en raison de son indépendance ; et celui-ci pourrait fixer le nombre de personnes à accueillir « compte tenu des défis démographiques et du marché du travail ». Ces facteurs de sélection expliquent le choix des migrants les plus qualifiés. Il y a ici un paradoxe à prétendre offrir le rêve québécois à des milliers de personnes, et à encourager du même souffle leur installation ailleurs que dans les grands centres, comme le fait Lisée pour loin dans son billet.

Les propositions tant libérales que nationalistes ne sortent pas des sentiers battus des théories économiques de la migration. Et c'est là une voie complexe dans une économie globalisée que l'on sait désormais volatile et très peu stable.

migration. Au lieu donc d'insister sur son « étrangéité », il conviendrait, tout en gardant à l'esprit les défis démographiques des sociétés occidentales déclinantes, d'envisager l'intégration non pas toujours comme une assimilation, mais comme la définition d'un espace de coexistence et d'interaction des identités et des cultures.

Comme la race, la religion ou la nationalité, aussitôt qu'une identité se conçoit comme « exclusive », elle court le risque

Le choc identitaire et culturel que les politiques et une partie de l'opinion redoutent proviendraient de ce que le migrant n'est souvent rien d'autre qu'un agent économique aux yeux de la société d'accueil.

Il serait peut-être temps de fonder l'immigration sur quelque chose d'autre. En changeant de paradigme en faveur d'une approche fondée sur l'humanisme, peut-être en viendrait-on à considérer le migrant autrement que comme un bouche-trou. Le choc identitaire et culturel que les politiques et une partie de l'opinion redoutent proviendrait du fait que le migrant n'est souvent rien d'autre qu'un agent économique aux yeux de la société d'accueil. Or, parce qu'il est bien davantage que cela, son histoire et son identité ne s'effacent pas au moment de sa

de tomber en décadence. Comme la race, la religion et la nationalité également, l'identité n'est rien d'autre qu'un construit. Elle n'a de vitalité que dans le regard que « l'autre » peut porter sur elle. La mondialisation actuelle et la mobilité qu'elle engendre offrent, au-delà des travers économiques et sécuritaires, l'occasion pour les cultures et les identités de se réinventer et de se revigorer constamment. C'est dans cette perspective qu'il convient d'aborder l'accueil des migrants. ◊

Notes et sources, p. 322

RÉFUGIÉS SYRIENS : UN AFFLUX MASSIF INCONTRÔLÉ ?

Dans le contexte mondial actuel, plusieurs se questionnent sur les précautions qui sont prises pour empêcher que d'éventuels terroristes ne se trouvent parmi les milliers de réfugiés syriens qui ont récemment trouvé asile au Canada. Or, de nombreuses mesures de contrôle méconnues sont déjà déployées afin de protéger la population canadienne.

HÉLÈNE MAYRAND

Professeure adjointe à la Faculté de droit, Université de Sherbrooke

Comparativement à bien d'autres pays, la situation géographique du Canada limite les risques d'afflux massif de réfugiés sur son territoire. Ce pays est séparé du reste du monde par trois océans, et son seul voisin terrestre, les États-Unis, est très rarement source de réfugiés. Dans l'histoire canadienne, ce n'est qu'exceptionnellement que des réfugiés ont pu arriver en grand nombre par voie maritime, comme ce fut le cas dans la célèbre affaire du navire *MV Sun Sea*, à bord duquel 490 demandeurs d'asile tamouls sri-lankais avaient accosté en Colombie-Britannique, en 2010.

Contrairement à certains pays européens qui ont vu récemment des centaines de milliers de réfugiés syriens affluer sur leur territoire, par voie terrestre aussi bien que maritime, le Canada a donc eu le privilège de pouvoir sélectionner à distance les quelque 29 000 réfugiés syriens qu'il a accueillis entre le 4 novembre 2014 et le 24 juillet 2016[3]. Le Canada continue à accueillir des réfugiés en provenance de cette région.

RÉFUGIÉ ET TERRORISTE : DES NOTIONS JURIDIQUES ANTINOMIQUES

La Convention relative au statut des réfugiés, adoptée par les Nations unies en 1951 dans le contexte de l'après-guerre, définit un réfugié comme une personne qui craint avec raison d'être persécutée du fait de sa race, de sa religion, de sa nationalité, de son appartenance à un groupe social ou de ses opinions politiques, qui se trouve hors du pays dont elle a la nationalité et qui ne peut ou ne veut pas se réclamer de la protection de ce pays.

La convention exclut expressément les personnes dont les autorités ont de sérieuses raisons de penser : a) « qu'elles ont commis un crime contre la paix, un crime de guerre ou un crime contre l'humanité [...] », b) « qu'elles ont commis un crime grave de droit commun en dehors du pays d'accueil avant d'y être admises comme réfugiés » ou c) « qu'elles se sont rendues coupables d'agissements contraires aux buts et aux principes des Nations unies ».

Le terrorisme entre manifestement dans cette exclusion. Selon les circonstances, le terrorisme peut être qualifié de crime de guerre ou de crime contre l'humanité, ou constituer un crime grave de droit commun. De plus, il s'agit d'un acte contraire aux buts et aux principes des Nations unies. Cette exclusion est reprise dans le droit canadien. Ainsi, sur le plan du droit tant national qu'international, un terroriste ne peut être sélectionné comme réfugié.

MESURES DE CONTRÔLE MULTIPLES

Au Canada, la Loi sur l'immigration et la protection des réfugiés fait en sorte qu'un demandeur d'asile doit franchir plusieurs

La première étape de contrôle est l'identification des demandeurs d'asile, notamment dans les camps de réfugiés au Liban, en Jordanie et en Turquie, par le Haut Commissariat des Nations unies pour les réfugiés (HCR) et par certains gouvernements locaux, par exemple en Turquie. Lors de cette première sélection, les responsables vérifient l'identité de la personne, déterminent si elle se conforme à la définition d'un réfugié et identifient les candidats les plus vulnérables, requérant une attention ou une protection particulière.

La deuxième étape de contrôle est effectuée par des fonctionnaires canadiens lorsque le réfugié fait une demande

> Selon les circonstances, le terrorisme peut être qualifié de crime de guerre ou de crime contre l'humanité, ou constituer un crime grave de droit commun.

étapes pour se voir reconnaître les statuts de réfugié et de résident permanent. Devant l'importante crise migratoire actuelle, causée notamment par la guerre civile en Syrie, le gouvernement canadien a mis en place davantage de ressources pour accélérer le processus de sélection et d'admission des réfugiés syriens, un processus qui peut, en temps normal, s'étendre sur plusieurs années.

de visa de résident permanent dans la catégorie des réfugiés. À l'occasion d'une entrevue de sécurité réalisée par exemple à Beyrouth, à Amman ou à Ankara, un agent de visa contrôle l'identité de la personne, collecte ses données biométriques (photographie et empreintes digitales) et recueille certains renseignements personnels. Il s'assure que la personne entre bel et bien dans la catégorie des réfugiés et qu'elle peut ainsi obtenir ce statut. Il vérifie également qu'elle ne peut faire l'objet d'une interdiction de territoire, par exemple pour des raisons de sécurité ou de criminalité, y compris pour terrorisme. À la suite de l'entrevue, les agents du Service canadien du renseignement de sécurité (SCRS) effectuent des recherches dans les bases de données d'immigra-

de résident permanent qui lui permet de prendre l'avion à destination du Canada. L'identité du réfugié sera de nouveau confirmée à l'aéroport avant son départ.

La troisième étape de contrôle a lieu au point d'entrée au Canada, lorsque des agents des services frontaliers revérifient l'identité de la personne, contrôlent la validité des documents, incluant le visa

Si l'accueil au Canada de près de 30 000 Syriens en un peu moins de deux ans peut paraître important, ce chiffre pâlit en comparaison des 60 000 réfugiés en provenance du Vietnam, du Cambodge et du Laos qui ont été accueillis au pays lors de la crise migratoire des réfugiés de la mer (*boat people*) en 1979 et 1980.

tion, de police et de sécurité pour confirmer l'information recueillie. Le réfugié doit également se soumettre à un examen médical complet pour prouver qu'il ne représente pas un danger sanitaire pour la population canadienne (maladies, virus, etc.). De plus, il doit obtenir un parrainage et être sélectionné par une province ou un territoire. Une fois toutes ces conditions remplies, le réfugié obtient un visa

de résident permanent, et s'assurent que la personne ne fait toujours pas l'objet d'une interdiction de territoire pour criminalité ou pour des raisons de sécurité, par exemple. Le visa permettant seulement de prendre l'avion vers le Canada dans un but d'immigration permanente, ce n'est qu'à la suite de ce processus de contrôle au point d'entrée que le réfugié obtient son statut de résident permanent.

Une fois au Canada, le réfugié pourra toujours faire l'objet de mesures de contrôle et pourrait perdre son statut de réfugié ainsi que le statut de résident permanent qui y est associé et faire l'objet d'une mesure de renvoi, notamment s'il a fait de fausses déclarations au moment de sa sélection comme réfugié ou du contrôle par les agents canadiens. Il pourra également perdre son statut de résident permanent et faire l'objet d'une mesure de renvoi s'il commet certains crimes au pays ou à l'étranger, incluant le terrorisme.

ENTRE SÉCURITÉ ET OBLIGATIONS HUMANITAIRES

En droit international, rien n'oblige le Canada à accueillir un nombre quelconque de réfugiés syriens. L'obligation de non-refoulement, c'est-à-dire l'interdiction de renvoyer une personne vers son pays d'origine où elle risque la persécution, s'applique seulement une fois que le réfugié se trouve en sol canadien. Le manque de règles internationales sur les obligations humanitaires des États pose problème, en particulier pour les pays limitrophes qui reçoivent un afflux massif de personnes sans toujours avoir les ressources pour les accueillir. Si l'accueil au Canada de près de 30 000 Syriens en un peu moins de deux ans peut paraître important, ce chiffre pâlit en comparaison des 60 000 réfugiés en provenance du Vietnam, du Cambodge et du Laos qui ont été accueillis au pays lors de la crise migratoire des réfugiés de la mer (*boat people*) en 1979 et 1980[2].

En mettant en place le processus de contrôle des réfugiés décrit ici, le Canada tente de conjuguer ses obligations humanitaires en matière de droit d'asile avec la protection de la population canadienne. Sur le plan de la sécurité, quoique ce processus ne soit pas infaillible, les faits révèlent que le risque demeure faible : sur les quelque 300 000 réfugiés admis au Canada au cours des 10 dernières années, aucun n'a commis d'acte terroriste[3]. Ainsi, il semble que dans la crise des migrants qui sévit ces dernières années, le Canada n'est pas aux prises avec un afflux massif et incontrôlé de réfugiés qui pourrait constituer une menace pour la sécurité du pays. ◊

Notes et sources, p. 322

Vie numérique

ÉCONOMIE COLLABORATIVE : ENTRONS-NOUS DANS L'ÈRE DU *SHAREWASHING* ?

Ici comme ailleurs, les initiatives d'économie collaborative se multiplient,
et avec elles émergent des changements profonds sur le plan du travail,
des habitudes de consommation et de la fiscalité. Sans compter
que ce modèle, qui secoue les puces de notre économie traditionnelle,
n'est pas à l'abri de possibles dérives.

FABIEN DURIF, PH.D.
Vice-doyen à la recherche et à la création et directeur de l'Observatoire
de la consommation responsable, École des sciences de la gestion,
Université du Québec à Montréal

MYRIAM ERTZ
Candidate au doctorat en administration et chercheuse à l'Observatoire
de la consommation responsable, École des sciences de la gestion,
Université du Québec à Montréal

ALEXANDRE BIGOT
Connecteur Québec, OuiShare,
collectif dédié à l'émergence de la société collaborative

Les chiffres sur l'économie collaborative donnent le tournis! Si le marché mondial en était estimé à 26 milliards de dollars US en 2013, Jean-Marc Liduena calcule que les revenus doublent tous les 18 mois et que l'économie collaborative représentera plus de 200 milliards de dollars avant 2020[1]. L'agence PwC prédit même que le marché atteindra 335 milliards de dollars d'ici 2025. L'économie collaborative s'est installée notamment dans les secteurs de la finance, du transport, du commerce de détail et de l'hébergement touristique[2].

Au Québec, il est encore difficile d'évaluer le poids réel de l'économie collaborative, mais selon le recensement effectué en 2016 par l'Observatoire de la consommation responsable et OuiShare, on compterait désormais plus de 180 «initiatives» d'économie collaborative, comprenant à la fois des plateformes commerciales et des plateformes d'échange de biens et de services entre particuliers sans recherche de profit[3].

L'essor de l'économie collaborative au Québec tend à faire évoluer notre modèle socioéconomique et entre en concurrence avec les activités «traditionnelles». Il amène aussi de nouveaux défis autant pour les pouvoirs publics que pour les organisations traditionnelles: il devient ainsi possible de vivre à 100% de façon collaborative, une expérience qui a été résumée dans le documentaire *60 jours collaboratifs*[4]. Néanmoins, l'évolution récente de ce type d'économie, et en particulier l'émergence de modèles d'affaires sous forme de plateformes en ligne et mobiles, perturbe profondément l'économie traditionnelle et remet en question bien davantage que notre modèle de consommation. Il s'avère donc nécessaire de réfléchir à la fois à la nature et aux enjeux de l'économie collaborative au Québec.

QU'EST-CE QUE L'ÉCONOMIE COLLABORATIVE ?

Économie de partage, économie circulaire, économie sociale, économie collaborative... Plusieurs terminologies sont utilisées pour définir ces nouveaux modèles économiques. Mais attention, ces termes ne sont pas tous synonymes, en particulier lorsqu'on analyse en profondeur les concepts, les implications concrètes et les finalités de ces modèles.

Souvent décrite comme une économie *peer-to-peer*, elle implique qu'un individu (le consommateur) intervienne en tant que fournisseur de biens ou de services directement auprès d'autres individus (« pair à pair »), à travers des plateformes en ligne ou non, mais également dans la chaîne de

L'économie collaborative se positionne comme une réponse à un modèle de consommation qui s'essouffle – une fatigue exacerbée par la crise économique mondiale de 2008, dont les effets se prolongent.

L'usage même du terme *économie de partage*, largement plébiscité par les médias, est loin de faire l'unanimité chez les spécialistes et crée même la polémique. Pour de nombreux experts, la présence soutenue dans ce domaine de modèles d'affaires traditionnels ayant une perspective lucrative et dans lesquels le partage a une place limitée encourage, par précaution, l'emploi du terme *économie collaborative*[5].

L'économie collaborative en tant que telle ne serait pas si récente, mais elle a connu un développement rapide grâce aux progrès du web 2.0, des réseaux sociaux et de la technologie mobile, qui ont permis d'augmenter le poids et l'envergure de pratiques informelles auparavant circonscrites et marginales.

création de valeur d'organisations privées, publiques ou sans but lucratif[6]. Il se produit donc un changement dans le rôle du consommateur : celui-ci passe d'un agent récepteur passif à un collaborateur fournisseur actif.

QUAND L'USAGE PRIME LA PROPRIÉTÉ

L'économie collaborative se positionne comme une réponse à un modèle de consommation qui s'essouffle – une fatigue exacerbée par la crise économique mondiale de 2008, dont les effets se prolongent. Comme le souligne l'édition 2015 du *Baromètre de la consommation responsable au Québec*, il faut aujourd'hui, selon 87,7 % des Québécois, revoir les modes de vie et de consommation. Par ailleurs, 82 %

DANS TOUS SES ÉTATS

Selon OuiShare[1], l'économie collaborative «regroupe l'ensemble des pratiques et modèles économiques basés sur les structures horizontales et les communautés, qui transforment la façon dont on vit, crée et travaille». Cette économie repose sur la mutualisation des biens (partage ou échange des biens), avec ou sans compensation (monétaire ou autre). Elle se construit en grande partie sur la confiance au sein des communautés par le biais d'intermédiaires jouant le rôle de facilitateurs ou de médiateurs, modifiant ainsi les frontières entre producteurs et consommateurs. Ces communautés se rencontrent et interagissent autant sur des réseaux en ligne (plateformes et applications mobiles) que dans des lieux «physiques» tels que les bureaux à frais partagés (coworking) et les ateliers de fabrication numérique (Fab Labs).

Le phénomène de l'économie collaborative peut être considéré comme la somme des mouvements suivants:

- la **consommation collaborative**: l'ensemble des échanges de produits et de services entre les individus à travers le don, l'échange, le commerce, la location, l'emprunt ou le partage, dans l'optique d'une meilleure optimisation des ressources. Elle comprend les systèmes de redistribution, les systèmes de produits-services, les services à la demande et les systèmes locaux coopératifs;
- la **finance collaborative**: pratiques permettant la circulation des capitaux entre les individus. Elle comprend le sociofinancement, le prêt entre particuliers, le paiement *peer-to-peer*, l'assurance *peer-to-peer* et les monnaies locales;
- la **gouvernance ouverte et horizontale**: initiatives de transformation des organisations, des services publics et de l'action civique;
- la **conception ouverte** et la **fabrication distribuée**: l'ensemble des initiatives permettant aux individus de concevoir, de produire et de distribuer des biens en combinant les connaissances et les ressources nécessaires, par exemple les Fab Labs;
- la **connaissance ouverte**: accès de tous à des contenus disponibles, par exemple les logiciels libres.

1. http://ouishare.net/fr.

d'entre eux croient que l'utilisation d'un produit est plus importante que le fait de le posséder[7].

Ce changement dans le système des valeurs est particulièrement prononcé au sein de la génération des «milléniaux» (nés entre 1979 et 1995), ou génération Y. Pour eux, les biens constitueraient une perte d'argent inévitable et une source de stress et devraient être délaissés au profit de dépenses dans les «expériences» telles que les voyages, les loisirs, l'éducation et les activités de développement personnel[8].

L'économie collaborative se base notamment sur les principes de l'économie de fonctionnalité, dans laquelle la valeur d'un bien ne réside pas dans sa possession mais plutôt dans les bénéfices retirés de son utilisation. Cela rejoint la notion menter ses revenus), la facilité d'accès aux ressources (flexibilité d'utilisation, aspect pratique) et les bénéfices reçus des compétences des autres individus[9]. Ainsi, actuellement, l'économie collaborative ne semble plus fédérer ceux qui rejettent le système de consommation classique, mais paraît plutôt correspondre à une certaine optimisation du pouvoir d'achat

Le point commun des activités caractéristiques de l'économie collaborative semble être le recours à des formes de travail non salarié, comme le travail numérique, le travail *peer-to-peer* et le travail autonome.

d'économie circulaire dans l'optique d'une réduction des impacts environnementaux d'un bien ou service tout au long de son cycle de vie.

Cependant, si les pionniers de l'économie collaborative revendiquaient des valeurs environnementales et sociales fortes en voulant redonner sens à l'acte de consommer, les dernières études démontrent que les consommateurs s'engagent dans ces nouvelles pratiques principalement pour des raisons individuelles et égocentriques, comme l'intérêt économique (économiser de l'argent, aug-

individuel. Des experts dénoncent même les dérives de l'économie collaborative en soulignant que cette consommation ne se substituerait plus à la consommation classique, mais serait complémentaire, en étant une façon d'hyperconsommer et d'aspirer à «plus» (c'est-à-dire une forme de consommation ostentatoire)[10].

LES ENTREPRISES TRADITIONNELLES DOIVENT S'ADAPTER

Airbnb et Uber attirent depuis quelques années l'attention des médias et surtout les critiques, en particulier celles des représentants de l'hôtellerie et de l'industrie du taxi. Ce sont aujourd'hui les porte-étendards de ces nouveaux modèles d'affaires; ils illustrent les bouleversements auxquels font face les entreprises traditionnelles.

Comment réagir? Il y a tout d'abord la nécessité pour les entreprises de comprendre qu'«il faut s'adapter à un nouveau mode de consommation[11]». Les consommateurs québécois sont maintenant à la recherche de produits plus sains (82,5%), davantage en lien avec leurs convictions et leurs valeurs (76,1%), et plus solides (69,0%)[12]. Ils s'attendent à un engagement de la part des entreprises et sont prêts à boycotter celles qui n'ont pas de politique d'achat responsable (41,3%) ou qui n'offrent pas de produits ou de services responsables (32,1%)[13].

Il y a également «nécessité de réfléchir à des façons de trouver sa place dans l'économie collaborative[14]». Jusqu'à présent, ce sont les réactions «défensives» et «protectionnistes» de lobbying (de la part de l'industrie de l'hébergement et du transport) qui ont fait les manchettes. D'autres entreprises ont réagi par l'acquisition d'entreprises collaboratives: Zipcar par Avis; Fastbooking et One Fine Stay par Accor; OuiCar par la SNCF. Certaines ne font que communiquer leurs initiatives collaboratives en espérant profiter de la «mode» collaborative, de la même manière que l'argument environnemental a été utilisé comme positionnement marketing dans les années 2000, avec la multiplication des cas d'écoblanchiment

(*greenwashing*). On peut donc craindre un phénomène similaire de *sharewashing*. D'autres entreprises concluent des partenariats ou investissent avec des *start-up* de l'économie collaborative dans le but de faire évoluer leur propre culture: Desjardins avec La Ruche; Banque Nationale du Canada avec Ulule Canada; l'Université Concordia avec Temps libre; Accor avec Oasis Collection et Square Break; la SNCF avec Airbnb; Patagonia avec eBay.

Ainsi, de nombreuses entreprises traditionnelles intègrent à leur offre l'économie collaborative, créent une extension externe ou même lancent leur propre modèle. Un exemple: l'Espace collectif de Desjardins, une place publique en ligne permettant aux citoyens, aux organismes et aux entreprises de se rencontrer dans le but de mener des projets porteurs pour leurs quartiers. On connaît aussi Nissan Car Sharing, un service d'autopartage pour les professionnels.

UNE RÉFLEXION NÉCESSAIRE SUR L'ENCADREMENT

Nul doute que l'économie collaborative crée des perturbations importantes dans notre société, autant dans les formes de travail qu'autour des questions de la réglementation, de la fiscalité et de la protection des individus.

Le point commun des activités caractéristiques de l'économie collaborative semble être le recours au travail non salarié, avec l'émergence ou la consolidation de certaines formes comme le travail numérique, le travail *peer-to-peer* et le travail autonome. Des questions se posent, en particulier concernant leur statut juridique. Aux États-Unis, des recours ont été déposés contre des *start-up* collaboratives accusées de ne pas considérer les donneurs de services comme des employés, notamment Uber. De nouveaux statuts juridiques mieux adaptés à ces formes de travail devront sans doute émerger.

Ainsi, au Québec comme ailleurs, l'économie collaborative ne s'harmonise pas avec les cadres réglementaires en vigueur. Par conséquent, le Québec n'a pas de moyens pour capter une partie légitime de la valeur économique générée par ces acteurs, notamment les bénéfices. À cela s'ajoutent des interrogations importantes sur la protection des citoyens face au développement de ces activités en matière d'abus, de fraude et de santé. La plupart de ces échanges ne sont pas aujourd'hui encadrés clairement par des contrats d'assurance particuliers. Une réflexion est ainsi nécessaire dans le domaine réglementaire.

L'économie collaborative est donc un modèle « perturbateur » qui conduit la plupart des parties prenantes, et en particulier les entreprises, à porter un regard nouveau sur l'innovation et la gouvernance. Rien ne semble devoir ralentir la croissance de cette tendance, à l'exception de la remontée éventuelle du pouvoir d'achat des ménages, qui serait le test ultime de sa force et également de sa pérennité, selon certains experts. ◊

Notes et sources, p. 322

LES POUR ET LES CONTRE DE L'ÉCONOMIE DE PARTAGE

Au cours des derniers mois, Airbnb et Uber ont souvent fait la manchette et soulevé bien des questionnements. Quels sont les avantages et les inconvénients de ces entreprises qui font partie de ce que l'on nomme communément l'« économie de partage » ?

THÉRÈSE LAFLÈCHE
Consultante en économie

Dans le terme *économie de partage*, on pourrait croire qu'il est question d'une forme d'échange désintéressé, puisque *partager* est souvent utilisé dans le sens de « donner une part de quelque chose à quelqu'un ». Or, les entreprises d'économie dite de partage les plus connues au Québec, Airbnb et Uber, sont des organisations où les échanges ne sont pas gratuits. Elles forment en fait un sous-ensemble de l'économie collaborative. Parmi les initiatives collaboratives, on retrouve des projets comme Wikipédia, Bixi et Communauto, qui n'impliquent pas des échanges entre particuliers mais un partage d'informations ou d'actifs[1]. En fait, c'est à ces derniers que le terme *économie de partage* convient davantage. Dans le cas de sociétés comme Airbnb ou Uber, on fait plutôt référence au partage d'actifs sous-utilisés, en l'occurrence des logements et des automobiles. En réalité, c'est l'échange de biens ou de services entre deux particuliers, plutôt que le partage, qui les caractérise.

Mais qu'on nomme cette économie « de partage » à tort ou à raison, les entreprises qui en relèvent sont variées. À une extrémité du spectre se trouvent les initiatives sans but lucratif et à vocation sociale, comme le World Wide Opportunities on Organic Farms (WWOOF), qui met des travailleurs bénévoles en relation avec des agriculteurs biologiques. Ces derniers leur fournissent en échange hébergement et nourriture. L'objectif du « wwoofing » est de « promouvoir des expériences culturelles et éducatives basées sur la confiance et les échanges non monétaires, contribuant ainsi à construire une communauté mondiale durable[2] ».

À l'autre extrémité, on retrouve des entreprises à but lucratif comme Airbnb : tant la société que les hôtes qui utilisent sa plateforme cherchent à réaliser des profits. Entre les deux, il existe une panoplie d'organisations avec ou sans but lucratif, mettant en relation des individus qui échangent des services, gratuitement ou non, et ce, dans presque tous les domaines : transport, hébergement, alimentation, finance, santé, etc. Nous nous pencherons ici sur celles qui ont un but lucratif.

DES AVANTAGES POUR LES CONSOMMATEURS ET L'ÉCONOMIE

Les échanges directs de personne à personne n'ont rien de nouveau : le troc est vieux comme le monde. Mais la technologie numérique a aboli les contraintes de entreprise, un voyageur peut louer un appartement – ou une chambre privée dans un appartement – pour un court séjour. C'est une possibilité qu'il n'avait pas auparavant, de sorte que l'offre d'hébergement est désormais non seulement plus grande, mais plus diversifiée. Parce qu'ils utilisent leurs propres actifs et se chargent eux-mêmes du service à la clientèle, les hôtes pratiquent des tarifs généralement avantageux par rapport à ceux de

L'arrivée d'Uber sur le marché a provoqué une véritable révolution dans l'industrie du taxi à Montréal. La qualité et l'efficacité des services offerts par les chauffeurs de taxis se sont nettement améliorées.

temps et d'espace qui les limitaient, leur permettant de se multiplier, ce qui transforme radicalement le modèle économique. De fait, l'économie de partage permet au consommateur de contourner le commerce traditionnel, qui consiste à acheter un bien ou un service d'une entreprise.

Pour le consommateur, l'économie de partage se traduit donc par un plus grand choix de biens et de services – autant en fait de quantité que de variété –, par des prix avantageux et par un certain nombre d'avantages spécifiques. Prenons la plateforme d'Airbnb en exemple. Grâce à cette l'industrie hôtelière. De plus, leur appartement étant souvent situé dans une zone résidentielle plutôt que dans un centre touristique, ils offrent aux consommateurs une expérience plus authentique, en quelque sorte, en leur permettant d'observer de près la culture et les habitudes de vie des résidents.

L'économie de partage a également des effets positifs sur le plan macroéconomique. De fait, en multipliant la concurrence, elle stimule la productivité et l'innovation. Pour illustrer cet aspect, considérons les services d'Uber.

L'entreprise elle-même est très innovatrice. Son application mobile permet au consommateur d'avoir accès rapidement à une voiture, de connaître à l'avance le prix de la course et de procéder au paiement sans avoir à sortir son portefeuille.

L'arrivée d'Uber sur le marché a provoqué une véritable révolution dans l'industrie du taxi à Montréal. La qualité et l'efficacité des services offerts par les chauffeurs de taxs se sont nettement améliorées. La plupart des véhicules sont désormais munis de GPS et les clients peuvent généralement régler leur course

effets positifs sur le tourisme. En effet, en offrant l'hébergement et le transport à des prix concurrentiels, elles constituent des atouts pour l'industrie touristique des villes où elles se sont installées.

CONCURRENCE DÉLOYALE ET ÉVASION FISCALE

Les compagnies comme Airbnb et Uber sont toutefois accusées de concurrence déloyale, car elles ne se conforment pas aux mêmes règles que les entreprises traditionnelles. Par exemple, les particuliers qui proposent leurs services sous la ban-

En ce qui concerne tant l'hébergement des voyageurs que les services de transport, le gouvernement du Québec a accordé plus d'importance à la protection des industries en place qu'à l'intérêt des consommateurs.

par carte de débit ou de crédit. Plusieurs compagnies de taxi ont amélioré leur site web et créé des applications permettant de commander une voiture, de suivre son déplacement, de payer en ligne et d'évaluer le service reçu. Bref, la concurrence d'Uber a indéniablement favorisé la productivité et l'innovation dans une industrie qui tardait à se moderniser.

Enfin, les plateformes comme celles d'Airbnb et d'Uber ont également des

nière d'Uber ne détiennent pas de permis de taxi, ils ne sont pas tenus de suivre une formation et leur voiture n'est pas soumise à des inspections aussi sévères que celles subies par les taxis ordinaires.

On reproche aussi aux entreprises de partage d'encourager l'évasion fiscale. Ceux qui offrent leurs services sur ces plateformes ne déclarent pas toujours au fisc les revenus qu'ils en retirent et ne facturent pas systématiquement non plus les taxes de vente à leurs clients. Airbnb et Uber sont aussi soupçonnées d'évasion fiscale, car elles déclareraient une bonne partie de leurs revenus non pas là où ils sont perçus, mais dans des paradis fiscaux.

LA PART DES CHOSES

Mais l'évasion fiscale n'est pas l'apanage de l'économie de partage. De nombreuses multinationales appartenant à l'économie traditionnelle sont aussi soupçonnées de déposer leurs profits dans des pays où le fisc est moins gourmand ou d'élaborer des systèmes complexes leur permettant de payer le moins d'impôt possible (évitement fiscal).

Les particuliers offrant leurs services sur les plateformes d'Airbnb ou d'Uber sans déclarer leurs revenus ne sont pas non plus les seuls à le faire. Cette pratique est courante dans l'industrie de la construction, par exemple. Même l'industrie du taxi n'y échappe pas : Revenu Québec estime à 72 millions de dollars par année ses pertes fiscales reliées à cette industrie[3].

Par conséquent, interdire les activités d'entreprises de l'économie de partage sous prétexte que ces compagnies encouragent l'évasion fiscale n'est pas justifié. Celle-ci est un fléau auquel l'État doit s'attaquer, et ce, quelle que soit la nature des entreprises en cause.

L'argument de la concurrence déloyale est plus recevable, bien que le terme ne soit probablement pas approprié d'un point de vue légal. En effet, la concurrence déloyale implique qu'il y a eu abus, fraude ou autre pratique anticoncurrentielle. Dans le cas d'Uber et d'Airbnb, on devrait plutôt parler de conditions de concurrence inéquitables dues au fait que les particuliers qui proposent leurs services sur ces plateformes n'ont pas à se soumettre aux lois et règlements qui contraignent leurs concurrents.

ENCADRER PLUTÔT QUE DÉCOURAGER

Le défi des autorités gouvernementales consiste à rendre les conditions de concurrence des entreprises de l'économie de partage plus équitables par rapport à celles de l'économie traditionnelle, sans pour autant faire disparaître complètement les avantages que ces entreprises procurent aux consommateurs et à l'ensemble de la société. Or, en ce qui concerne tant l'hébergement des voyageurs que les services de transport, force est de constater que le gouvernement du Québec a accordé plus d'importance à la protection des industries en place qu'à l'intérêt des consommateurs.

En ce qui a trait aux services d'hébergement, la loi que le gouvernement a fait adopter en décembre 2015[4] soumet les particuliers qui louent un appartement sur une base régulière à une réglementation très contraignante qui aura sans doute pour effet, si le gouvernement parvient à la faire respecter, de diminuer considérablement l'offre. Elle exige, entre autres, que les hôtes obtiennent une attestation de classification de la Corporation de l'industrie touristique du Québec (CITQ), ce qui s'accompagne d'une cotisation annuelle obligatoire de 275 dollars et de l'obligation de percevoir la taxe d'hébergement de 3,5 %. Avant d'accorder une attestation à un éventuel locateur, la CITQ doit s'assurer de l'accord de la municipalité. Les règles à l'égard des zones où l'hébergement tou-

forte proportion des appartements sont justement situés dans des zones résidentielles. Quant à l'attestation de classification, elle sert, selon la CITQ, « à protéger le voyageur et à contribuer à rehausser la qualité de l'offre d'hébergement[5] ». Or, le système d'évaluation par les utilisateurs

Les conditions auxquelles devront se soumettre les chauffeurs d'Uber demeurent relativement strictes, mais la contrainte la plus sérieuse, soit l'obligation de détenir un permis de taxi, a été abolie.

ristique est permis diffèrent d'une ville à l'autre, et même d'un arrondissement à l'autre dans le cas de la ville de Montréal, mais le plus souvent l'hébergement est interdit dans les zones résidentielles.

L'obligation de percevoir la taxe d'hébergement est tout à fait légitime. Cependant, il y a lieu de s'interroger sur la pertinence de devoir obtenir une attestation de classification et de se situer dans une zone d'hébergement touristique approuvée par la municipalité. En effet, en offrant des logements en dehors des zones touristiques, la plateforme Airbnb propose un éventail de choix plus large aux touristes. La réglementation fait disparaître cet avantage et risque de réduire considérablement l'offre, étant donné qu'une

des plateformes de l'économie de partage comme Airbnb remplace avantageusement les attestations de classification hôtelière. À tel point que les voyageurs se fient maintenant davantage aux nombreux commentaires des internautes sur Airbnb ou sur TripAdvisor qu'à ces attestations lorsqu'ils choisissent un hébergement, le nombre d'étoiles accordées étant moins pertinent à leurs yeux.

En ce qui concerne les services de transport, le projet de loi déposé par le gouvernement en juin dernier aurait soumis les chauffeurs d'Uber à peu près aux mêmes exigences que les chauffeurs de taxi, c'est-à-dire à l'obligation de détenir un permis de taxi et un permis de conduire de classe 4C et de réussir un cours de

150 heures[6]. S'il avait été adopté tel quel, le projet de loi aurait sans doute signalé la fin des activités d'Uber au Québec. Le gouvernement a cependant accepté la mise sur pied d'un projet pilote qui permettra à l'entreprise de poursuivre ses activités, au moins pendant un an. Les conditions auxquelles devront se soumettre les chauffeurs d'Uber demeurent relativement strictes, mais la contrainte la plus sérieuse, soit l'obligation de détenir un permis de taxi, a été abolie.

Exiger des entreprises de l'économie de partage et de ceux qui offrent leurs services sur leurs plateformes de payer leur juste part des taxes et des impôts est tout à fait légitime. En revanche, les soumettre aux mêmes exigences que les entreprises de l'économie traditionnelle n'est pas nécessairement la meilleure solution. Il faut prendre en considération le fait que les produits et services offerts ne sont pas les mêmes et n'attirent pas la même clientèle. Par ailleurs, ceux qui offrent des produits et services sur ces plateformes n'ont pas les mêmes ressources que les entreprises.

Il importe également de tenir compte du fait que l'économie de partage est un phénomène qui ne peut que prendre de l'expansion, non seulement dans l'industrie de l'hébergement et du transport, mais aussi dans une foule d'autres secteurs. Au lieu de l'étouffer, il serait préférable, dans l'intérêt des consommateurs et de l'économie dans son ensemble, d'aider les entreprises de l'économie traditionnelle à faire face à cette nouvelle concurrence. Par exemple, les entreprises québécoises se plaignent depuis longtemps de la lourdeur des règles auxquelles elles sont soumises. Au lieu d'imposer des exigences excessives aux entreprises de l'économie de partage, il vaudrait peut-être mieux alléger ce fardeau dans son ensemble.

La réglementation de l'économie de partage représente un sérieux défi pour tous les gouvernements. Certains mettent en place des cadres contraignants alors que d'autres, au contraire, ouvrent grand la porte à ce qu'ils considèrent comme l'économie de l'avenir. Idéalement, c'est l'équilibre entre ces deux extrêmes qu'il faudrait viser. ◊

Notes et sources, p. 322

Pouvoir

TRUDEAU, UNE NOUVELLE GÉNÉRATION D'IDÉAUX AU POUVOIR

Le jeune Justin Trudeau, premier ministre du Canada ? Il n'y a pas si longtemps, plusieurs en doutaient encore, et pourtant. Premier de sa génération à prendre le pouvoir au pays, il a fait ses débuts comme chef de gouvernement au cours d'une année marquée par une situation internationale et économique tumultueuse. Alors, Trudeau, ça change quoi ?

FRÉDÉRIC BOILY
Professeur titulaire, Faculté Saint-Jean, Université de l'Alberta

P lusieurs adversaires politiques doutaient de la capacité de Justin Trudeau à endosser les habits de premier ministre, comme l'avait fait son père, Pierre Elliot Trudeau, un demi-siècle auparavant. L'exercice du pouvoir, croyait-on ici et là, révélerait rapidement les limites du fils, qui a effectivement essuyé plusieurs critiques, notamment à la suite des attentats de Paris et du Burkina Faso, auxquels il a réagi comme s'il ne comprenait pas l'ampleur des tragiques événements. Mais force est de reconnaître par ailleurs qu'il a su s'imposer avec aplomb dans son rôle de chef de gouvernement.

Le changement le plus notable apporté par Justin Trudeau est l'image d'ouverture et de jeunesse du nouveau gouvernement canadien, qui tranche complètement avec celle, plutôt austère, de l'ex-premier ministre conservateur Stephen Harper, qui a régné sur le Canada pendant une décennie. Cette transformation a des répercussions sur la cote de popularité de Justin Trudeau auprès de la population, laquelle est très satisfaite que l'image du Canada soit redorée sur la scène internationale. La constitution de son premier cabinet, qui a respecté la parité entre les hommes et les femmes et a inclus des membres représentant la « mosaïque culturelle » canadienne, a aussi envoyé le signal que son gouvernement souhaite refléter pleinement la diversité de la population.

DES RÉALISATIONS ET DES RATÉS

En campagne électorale, Justin Trudeau avait promis que son gouvernement ferait des investissements importants dans les infrastructures. Et c'est le cas : le gouvernement a mis de l'avant sa vision du « centre actif », une stratégie de gouvernance similaire à celle appliquée par la première ministre ontarienne, Kathleen Wynne. Cette vision implique que l'État joue un rôle de meneur dans un contexte de changement économique et technologique rapide. Il s'agissait d'un des messages du ministre des Finances Bill Morneau, qui, dans son budget de mars 2016[1], mentionnait que le gouvernement ne devait pas se contenter de suivre le changement, mais qu'il devait le favoriser.

Ce dernier a en effet confirmé les investissements promis durant la campagne électorale, notamment en matière d'infrastructures, ainsi que la nouvelle allocation canadienne pour enfants. En revanche, il a annoncé des déficits budgétaires beaucoup plus importants que prévu : la promesse de déficits modestes de moins de 10 milliards de dollars par an s'est transformée en un déficit planifié de 29,4 milliards pour la seule année 2016-2017. Le gouvernement Trudeau a donc relégué dans l'ombre l'équilibre budgétaire, une préoccupation qui était vitale sous le gouvernement Harper.

Le renouveau Trudeau s'est également manifesté sur la scène nationale à l'occasion de rencontres entre le gouvernement fédéral et les provinces au sujet des enjeux environnementaux, notamment en février 2016, à Vancouver. Il s'agissait de la première rencontre des premiers ministres après la conférence de Paris sur le climat (COP21). Ainsi, l'esprit du fédéralisme de coopération, qui se traduit par des rencontres fédérales-provinciales régulières, semble de retour à Ottawa. Cette rencontre des premiers ministres n'a cependant pas eu de suites concrètes, le travail d'harmonisation des politiques environnementales entre les provinces étant toujours à faire. Il faudra voir si Ottawa osera imposer des normes et des moyens communs aux provinces pour réduire les émissions de gaz à effet de serre.

Justin Trudeau s'efforce aussi de ne pas favoriser une province au détriment d'une autre. Par exemple, à l'été 2016, avant d'aller à Calgary pour y faire une importante annonce en matière d'infrastructures, il s'est rendu à Québec pour y confirmer, en présence du premier ministre Couillard, une entente sur le transport en commun et le traitement des eaux usées[2]. Il souhaite ainsi éviter de répéter les erreurs du père, qui avait à l'époque attisé les tensions régionales, notamment avec l'imposition du Programme énergétique national (1980).

Si la Loi sur l'aide médicale à mourir est jusqu'à présent une des réalisations importantes du gouvernement Trudeau, son adoption ne s'est pas faite sans heurts. Rappelons l'épisode médiatisé du « coup de coude », lorsqu'un Trudeau impulsif a traversé la Chambre des communes pour aller agripper le whip conservateur au motif que les députés de l'opposition retardaient indûment le débat. L'impatience manifestée alors était probablement symptomatique d'un chef libéral qui, surfant sur une vague de popularité peu commune, acceptait mal de conjuguer les actions de son gouvernement avec les rythmes nécessairement plus lents de la vie parlementaire.

Cet épisode a aussi révélé le malaise libéral face aux demandes répétées – et légitimes – de l'opposition, qui demandait le retrait d'une motion limitant les débats, demandes auxquelles les libéraux ont finalement accédé.

Cette tendance à l'impétuosité s'est aussi manifestée lorsque les libéraux ont voulu procéder de manière expéditive aux consultations sur la réforme du mode de scrutin, laquelle aura pourtant des répercussions fondamentales sur la démocratie canadienne, et qui ne peut être effectuée en quelques mois.

Le gouvernement libéral semble d'ailleurs avoir compris le message, car il a depuis mis en place un comité pour examiner la question du mode de scrutin. Mais nous ne savons pas si les libéraux voudront réformer le mode de scrutin sans consultation directe de la population, alors que les conservateurs et plusieurs observateurs au Canada anglais exigent que la population soit consultée.

De plus, le gouvernement Trudeau tergiverse encore sur des dossiers délicats, comme le financement de la multinationale Bombardier, qui a demandé une aide de plus d'un milliard de dollars pour ses avions CSeries, et le controversé projet de pipeline Énergie Est, qui traverserait le pays de l'Alberta au Nouveau-Brunswick. Soutenu par la classe politique albertaine, ce projet rencontre des oppositions très fortes au sein du monde municipal et de la société civile au Québec, et chez les environnementalistes ailleurs au pays. Enfin, les promesses faites aux vétérans, notamment celle de leur offrir de meilleures possibilités d'éducation et de formation, tardent aussi à se réaliser, ces derniers parlant même de «faux espoirs» et de «trahison[3]».

Surtout, il faudra voir si l'approche libérale qui consiste à investir dans les infrastructures dynamisera l'économie canadienne dans un contexte mondial de faible croissance, le secteur manufacturier n'ayant pas été en mesure de prendre la relève de celui de l'énergie sur le plan de la création d'emplois[4].

L'IMPORTANCE DE LA POLITIQUE AUTOCHTONE

Les politiques du gouvernement Trudeau se sont particulièrement démarquéesde celles du gouvernement Harper en matière d'affaires autochtones. La nomination remarquée de Jody Wilson-Raybould (députée autochtone de Vancouver-Granville) à titre de ministre de la Justice a envoyé le signal fort que les Autochtones seraient au cœur des préoccupations de ce gouvernement. L'annonce d'une enquête publique sur le sort des femmes autochtones disparues a concrétisé cette volonté. L'influence des Autochtones s'est aussi fait sentir lors de l'adoption de la Loi sur l'aide médicale à mourir, certains ayant fait valoir qu'il fallait agir avec prudence au moment où des communautés autochtones sont frappées par une vague de suicides[5].

Le gouvernement libéral s'est aussi engagé à respecter la Déclaration des Nations unies sur les droits des peuples autochtones (DNUDPA), qui réaffirme leur droit à l'autodétermination, avec l'objectif de forger une relation de nation à nation, c'est-à-dire de considérer les Autochtones comme des partenaires égaux de l'État canadien. Un geste qualifié de « symbolique, mais significatif[6] » par le chef de l'Assemblée des Premières Nations du Québec et du Labrador, Ghislain Picard.

L'avenir dira comment les libéraux s'y prendront pour procéder à la réconciliation espérée avec les Autochtones. La ministre Wilson-Raybould a d'ailleurs affirmé que la DNUDPA n'était pas compatible avec l'actuelle Loi sur les Indiens, qui régit les terres et les réserves autochtones, et que dans la réalité, « c'est plus compliqué que de [simplement] mettre [cette loi] à la poubelle[7] ». Les obstacles et les déceptions risquent d'être nombreux sur le chemin de la réconciliation avec les peuples fondateurs du pays.

LES « AFFAIRES MONDIALES » : UNE NOUVELLE DIRECTION ?

Les libéraux ont aussi tourné le dos aux conservateurs dans le domaine des « affaires mondiales », selon la nouvelle expression en vogue, qui englobe les relations extérieures, le commerce et l'aide internationale. Le gouvernement Trudeau souhaite surtout effacer l'image militariste cultivée par les conservateurs pour revenir à une politique de collaboration internationale, particulièrement avec l'ONU – où le Canada a perdu son siège au Conseil de sécurité sous le règne de Harper. Ce changement de ton s'est affirmé dès le sommet de la COP21 en décembre 2015. Alors que le gouvernement conservateur avait l'habitude de bouder ces discussions, la nouvelle ministre de l'Environnement, Catherine McKenna, a fait partie de l'équipe de facilitateurs chargée d'arriver à un accord[8]. Dans la même veine, le gouvernement canadien a aussi annoncé son intention de retirer les avions de combat que le gouvernement Harper avait fait déployer en Irak et en Syrie.

Mais des hésitations embarrassantes se sont aussi manifestées. Par exemple, le ministre des Affaires étrangères, Stéphane Dion, a eu peine à articuler le principe de la « conviction responsable » qu'il dit avoir « forgé » pour le guider dans ses décisions. Par exemple, lorsque son homologue chinois Wang Yi s'est permis de tancer une journaliste canadienne qui le questionnait sur la détention en Chine du Canadien Kevin Garratt (alors accusé d'espionnage et depuis relâché), le ministre Dion s'est contenté de répondre que « la seule façon d'avoir des relations avec un pays n'est pas de choisir entre les liens économiques et les droits de la personne, c'est de mener ces dossiers-là de front, ensemble[9] ». Justin Trudeau a par la suite rectifié le tir

Rappelons l'épisode médiatisé du « coup de coude ».

en exprimant à l'ambassadeur chinois à Ottawa le « mécontentement » de son gouvernement à propos du traitement des journalistes canadiens.

C'est surtout avec le contrat de vente de véhicules blindés à l'Arabie saoudite que le renouveau libéral a semblé le moins convaincant. En effet, alors que les sondages d'opinion suggéraient que les Canadiens sont opposés à la vente d'armes à des pays peu respectueux des droits humains (Arabie saoudite, Chine, Algérie...), le ministre Dion a approuvé le contrat militaire avec l'Arabie saoudite.

Le voyage de Justin Trudeau en Europe de l'Est à l'été 2016 montre également que le gouvernement canadien s'engagera davantage dans l'OTAN. Ottawa enverra 450 soldats en Lettonie, et le président ukrainien Petro Porochenko aimerait voir le Canada prolonger sa mission d'entraînement dans son pays[10].

Avec la multiplication des attentats, l'inquiétude mondiale par rapport au groupe armé État islamique et la guerre en Syrie, notamment, il est difficile pour les libéraux de retourner à l'image du Canada se définissant par ses missions de maintien de la paix. D'ailleurs, lors d'un voyage en Afrique à l'été 2016, le ministre de la Défense, Harjit Sajjan, a reconnu que la notion traditionnelle de « maintien de la paix » convenait mal à la situation d'aujourd'hui. Il faudra voir comment le gouvernement décidera d'agir, notamment en Afrique, où la montée des tensions ethniques et religieuses est le terreau de conflits parfois violents.

CHOIX DIFFICILES À L'HORIZON

Pour l'instant, les Canadiens disent avoir confiance en l'avenir de leur pays, qui ne connaît pas les mêmes difficultés que d'autres, le Canada semblant immunisé contre le « virus du chaos » qui infecte tant de nations[11]. Le remède à ce virus serait, selon le premier ministre Trudeau, l'ouverture des marchés et la tolérance envers les immigrants : « Si vous cherchez un pays qui possède la diversité, la résilience, l'optimisme et la confiance, et qui ne fera pas que gérer le changement, mais en tirera avantage, c'est le moment où jamais de vous tourner vers le Canada[12] », a-t-il déclaré au sommet de Davos. Alors que des pays occidentaux paraissent en proie à l'isolationnisme, au repli en matière économique et à la peur des étrangers, le Canada est un « pays d'occasions », pour reprendre le titre de son allocution, qui se présente comme un exemple à suivre, l'accueil de 25 000 réfugiés syriens en témoignant.

C'est ainsi que la lune de miel de Justin Trudeau avec l'électorat canadien se poursuit, le Québec n'y échappant pas. Mais l'équipe libérale sait que des choix difficiles sont à venir, notamment en matière de conciliation entre environnement et développement économique. Ces décisions créeront certes du mécontentement. Mais c'est là l'inéluctable conséquence de l'exercice du pouvoir. ◊

Notes et sources, p. 322

LE GOUVERNEMENT TRUDEAU TIENDRA-T-IL TOUJOURS AUTANT SES PROMESSES ?

Après un an au pouvoir, le gouvernement libéral de Justin Trudeau a réalisé plus de la moitié de ses promesses électorales, sensiblement plus que ses prédécesseurs à la même étape. Comment expliquer ce résultat inhabituellement élevé, et surtout, le gouvernement pourra-t-il soutenir ce rythme ?

FRANÇOIS PÉTRY
Professeur associé, Département de science politique, et membre du Centre d'analyse des politiques publiques, Université Laval

LISA M. BIRCH
Professeure, Cégep Champlain-St. Lawrence, et directrice générale du Centre d'analyse des politiques publiques, Université Laval

DOMINIC DUVAL
Doctorant en science politique, Université Laval

CAMILLE GIRARD-ROBITAILLE
Étudiante au premier cycle en science politique, Université Laval

En vue des élections fédérales d'octobre 2015, le Parti libéral du Canada avait présenté une plateforme électorale intitulée *Changer ensemble : le bon plan pour la classe moyenne*. Un an après, l'équipe du Polimètre (voir l'encadré «Qu'est-ce que le Polimètre») a analysé le degré de réalisation des 353 promesses qu'elle contenait.

En septembre 2016, le gouvernement libéral de Justin Trudeau avait réalisé 54 % de ses promesses, dont 25 % avaient été entièrement tenues et 29 % étaient soit réalisées en partie, soit en voie de réalisation. Si 45 % des promesses demeurent toujours en suspens, seulement 1 % ont pour l'heure été officiellement rompues.

Parmi les promesses entièrement tenues, soulignons le lancement d'une Enquête nationale sur les femmes et les filles autochtones disparues et assassinées, la parité hommes/femmes au sein du conseil des ministres et le rétablissement du long questionnaire du recensement. De nombreuses promesses nécessitant l'ac-cord des provinces – par exemple, l'établissement d'objectifs nationaux de réduction des émissions de gaz à effet de serre (GES) – sont codées comme réalisées en partie ou en voie de réalisation. Il en va de même pour plusieurs promesses dont la réalisation sera étalée dans le temps – par exemple l'investissement de 20 milliards de dollars dans des infrastructures sociales.

JUSTIN TRUDEAU BRILLE AU PALMARÈS

En plus de décrire l'état de réalisation des promesses de l'équipe de Justin Trudeau, notre objectif est d'effectuer des comparaisons avec les récents gouvernements qui l'ont précédée. À cet effet, l'équipe du Polimètre a compilé les données sur les promesses tenues par les gouvernements passés après un an, après deux ans et en fin de mandat (voir le tableau 1).

Le score du gouvernement Trudeau après un an (54 %) indique une performance nettement supérieure à la moyenne de ses prédécesseurs à pareil stade

TABLEAU 1

Évolution des promesses réalisées ou partiellement réalisées au Canada, 2004-2016 (%)

Gouvernement	Après 1 an	Après 2 ans	Fin de mandat
Martin 2004* (87)	22%	72%	72%
Harper 2006* (192)	48%	67%	68%
Harper 2008* (101)	33%	62%	62%
Harper 2011 (143)	27%	53%	84%
Pourcentage moyen	33%	64%	72%
Trudeau 2015 (353)	54%	-	-

* Gouvernements minoritaires
Entre parenthèses: nombre total de promesses faites par ce gouvernement

(33%). Se pourrait-il que le score élevé de Trudeau soit le résultat d'une tendance à la hausse à long terme? Il n'en est rien. Les données du tableau n'indiquent pas une telle tendance avant 2015 ; le pourcentage de promesses réalisées par Justin Trudeau est véritablement un cas à part. Cela demande explication.

GOUVERNEMENT MAJORITAIRE : UNE FAUSSE PISTE D'EXPLICATION

Une première hypothèse serait que le statut majoritaire du gouvernement Trudeau lui confère un avantage, le libérant de la contrainte d'obtenir le soutien d'un parti d'opposition pour réaliser ses promesses, comme ont dû le faire les gouvernements minoritaires qui l'ont précédé.

Mais cette hypothèse ne tient pas la route à la lumière des données du tableau, qui ne révèlent aucun avantage à être majoritaire en début de mandat. Après un an au pouvoir, les trois gouvernements minoritaires qui l'ont précédé avaient réalisé un plus grand pourcentage de promesses en moyenne (33%) que le gouvernement majoritaire de Stephen Harper élu en 2011 (27%).

Ce phénomène s'observe également après deux ans au pouvoir, où le score moyen des gouvernements minoritaires (67%) dépasse nettement celui du gouvernement majoritaire de Stephen Harper (53%). Ce n'est qu'en fin de mandat que le score du gouvernement majoritaire de Stephen Harper a dépassé la moyenne des gouvernements minoritaires, simplement parce qu'il a duré plus longtemps qu'eux.

Ces observations sont corroborées par une étude comparée de la réalisation des promesses de plus de 60 gouvernements dans 12 pays distincts menée par Robert Thomson et ses collaborateurs[1]. Cette étude démontre que le statut majoritaire des gouvernements n'a pas d'effet sur le nombre de promesses réalisées si on tient compte de la durée de chaque gouvernement.

La théorie selon laquelle les gouvernements minoritaires ont moins de latitude pour tenir leurs promesses est d'ailleurs boiteuse. Une récente analyse du rôle des partis d'opposition dans la réalisation des promesses électorales au Canada révèle que les promesses des partis politiques sont souvent semblables, sinon identiques, aux promesses des partis d'opposition, peu importe le statut majoritaire

LE GOUVERNEMENT LIBÉRAL DE JUSTIN TRUDEAU

Promesses entièrement réalisées

- Création de l'Enquête nationale sur les femmes et les filles autochtones disparues et assassinées
- Parité hommes/femmes au conseil des ministres
- Rétablissement du long questionnaire du recensement
- Accueil de 25 000 réfugiés syriens
- Accord de principe avec les provinces pour modifier le régime de pension du Canada
- Loi sur l'aide médicale à mourir
- Mise en place de l'Allocation canadienne pour enfants
- Réduction des impôts pour la classe moyenne

Promesses réalisées en partie ou en voie de réalisation

- Réduction des émissions de gaz à effet de serre
- Investissement de 20 milliards de dollars dans les infrastructures sociales
- Amélioration des prestations aux aînés
- Amélioration des prestations d'assurance emploi

Promesses rompues

- Déficit modeste de 10 milliards de dollars
- Application du règlement sur le marquage des armes à feu importées

Promesses en suspens

- Accord avec les provinces sur le prix du carbone
- Accord avec les provinces sur le financement des soins de santé
- Élaboration avec les provinces d'une stratégie canadienne pour protéger la sécurité énergétique et encourager la conservation d'énergie
- Réforme du mode de scrutin
- Appel d'offres ouvert et transparent pour remplacer les avions militaires CF-18
- Légalisation et réglementation du cannabis

ou minoritaire d'un gouvernement[2]. Les gouvernements minoritaires ont donc la possibilité de réaliser entièrement les promesses identiques à celles des partis d'opposition grâce à l'appui de ceux-ci. Et quand une promesse faite par un parti de l'opposition ressemble à celle du parti au pouvoir, ils tombent souvent d'accord sur un compromis.

LA CARTE DU CHANGEMENT IDÉOLOGIQUE

L'arrivée de Justin Trudeau au pouvoir a marqué le passage d'une idéologie conservatrice de droite à une idéologie libérale de centre gauche. Ce virage explique en partie le score élevé de Justin Trudeau en matière de réalisation de promesses.

En effet, les gouvernements qui arrivent au pouvoir avec une nouvelle idéologie ont fait plus de promesses que les gouvernements réélus. Ce fut le cas non seulement pour Trudeau, avec 353 promesses contre 143 pour Harper en 2011, mais aussi pour le premier gouvernement Harper avec 192 promesses contre 87 pour le gouvernement Martin qui l'avait pré-

cédé. Cela s'explique par le fait que les nouveaux gouvernements s'attachent non seulement à défaire les politiques de leurs prédécesseurs, mais aussi à mettre en œuvre des politiques qui correspondent à l'idéologie qu'ils incarnent. Ce double mandat multiplie les occasions de faire des promesses et de les réaliser en grand nombre dès la première année, comme l'indiquent les pourcentages pour le premier gouvernement Harper élu en 2006 et pour le gouvernement Trudeau.

Toutefois, le lien entre changement idéologique et promesses remplies disparaît en fin de mandat. Stephen Harper a

> Les gouvernements dont l'arrivée au pouvoir correspond à un changement idéologique n'ont pas réalisé plus de promesses en fin de mandat que les gouvernements réélus.

rempli moins de promesses à la fin de son premier mandat (68 %) que la moyenne des gouvernements en fin de mandat (72 %). Les analyses comparées de Robert Thomson et ses collaborateurs que nous avons citées montrent d'ailleurs que les gouvernements dont l'arrivée au pouvoir correspond à un changement idéologique n'ont pas réalisé plus de promesses en fin de mandat que les gouvernements réélus.

Le changement idéologique qui a correspondu à l'arrivée de Justin Trudeau au

QU'EST-CE QUE LE POLIMÈTRE ?

Le Polimètre est une application en ligne créée en 2011 dans le but de suivre l'état de réalisation des promesses électorales des gouvernements québécois et canadiens. Notre objectif est de produire des données valides et fiables et de les publier de manière à les rendre librement accessibles aux chercheurs scientifiques. Nous souhaitons également informer aussi objectivement que possible les citoyens et les médias sur la réalisation des promesses des partis politiques.

La méthode du Polimètre consiste d'abord à séparer les promesses des programmes électoraux des affirmations ne constituant pas des promesses. Chaque promesse est ensuite classée comme étant «réalisée», «rompue» ou «en suspens», le verdict étant appuyé par une ou plusieurs citations tirées des communiqués de presse du gouvernement, de projets de loi et d'autres sources officielles ou journalistiques.

La méthode du Polimètre suit les règles établies par le Comparative Party Pledges Group (CPPG), un consortium international de chercheurs universitaires intéressés par la réalisation des promesses électorales.

Nous suivons à l'heure actuelle la réalisation des promesses du gouvernement fédéral de Justin Trudeau élu en 2015 et du gouvernement québécois de Philippe Couillard élu en 2014. Pour suivre le polimètre Trudeau: www.poltext.org/fr/polimetre et https://www.facebook.com/TrudeauPolimeter/.

Pour suivre le polimètre Couillard: https://www.poltext.org/fr/polimetre-couillard.

Le Polimètre a également archivé ses évaluations des gouvernements de Stephen Harper et de Pauline Marois.

Ce projet est financé par une subvention du Fonds de recherche du Québec – Société et culture.

pouvoir est donc un facteur à considérer dans le nombre inhabituellement élevé de promesses tenues après un an. Toutefois, à en juger par le sort à plus long terme des promesses des gouvernements passés, ce facteur n'aura probablement pas autant d'effet passé la première année du gouvernement Trudeau.

L'AIDE D'UN DÉFICIT

En prévoyant un déficit de 30 milliards de dollars dans son premier budget en mai 2016, le gouvernement libéral a rompu son engagement de créer un déficit qualifié de modeste, de 10 milliards de dollars. Ce faisant, il s'est donné plus de latitude pour réaliser rapidement plusieurs engagements visant à renforcer le filet de sécurité sociale au Canada, parmi lesquels figurent les promesses d'améliorer les prestations aux aînés et les prestations d'assurance emploi. La comparaison avec la stratégie du gouvernement libéral de Philippe Couillard élu en 2014 est révélatrice à cet égard. Fidèle à sa promesse de rétablir l'équilibre budgétaire au plus vite, Philippe Couillard a mis en œuvre

chances de tenir de nouvelles promesses diminuent, un tel scénario semble peu probable.

Par ailleurs, de nombreuses promesses en voie de réalisation ou en suspens touchent à des enjeux complexes, et leur réalisation risque de se heurter à d'importantes difficultés politiques et administratives. Pensons aux accords

Après un an au pouvoir, le gouvernement libéral de Justin Trudeau a rempli plus de promesses que ses prédécesseurs ne l'avaient fait au même stade de leur mandat.

un vaste plan d'austérité budgétaire qui a gelé (et même diminué) les ressources allouées à de nombreux programmes et services publics, faisant en sorte que la réalisation de nombreuses promesses liées à ces programmes a dû être suspendue, parfois annulée. Après un an au pouvoir, Philippe Couillard avait réalisé 41 % de ses promesses, soit 14 % de moins que Justin Trudeau[3].

VERS UNE DIMINUTION DES PROMESSES TENUES ?

Le gouvernement Trudeau parviendra-t-il à maintenir durant sa deuxième année le rythme auquel il tient ses promesses ? Étant donné que plus le nombre de promesses tenues progresse, plus les

avec les provinces sur la tarification du carbone et sur les soins de santé, à la réforme du mode de scrutin, aux achats militaires ou à la législation sur le cannabis. Certaines promesses liées à ces questions sont « en voie de réalisation », mais cela n'interdit pas qu'elles puissent un jour repasser dans la colonne des promesses rompues.

Si la stratégie déficitaire du gouvernement libéral a facilité la réalisation de promesses dans la première année, elle pourrait avoir un effet inverse à plus long terme. En créant un important déficit en début de mandat, Justin Trudeau a pris le risque qu'une éventuelle récession économique menace la pérennité du financement de ses promesses. Nos analyses démontrent d'ailleurs l'effet profondément négatif des récessions économiques sur la réalisation des promesses des partis politiques.

Rappelons à ce propos le sort des promesses du deuxième gouvernement Harper, élu à la veille de la grande récession de 2008-2009. Pour ne pas aggraver sa situation budgétaire, le gouvernement conservateur avait réduit les budgets de plusieurs ministères. Ces coupes l'avaient forcé à rompre bon nombre de promesses électorales. Ceci explique que le deuxième gouvernement Harper ait réalisé seulement 62% de ses promesses, le score le plus faible à Ottawa depuis 2004.

Le gouvernement libéral de Justin Trudeau a tout de même deux atouts dans sa manche pour continuer à tenir ses promesses. Premièrement, il jouit d'un extraordinaire bénéfice politique. Après un an au pouvoir, il demeure populaire dans l'opinion publique, il gagne le respect des dirigeants politiques étrangers, et son style de gouvernance est apprécié par les parlementaires et par les fonctionnaires fédéraux. L'avenir dira si Justin Trudeau aura su exploiter cet avantage pour maintenir son leadership et sa capacité à tenir ses promesses.

Deuxièmement, Justin Trudeau considère la réalisation de ses promesses électorales comme une priorité importante, à la fois pour renforcer les liens entre l'opinion publique et son gouvernement et pour assurer qu'il tiendra fermement la barre de ce dernier. Tout comme Stephen Harper avant lui, Justin Trudeau n'a pas manqué de rappeler les engagements électoraux du parti dans les tâches détaillées (lettres de mandat) assignées à ses ministres en début de mandat. Mais à la différence de Harper, il a publié ces lettres de mandat dans les médias.

Enfin, Trudeau a nommé au Bureau du Conseil privé un haut fonctionnaire chargé de s'assurer que les ministres travaillent à la réalisation des engagements électoraux du parti[4].

Après un an au pouvoir, le gouvernement libéral de Justin Trudeau a rempli plus de promesses que ses prédécesseurs ne l'avaient fait au même stade de leur mandat. Il avait promis beaucoup de changements politiques et il s'est montré résolu à les mettre en place. Il reste à voir si le premier ministre maintiendra ce leadership. ◊

Notes et sources, p. 322

L'INCREVABLE PARTI LIBÉRAL DU QUÉBEC

Né en même temps que la première constitution canadienne, en 1867, le Parti libéral du Québec aura 150 ans en 2017, ce qui fait de lui une exception dans notre système politique : outre le Parti conservateur du Québec mort en 1935, aucun de ses concurrents n'a jamais vraiment dépassé son 50ᵉ anniversaire ! Quel est donc le secret de sa longévité ?

JEAN-HERMAN GUAY

Professeur de sciences politiques, École de politique appliquée, Université de Sherbrooke

Malgré son grand âge[1], le Parti libéral du Québec (PLQ) se porte plutôt bien. En 2018, au terme du mandat du premier gouvernement Couillard, les libéraux auront été «aux affaires» pendant 13 des 15 dernières années, perdant une seule des cinq élections générales les plus récentes – et de peu: en 2012, moins de 1% des votes les séparait du gagnant, le Parti québécois (PQ) de Pauline Marois, élu minoritaire.

Plusieurs atouts expliquent ce succès. Indéniablement, le PLQ est d'abord un parti de loyauté et de discipline; il est rare que son leadership soit remis en question sur la place publique. Quand le chef tombe, c'est de lui-même, ou à la suite d'une défaite électorale. L'avocat Jean Charest, par exemple, a été à la tête des libéraux pendant 15 ans, et même lorsque les sondages lui étaient carrément défavorables, les rangs restaient serrés derrière lui. Tels de simples exercices de relations publiques, les congrès et les conseils généraux du parti se déroulent aussi habituellement sans acrimonie ni querelles.

Inversement, les chefs du Parti québécois sont régulièrement critiqués par les membres du parti. Depuis 25 ans, la succession des Jacques Parizeau, Lucien Bouchard, Bernard Landry, André Boisclair, Pauline Marois et Pierre Karl Péladeau renvoie l'image d'un parti instable qui «assassine ses chefs». Le même phénomène s'observe du côté de l'Action démocratique du Québec (ADQ), particulièrement de 2008 à 2012: à la suite de la démission du chef Mario Dumont s'y sont succédé Gilles Taillon et Gérard Deltell. Avec la Coalition avenir Québec (CAQ), fondée en 2011, on a vu les départs, les dissensions et même les hésitations du chef François Legault quant à son avenir. Ainsi, par comparaison avec ses adversaires, le PLQ offre indubitablement une image de cohésion, et, comme ses prédécesseurs, Philippe Couillard en tire profit. De l'avis de Michel Lévesque, auteur d'un livre retraçant l'histoire du PLQ, cet atout constitue la principale caractéristique de ce parti[2].

LE MODE DE SCRUTIN :
UNE ARME À DOUBLE TRANCHANT

Les libéraux, toutefois – et le problème a été analysé sous bien des angles par divers observateurs de la scène politique –, sont désavantagés par le mode de scrutin majoritaire uninominal à un tour[3], essentiellement à cause de la concentration de leurs partisans traditionnels dans les quartiers de l'ouest et du centre de Montréal.

Cette concentration a cependant un avantage : les libéraux ne peuvent jamais être « rayés de la carte » au lendemain d'un scrutin. À preuve : lors de leur défaite de 1976, avec 34 % du vote, ils ont obtenu malgré tout 26 sièges, et en 2012, avec 31 % du vote, ils en conservaient 50. Il n'y a qu'en 1948 qu'ils ont dû se contenter de 8 sièges, la plupart dans l'ouest de Montréal. Peu importe le résultat d'un scrutin, une équipe de députés libéraux subsistera donc, assurant la pérennité et, au besoin, un éventuel rebond du parti. Ainsi, même si les distorsions du mode de scrutin ont coûté le pouvoir aux libéraux en 1944, en 1966 et en 1998, ce système a constitué un atout sur le plan de la résilience du parti.

En fait, même quand le système partisan a des allures de multipartisme comme à l'heure actuelle, les libéraux du Québec semblent assurés d'un bloc de 30 % du vote. Tant qu'ils obtiennent les trois quarts du vote chez les non-francophones, ils peuvent sans problème s'accommoder d'un vote minoritaire chez les francophones. Cette arithmétique est bien visible dans un sondage réalisé en septembre 2016 par la firme Léger[4] au sujet notamment des intentions de vote des Québécois : chez les francophones, les libéraux sont au troisième rang (21 %), loin derrière le PQ (36 %) et la CAQ (28 %). Cependant, quand on additionne le vote massif qu'ils obtiennent chez les non-francophones (77 %), ils se retrouvent au premier rang avec 34 % des appuis, contre 29 % pour le PQ et 23 % pour la CAQ.

C'est donc le morcellement du vote francophone qui permet au PLQ de dominer la scène politique. Pour gagner le pouvoir, les libéraux doivent conserver la cohésion du vote non-francophone et ne séduire qu'un francophone sur cinq, sur quatre ou sur trois, selon que le vote des francophones s'annonce très divisé ou non. Bref, voilà certes un atout de taille, qui pourrait cependant être remis en question lors d'une éventuelle réforme du mode de scrutin.

CHÈRE SOUVERAINETÉ…

L'autre as dans le jeu du PLQ est le projet de souveraineté de son principal adversaire, le PQ. Le Parti libéral ne cherche ni à créer un pays ni même à transformer la société par un projet phare. Il vise la bonne gestion, le maintien des valeurs qui sont les siennes, et propose des politiques qu'il juge favorables au développement du Québec. Conséquence : quand le projet de souveraineté stagne dans l'opinon, ce qui est le cas depuis plusieurs années, la faveur du PQ décline dans les sondages, les chefs sont critiqués et la base militante est amère. En octobre 2015, seulement 22 % des répondants d'un sondage

Léger estimaient que la souveraineté se réaliserait un jour[5]. Des études révèlent que l'attrait pour la souveraineté est à son plus bas sur le plan historique[6] et que les jeunes boudent le PQ[7]. Comme il ne soutient aucun projet phare à l'aune duquel il pourrait être jugé, le PLQ est relativement moins vulnérable que son concurrent. Parce que plus proche du statu quo, sa situation est plus confortable. Cet atout pour les fédéralistes est inversement le talon d'Achille des indépendantistes.

L'article 1 du PQ, lequel précise que «le Parti québécois a pour objectif premier de réaliser la souveraineté du Québec», mais quand ils se retrouvent dans l'isoloir, devant le choix réel, la crainte qu'inspire la souveraineté est plus forte que l'insatisfaction à l'endroit d'un gouvernement. À répétition, cela donne une scène politique surréaliste: pendant quatre ans l'insatisfaction règne, mais au bout du compte, les libéraux sont réélus!

Enfin, à l'instar des autres sociétés occidentales, le Québec est en proie à un débat identitaire qui bouillonne, en particulier dans la foulée du terrorisme djihadiste. D'abord formulé en 2002 par l'ADQ dirigée par Mario Dumont, situé au cœur

C'est le morcellement du vote francophone qui permet au PLQ de dominer la scène politique.

présente un autre avantage pour les libéraux : l'insatisfaction de la population à leur égard est curieusement dépourvue de conséquences graves. En septembre 2016, par exemple, on comptait seulement 28 % de gens satisfaits du gouvernement libéral[8] ! Le sondage CROP réalisé au printemps 2016 donnait des résultats très semblables[9]. Pourquoi donc, malgré cette insatisfaction de la population, les libéraux demeurent-ils en tête dans les intentions de vote ? Le mécanisme est simple : les gens peuvent être largement insatisfaits du gouvernement libéral pendant tout un mandat, des débats de la commission Bouchard-Taylor sur les accommodements raisonnables, puis repris par le PQ en 2013 avec le projet controversé de Charte des valeurs québécoises, le débat identitaire a de nouveau fait surface au sein de la CAQ en 2016, avec le projet de «test des valeurs» ou les discussions sur le nombre d'immigrants qu'il faudrait accueillir annuellement. À l'automne 2016, la course à la direction du PQ n'y a pas échappé, notamment lors d'échanges acrimonieux entre Alexandre Cloutier et Jean-François Lisée.

Avec un projet de pays en panne, appuyés par un électorat francophone vieillissant, les militants des partis nationalistes veulent faire écho à ces préoccupations identitaires, notamment pour gagner des votes. Sur cet échiquier, le PLQ offre une position spécifique. En défendant une approche calquée sur la Charte des droits et libertés et en refusant pratiquement toute restriction imposée aux groupes religieux, le Parti libéral consolide ses appuis chez les minorités et laisse à nouveau ses adversaires nager dans la diversité des opinions et la division éventuelle du vote. Du même coup, les libéraux consolident leurs valeurs libérales et se posent en défenseurs de l'«ouverture» et de la «générosité». Bien plus, dans la mesure où le Parti libéral du Canada défend la même approche, le PLQ profite de la renaissance de la «marque libérale» sur la scène fédérale avec l'arrivée du jeune gouvernement Trudeau. Cet atout, ils ne cessent depuis de le jouer, au risque même de perdre quelques joueurs, comme la députée Fatima Houda-Pepin en 2014, qui demandait certaines restrictions.

LE PARI RISQUÉ

Dans tous ces dossiers, les incertitudes sont cependant nombreuses ; rien n'est garanti. Sur les questions identitaires par exemple, le PLQ court le risque de voir le sentiment de menace s'accentuer. Le quasi-laisser-faire des libéraux sur les questions identitaires pourrait se retourner brutalement contre eux, ou du moins les rendre plus vulnérables. En Europe, particulièrement en France et en Autriche, de grands partis se font dépasser par des politiciens qui proposent une rhétorique identitaire.

De plus, du côté du vote francophone, rien n'est gagné. Si le PLQ n'a pas à obtenir la faveur de la majorité linguistique, avec moins du cinquième de son vote il devient vulnérable. Conséquemment, il doit afficher un certain nationalisme dans ses demandes au gouvernement libéral d'Ottawa, lequel donne néanmoins des signes de centralisation dans les dossiers qui touchent la péréquation et les transferts fédéraux en santé. Les mesures à mettre en place pour répondre aux objectifs climatiques de Paris risquent aussi de devenir autant de pommes de discorde entre Québec et Ottawa. Là également, l'équilibre est difficile à maintenir.

Même incertitude en ce qui concerne l'adversaire péquiste. Avec la victoire de Jean-François Lisée, les libéraux ne pourront plus brandir aussi sommairement les dangers associés à la tenue d'un référendum sur la souveraineté. Ils profiteront des contradictions dans la rhétorique du nouveau chef et des évocations de l'idéal indépendantiste, mais la promesse du PQ de ne pas tenir de référendum jusqu'en 2022 va néanmoins les priver d'un atout. Dès lors, bien des électeurs insatisfaits des libéraux s'autoriseront à voter pour le PQ[10]. Et comme les différences de vues entre la CAQ et le PQ perdraient aussi de leur pertinence, le PLQ risquerait de devoir affronter une opposition moins divisée, possiblement plus menaçante. Ce sont des scénarios envisageables.

L'ARGENT, L'ÉTHIQUE ET 2018

Du côté des finances publiques, les libéraux soufflent le chaud et le froid depuis 2014, comme ils l'ont toujours fait. Peu interventionnistes en matière d'économie au début de leur histoire, mais plus actifs pendant la Révolution tranquille et dans les années 1970, ils occupent depuis une quinzaine d'années une position médiane : plus keynésiens que les caquistes de François Legault, mais moins que les péquistes de Pauline Marois, par exemple. En 2014 et 2015, ils ont mis de l'avant une approche de « rigueur budgétaire », selon les termes du ministre des Finances, Carlos Leitão (marquée par l'« austérité », selon leurs adversaires) en vue de barrer la route au discours des caquistes. Toutefois, en 2016, ils ont changé de ton, relançant du même coup les dépenses de programmes en santé et en éducation[11]. La défaite conservatrice à Ottawa a certes changé la donne – depuis Justin Trudeau, il n'y a plus de honte à faire des déficits ! –, mais ce changement de cap, à l'intérieur d'un même mandat, pourrait être néanmoins préjudiciable au PLQ quand viendra le temps de défendre la cohérence de son bilan.

Le principal danger qui guette les libéraux reste cependant les aléas de l'économie : la création d'emplois est bien en deçà des promesses de 2014 (250 000 emplois). À l'instar des autres économies occidentales, l'économie canadienne est chancelante. La montée du protectionnisme aux États-Unis, autant chez les démocrates que chez les républicains, pourrait provoquer une contraction des exportations et un ralentissement de l'économie québécoise, à moins bien sûr que l'ouverture de nouveaux marchés en Europe et en Asie ne vienne y faire contrepoids. Dans ce contexte, les libéraux du Québec, qui se présentent depuis 1970 comme les champions de l'économie, pourraient perdre des points, et la CAQ pourrait tirer son épingle du jeu.

La dernière vulnérabilité du PLQ reste l'éthique. L'ombre des scandales passés révélés par la commission Charbonneau demeure en mémoire et l'actualité fournit de nouveaux cas – en particulier au ministère des Transports –, qu'ils soient fondés ou non. Si les libéraux ne parviennent pas à les repousser dans les deux prochaines années, ils pourraient en payer le prix aux élections de 2018.

Ainsi, la main qu'ils ont n'est pas une garantie de victoire. La volatilité électorale, le jeu des personnalités des chefs de partis et la multiplicité des enjeux qui s'entrechoquent rendent l'avenir incertain, et c'est tant mieux ! On peut cependant avancer, à la lumière de l'histoire, que les libéraux seront encore là pour longtemps, au pouvoir ou dans l'opposition, ce qui est moins sûr pour leurs adversaires. ◊

Notes et sources, p. 322

RÉFORME DU MODE DE SCRUTIN : LE JEU EST OUVERT

En 2015, le Parti libéral de Justin Trudeau a pu former un gouvernement majoritaire avec seulement 39 % des votes. Depuis, le gouvernement fédéral travaille à réformer le mode de scrutin pour faire en sorte que chaque vote compte. Au Québec, le débat sur le même sujet s'étire. À quoi pourraient ressembler nos démocraties de demain ?

HENRY MILNER
Chercheur et professeur associé à la Chaire de recherche du Canada
en études électorales, Département de science politique, Université de Montréal

GÉRARD TALBOT
Sociologue, vice-président du Mouvement pour une démocratie nouvelle

Appelé « mode de scrutin majoritaire uninominal à un tour », le mode de scrutin en vigueur au Québec et au Canada fait en sorte que l'électeur vote une seule fois (un tour) pour une seule personne (uninominal) dans sa circonscription. La personne élue est celle qui obtient le plus grand nombre de voix, mais pas nécessairement la majorité absolue, ce qui serait la moitié des voix plus une.

Ailleurs dans le monde, des pays comme l'Allemagne, la Nouvelle-Zélande, l'Écosse, l'Argentine et l'Irlande utilisent un mode de scrutin différent, à finalité proportionnelle, en vue d'attribuer à chaque parti un nombre de sièges proportionnel au nombre de voix qu'il a recueillies. Ainsi, plutôt que de voter pour un candidat particulier, les gens votent pour un parti, lequel est représenté par un certain nombre de candidats inscrits sur une liste – c'est pourquoi ce mode de scrutin est aussi parfois appelé « scrutin de liste ».

Chaque parti distribue le nombre de sièges auquel il a droit, en vertu du vote exprimé, entre les personnes figurant sur sa liste. La façon d'effectuer cette répartition dépend du type de liste utilisé. Si c'est une liste ouverte, l'électeur choisit dans la liste les personnes qu'il voudrait voir élues. Si c'est une liste fermée, le parti choisit lui-même l'ordre dans lequel il place les noms de ses candidats et candidates, et c'est dans cet ordre qu'ils sont élus.

Dans un scrutin à finalité proportionnelle, chaque vote influence de façon égale le résultat de l'élection. Très peu de votes sont perdus. Presque tous les votes compilés servent à élire un candidat en fonction du choix des électeurs. L'électorat peut donc être assuré que son vote fera une différence dans l'issue du scrutin.

VOLONTÉ POPULAIRE ET PLURALISME NÉGLIGÉS

L'idée de réformer le mode de scrutin au Québec et au Canada n'est pas nouvelle. « Le cœur citoyen, si on nous permet l'expression, est inquiet. Un profond sentiment de désabusement à l'égard de la politique traverse le Québec», écrivait en 2003 le Comité directeur des États généraux sur la réforme des institutions démocratiques. «La frustration du citoyen est palpable devant son impuissance à influer, comme il le voudrait, sur les décisions qui ont un impact sur sa vie et sur celle de ses pairs. Parmi ses grandes

cipe fondamental de la démocratie, en vertu duquel chaque vote doit avoir un poids égal à celui des autres. Autrement dit, chaque électeur doit pouvoir exercer la même influence sur le résultat de l'élection.

Dans notre système électoral actuel, les seules personnes qui ont une influence directe sur la composition de l'Assemblée

> Dans un mode de scrutin à finalité proportionnelle, puisque tous les votes comptent de façon égale, tous les partis ont intérêt à s'intéresser aux préoccupations de tous les types d'électeurs.

déceptions, il y a le mode de scrutin actuel où le citoyen considère que son vote ne se reflète pas vraiment et systématiquement dans la composition des membres de l'Assemblée nationale du Québec. »

Dans les années 2000, le gouvernement libéral de Jean Charest avait envisagé l'instauration d'un mode de scrutin proportionnel mixte à compensation régionale. Mais cette réforme n'a jamais vu le jour, et le Québec utilise toujours un mode de scrutin majoritaire uninominal à un tour.

Cette volonté de réforme a ses raisons. D'abord, le mode de scrutin majoritaire en vigueur au Québec ne permet pas de respecter le principe d'égalité, un prin-

nationale sont celles qui ont voté pour une candidature gagnante. Ainsi, les votes en faveur d'un candidat défait n'ont aucune représentation, ce qui a pour conséquence que la volonté populaire est, du moins en partie, ignorée.

Comme le dit Paul Cliche, membre fondateur du Mouvement pour une démocratie nouvelle, «c'est comme si les bulletins de vote étaient alors déposés dans une poubelle plutôt que dans l'urne électorale. D'une élection à l'autre, c'est le cas de plus de 50 % des suffrages exprimés[1] ».

Le pluralisme politique, qui est la capacité pour un mode de scrutin de traduire la diversité des opinions politiques et des idées émergentes dans la société, serait également mieux respecté dans un mode de scrutin à finalité proportionnelle. En effet, un scrutin majoritaire uninominal favorise le bipartisme. Les tiers partis se voient souvent nier tout droit à une représentation équitable même s'ils ont obtenu une proportion significative des suffrages.

UNE AUTRE DÉMOCRATIE POSSIBLE

Avec un mode de scrutin à finalité proportionnelle, dans lequel chaque vote influence de façon égale le résultat de l'élection, la démocratie québécoise et canadienne serait vécue autrement.

D'abord, le taux de participation électorale s'en trouverait probablement amélioré. Si tous les citoyens avaient le sentiment que leur vote fait une réelle différence, l'impression de déficit démocratique pourrait être atténuée et plus de gens pourraient être tentés de s'engager dans le processus démocratique.

À cause du mode de scrutin majoritaire en vigueur, les campagnes électorales s'articulent souvent autour des orientations des deux principaux partis et se déploient plus particulièrement autour de circonscriptions (et donc de priorités) particulières qui sont les plus « payantes » sur le plan électoral.

De plus, le phénomène des « châteaux forts », c'est-à-dire des circonscriptions gagnées d'avance, incite de nombreux résidents à se désintéresser des campagnes électorales, persuadés que leur vote ne changera rien à l'issue de l'élection.

Parallèlement, les tiers partis ayant peu de chance de faire élire des candidats, leurs campagnes sont souvent couvertes de façon moins exhaustive par les médias grand public. Du coup, ces partis sont privés d'une visibilité pour faire valoir leur plateforme électorale, et la population se trouve privée d'outils pour décider ou non d'appuyer ces partis émergents.

Dans un mode de scrutin à finalité proportionnelle, puisque tous les votes comptent de façon égale, tous les partis ont intérêt à s'intéresser aux préoccupations de tous les types d'électeurs, qu'ils habitent dans une métropole ou dans un village. Puisque chaque voix a le même poids, certains enjeux locaux ne peuvent plus être traités comme étant plus importants que d'autres.

L'EXERCICE DU VOTE AUTREMENT

Un des modes de scrutin alternatifs souvent mis de l'avant par des groupes de la société civile et des acteurs politiques québécois est le modèle de la représentation proportionnelle mixte (RPM), qui combine scrutin majoritaire (donc avec des circonscriptions) et scrutin à finalité proportionnelle (avec des listes). C'est notamment un modèle de ce type qui a été étudié en 2005 par la Commission spéciale sur la Loi électorale[2].

Le système de la RPM a été créé en Allemagne, après la Seconde Guerre mondiale. Il a ensuite été adopté et adapté en Nouvelle-Zélande, en Écosse et au pays de Galles, trois endroits où les électeurs étaient habitués d'avoir des députés locaux, comme ici avec notre système majoritaire, de même qu'en Hongrie et en Roumanie à la fin de l'ère soviétique, pour ne donner que quelques exemples.

Les pays ayant adopté le modèle de la RPM se servent généralement de deux votes. L'électeur vote une première fois, sur un bulletin de vote similaire à celui que nous utilisons au Québec, pour la personne qu'il veut faire élire dans sa circonscription. Ce choix occasionne inévitablement des distorsions entre la volonté populaire et le nombre de sièges obtenu par chaque parti.

Pour compenser ces distorsions, l'électeur fait un second choix, votant cette fois pour une liste de candidats du parti qui reflète le mieux ses valeurs et qu'il aimerait voir gouverner. Cela permet de choisir, d'une part, les personnes que l'on croit les meilleures pour représenter la circonscription et, d'autre part, le parti dont les idées interpellent le plus l'électeur. Ainsi, les préférences politiques de l'électorat sont réellement représentées, et les votes « stratégiques » visant à bloquer l'élection potentielle d'un candidat jugé indésirable par l'électeur n'ont plus leur raison d'être, n'ayant plus aucune incidence.

LA RPM AU QUÉBEC : UN EXEMPLE HYPOTHÉTIQUE

Voici un exemple hypothétique d'application de la RPM au Québec, où les régions électorales seraient basées le plus possible sur les territoires des 17 régions administratives. À l'occasion des travaux de la Commission spéciale sur la Loi électorale, plusieurs intervenants ont suggéré que les régions de compensation d'un éventuel mode de scrutin mixte compensatoire respectent les limites des régions administratives du Québec.

Grâce à un tel découpage et à l'application de la RPM, une région qui envoie présentement dix députés locaux à l'Assemblée nationale y enverrait plutôt six députés de circonscription, élus au scrutin majoritaire comme c'est le cas actuellement, mais aussi, pour compenser, quatre députés régionaux.

Premièrement, imaginons que dans cette même région, le Parti libéral du Québec (PLQ) aurait d'abord fait élire quatre députés locaux de circonscription, le Parti québécois (PQ) un député, la Coalition avenir Québec (CAQ) aussi un député, et Québec solidaire (QS) aucun.

Deuxièmement, lors du second vote portant cette fois sur la liste de candidats d'un parti, le PLQ aurait obtenu 40 % des voix, le PQ 30 %, la CAQ 20 % et QS 10 %. Pour que le résultat final de l'élection soit proportionnel, le PLQ devrait donc avoir quatre députés sur dix, le PQ trois, la CAQ deux et QS un. Puisque le PLQ a déjà quatre députés locaux de circonscription, la proportionnalité est respectée pour ce parti. Mais ce n'est pas le cas pour les autres, qui sont en déficit de représentativité : il manque deux députés au PQ, un à la CAQ et un à QS.

Ces députés manquants seront tirés d'une liste régionale présentée par chacun des partis et iront représenter la région à l'Assemblée nationale, aux côtés des députés élus dans leur circonscription.

Ce même processus serait appliqué dans les 17 régions du Québec.

DES QUESTIONS À EXPLORER

Pour qu'on puisse appliquer la RPM au Québec, plusieurs choix devraient toutefois être faits. Il faudrait décider si les électeurs sont forcés de respecter l'ordre des candidats sur la liste de leur parti préféré (liste fermée), ou s'ils peuvent changer cet ordre (liste ouverte). Ensuite, puisque la RPM prévoit deux façons d'élire les députés, il faudrait décider si une même personne peut se présenter à la fois comme candidat local de circonscription et comme candidat de la liste régionale.

Pour prendre ces décisions, la société civile et les acteurs politiques bénéficieraient de l'expérience des pays qui ont adopté la RPM et des constats des recherches approfondies menées sur le sujet. Par exemple, comme l'a démontré le professeur Louis Massicotte, de l'Université Laval, dans sa recherche sur l'Allemagne[3], avoir à la fois des députés locaux et les députés régionaux n'est pas un problème et peut même être un atout. De plus, il serait envisageable de conserver telles quelles les deux ou trois circonscriptions actuelles les plus vastes, comme l'Ungava et celle de Duplessis, et de les exclure de l'exercice de compensation par la liste régionale. L'effet sur la proportionnalité serait minime.

En réduisant le nombre de circonscriptions (à moins qu'on ajoute des députés), on ferait augmenter leur taille moyenne d'environ 40 %. Par contre, la charge de travail des députés serait répartie entre les députés locaux de circonscription et les députés régionaux. Ainsi, les députés élus par le biais des listes régionales pourraient assumer des tâches dans la région et au Parlement afin d'équilibrer la charge de travail des députés de circonscription. Car il est possible que les citoyens transmettent leurs préoccupations à un député issu de la liste du parti qu'ils favorisent plutôt qu'à leur député local, élu d'un autre parti. C'est ce que démontre la recherche sur l'Allemagne citée plus haut. Elle montre aussi qu'en règle générale le député allemand élu pour la première fois sur la liste installe son bureau dans la circonscription où il habite, et par la suite attend le moment propice pour se faire élire député de la circonscription locale.

Mais ce ne sont là que des considérations techniques. Les questions fondamentales du débat sur le mode de scrutin touchent plutôt la qualité de notre démocratie, la façon dont nos gouvernements répondent à la volonté populaire et la relation qu'ils cultivent avec chaque citoyen. ◊

Notes et sources, p. 322

Fiscalité

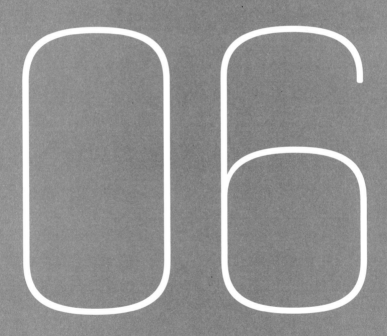

CENT ANS D'IMPÔT AU CANADA ET LA CRISE FISCALE QUI VIENT

Il y a 100 ans, le gouvernement demandait pour la première fois aux Canadiens de payer de l'impôt sur leur revenu. Un siècle plus tard, dans un monde radicalement différent, quel est l'état et l'utilité de l'impôt sur le revenu ?

BRIGITTE ALEPIN
Fiscaliste, spécialiste en politiques fiscales, auteure et coscénariste

omme dans plusieurs pays qui l'ont également implanté pour financer la Première Guerre mondiale (États-Unis, France, etc.), l'impôt sur le revenu fête son centenaire au Canada. Entré en vigueur au pays en 1917, sous la gouverne du premier ministre conservateur Robert Laird Borden, il été maintenu après la guerre pour financer l'après-guerre et n'a jamais été aboli par la suite.

Depuis son implantation, l'impôt sur le revenu a connu de multiples transformations et a suscité bien des débats. Il représente aujourd'hui la principale dépense dans le budget de beaucoup de contribuables canadiens et constitue le principal revenu des gouvernements du Québec et du Canada.

Depuis les années 1950, le poids de l'impôt sur le revenu a constamment augmenté au Canada pour atteindre 50 % des recettes totales en 2000 et 47 % en 2014 (voir le tableau 1). Mais alors que les revenus fiscaux provenant des personnes physiques (les particuliers) augmentaient

de 20 % à 37 % entre 1955 et 2014, la proportion issue de l'impôt sur le revenu des sociétés baissait de 18 % à 10 % durant cette même période.

Basé sur des principes qui datent d'une autre époque, l'impôt sur le revenu arrive à son centenaire ébranlé et fragilisé, son apport étant décroissant dans les recettes du Canada et de la majorité des pays de l'OCDE. En effet, appliqué dans le contexte actuel de concurrence fiscale internationale, il ne réussit pas à imposer adéquatement les sociétés et le capital mobile (argent, actions, placements, richesse intangible, etc.). Selon Pascal Saint-Amans, directeur du Centre de politique et d'administration fiscales de l'OCDE, « les sociétés parviennent encore à trouver des moyens de payer moins d'impôts et c'est en fin de compte aux particuliers de régler la facture[1] ».

Il n'y a plus de doute, il existe au Québec, au Canada et ailleurs dans le monde des contribuables riches qui ne paient que peu ou pas d'impôt grâce à la

TABLEAU 1

Importance de l'impôt sur le revenu dans les recettes fiscales au Canada (en millions $ CA)

	1955	1960	1970	1980	1990	2000	2010	2014
Total recettes fiscales	6 434	9 441	28 182	101 015	244 152	390 234	513 295	610 794
Impôt sur le revenu et les bénéfices des personnes physiques	1 318 20%	2 001	9 144	34 451	99 722	143 652	179 426	223 318 37%
Impôt sur le revenu et les bénéfices des sociétés	1 135 18%	1 649	3 180	11 741	17 190	47 643	54 398	60 576 10%
Autres éléments	66	88	258	872	1 654	4 025	5 966	6 847
Total impôt sur le revenu	2 519	3 738	12 582	47 064	118 566	195 320	239 790	290 741
Part de l'impôt sur le revenu au Canada	39%	40%	45%	47%	49%	50%	47%	47%

Source: Statistiques des recettes publiques, pays de l'OCDE: tableaux comparatifs.

manipulation des régimes d'impôt sur le revenu. Plusieurs éléments nouveaux, tels que le commerce électronique, la transformation de la richesse tangible en richesse intangible facilitée par le cyberespace, la monnaie électronique, les transactions financières par Internet, les paradis fiscaux, la mondialisation et la concurrence fiscale internationale, n'existaient pas lorsque l'impôt sur le revenu a été pensé au siècle dernier. Ces éléments agissent désormais comme autant de grains de sable dans l'engrenage des régimes d'imposition et, conjugués les uns aux autres, ils permettent aux grandes fortunes d'éviter légalement de payer leur juste part d'impôt.

Le Canada et le Québec ne résistent pas à la tentation d'utiliser divers avantages

Pourquoi la société devrait-elle céder à ces gens fortunés une part du contrôle démocratique de services publics ?

fiscaux pour attirer et retenir les multinationales. Le fisc canadien permet maintenant aux multinationales installées au pays de payer peu ou pas d'impôt sur les revenus qu'elles transfèrent dans une vingtaine d'États généralement considérés comme des paradis fiscaux.

En plus de permettre aux détenteurs de grandes fortunes d'échapper à l'impôt, le régime fiscal actuel les autorise, notamment par l'utilisation de fondations privées perpétuelles – organisées de manière à avoir le capital nécessaire pour exister à perpétuité, ce qui est le cas de la majorité des fondations – à s'approprier une partie du pouvoir de gestion des services publics qui devrait revenir aux élus du peuple. Par exemple, des fondations privées peuvent décider comment elles appuieront ou non financièrement des politiques publiques en santé, en éducation, etc.

Pourquoi la société devrait-elle céder à ces gens fortunés une part du contrôle démocratique de services publics ? Car le régime fiscal des fondations privées perpétuelles ne représente aucunement une bonne affaire pour les Canadiens. Au contraire, la figure 1 démontre que le coût des avantages fiscaux accordés au fondateur et à sa fondation (crédit d'impôt égal à 50 % du don pour le fondateur, et exemption d'impôt pour la fondation) surpasse l'obligation charitable (3,5 % du capital de la fondation) imposée aux fondations par la Loi de l'impôt sur le revenu.

En somme, un contribuable avec une bonne idée peut, en utilisant les failles de la fiscalité internationale et le régime des fondations privées, payer peu ou pas d'impôt sur le revenu, prendre sa retraite avec ses milliards et s'approprier une part du pouvoir public, national ou international.

DES SOLUTIONS

L'OCDE et l'ensemble des organisations internationales (Banque mondiale, ONU, FMI, etc.) font beaucoup pour aider les pays à adapter l'impôt sur le revenu aux

FIGURE 1

Le *deal* fiscal entre les fondations privées de charité et les contribuables canadiens

Exemple : don de 100 000 000 $

Source : calculs de l'auteure.

réalités du XXIᵉ siècle. L'initiative la plus importante est le projet BEPS (pour *Base Erosion and Profit Shifting*) piloté par l'OCDE, sur la recommandation du G20. «L'érosion de la base d'imposition et le transfert de bénéfices – BEPS – fait référence aux stratégies de planification fiscale qui exploitent les failles et les diffé-

imposition avec des paradis fiscaux et augmenter l'obligation charitable des fondations privées perpétuelles.

OBLIGATIONS CONSTITUTIONNELLES

L'obligation de contribuer à l'impôt, inscrite dans la constitution de certains pays, est une avenue encore non explorée ici

La France et l'Italie, à titre d'exemples, ont inclus dans leur constitution une clause exigeant que la contribution à l'État se fasse en fonction de la capacité de payer.

rences entre les règles fiscales nationales et internationales en vue de transférer artificiellement des bénéfices dans des pays ou territoires où l'entreprise n'exerce guère d'activité réelle, mais où ils sont faiblement taxés, ce qui aboutit à une charge fiscale faible, voire nulle, pour l'entreprise», explique le site de l'OCDE.

Plusieurs pays ont déjà adhéré au projet BEPS, dont le Canada, mais les prochaines étapes de l'implantation seront cruciales, car les pays devront passer de la parole aux actes et le changement frappe à la porte du monde des affaires.

D'autres solutions existent pour assurer le bon fonctionnement de l'impôt sur le revenu à l'ère de la mondialisation et du numérique. Par exemple, le Canada pourrait cesser de signer des ententes de non-

qui pourrait se révéler utile. Face à l'immoralité des grandes fortunes peu ou pas imposées, pourquoi ne pas utiliser la constitution pour les forcer à apporter leur contribution? La France et l'Italie, à titre d'exemples, ont inclus dans leur constitution une clause exigeant que la contribution à l'État se fasse en fonction de la capacité de payer. Même si le comportement fiscal d'un contribuable est légal selon les règles de son pays, il pourrait être déclaré inconstitutionnel.

Article 13 : «L'impôt doit être réparti entre tous les citoyens en fonction de leur richesse.» — Déclaration universelle des droits de l'Homme, France
Article 53 : «Tout individu est tenu de contribuer aux dépenses publiques à

raison de sa faculté contributive. Le système fiscal s'inspire des critères de progressivité. » — Constitution de la République, Italie

La constitution de ces pays peut représenter une embûche pour les stratégies fiscales non éthiques des contribuables internationaux, incluant les contribuables canadiens et québécois.

ENTENTES DE LIBRE-ÉCHANGE

Les ententes de libre-échange peuvent également être utiles. La décision prise en septembre 2016 par la Commission euro-péenne, qui a contraint la multinationale Apple à rembourser 13 milliards d'euros pour impôts impayés en Irlande, a attiré l'attention sur les effets possibles des accords de libre-échange sur le comportement fiscal des sociétés.

Ces accords visent à garantir la libre circulation des biens, des services et des personnes entre les États signataires. Or, des traitements fiscaux trop favorables accordés par certains pays aux entreprises établies chez eux peuvent entraver le libre-échange. Dans l'affaire Apple, la Commission européenne a réaffirmé que ces accords peuvent être interprétés en ce sens.

TAXES À LA CONSOMMATION

Les taxes à la consommation pourraient aussi être davantage utilisées dans une éventuelle réforme de l'impôt sur le revenu, pourvu que le principe de progressivité de la taxation soit respecté. Au Québec, la Commission d'examen sur la fiscalité recommandait en 2015 de faire passer de 9,975 % à 11 % la taxe de vente du Québec (TVQ) en vue de taxer davantage la consommation que les revenus des travailleurs.

TAXES SUR LE CARBONE, LE TABAC ET L'ALCOOL

Les taxes sur le carbone, le tabac et l'alcool procurent des bénéfices que l'impôt sur le revenu ne peut pas offrir. Pour aider les finances publiques des États, il conviendrait de songer à un panier de revenus où

> # Face à l'importance des coûts de santé actuels et à venir dans un Québec vieillissant, la fiscalité doit être mieux utilisée comme outil de prévention des maladies et comme incitatif à un mode de vie plus sain et plus actif.

ces taxes seraient mieux utilisées, étant donné qu'elles permettent à la fois un encaissement de recettes additionnelles et une réduction des dépenses publiques (ex. : une réduction des coûts associés à la pollution réduit les coûts en soins de santé).

Face à l'importance des coûts de santé actuels et à venir dans un Québec vieillissant, la fiscalité doit être mieux utilisée comme outil de prévention des maladies et comme incitatif à un mode de vie plus sain et plus actif. L'introduction d'un coût associé aux émissions de gaz à effet de serre (GES), sous la forme d'une taxe sur le carbone ou autre, doit se faire avec prudence parce qu'elle risque d'engendrer un

Si des mesures fiscales vertes favorisent la consommation d'un produit en provenance d'autres pays, le régime d'imposition encourage alors la fuite de capitaux vers l'étranger. Le Québec doit continuer de faire preuve de leadership environnemental, parce qu'avec son bilan déjà favorable en matière d'émissions de GES, il sortira gagnant du virage écologique du XXIe siècle.

CERTIFICATION FISCALE DES ENTREPRISES

Autre avenue à explorer : la certification fiscale des entreprises, qui est basée sur l'idée qu'un consommateur informé

> Pour réussir à moderniser les régimes d'imposition, il faut se rappeler que la plus grande faiblesse du processus actuel est le manque de ressources allouées pour inciter les pays à coopérer sur le plan fiscal.

transfert de richesse des territoires hautement polluants vers les autres.

En outre, les mesures fiscales d'incitation à la consommation « verte » doivent être mises en place en tenant compte de l'état de l'offre et de la demande de produits écologiques fabriqués au Canada, de manière à ce que le virage vert des entreprises précède celui des consommateurs.

n'achètera pas de produits d'une entreprise qui ne paie pas sa juste part d'impôt. Pour inciter les entreprises à respecter ce principe, il suffit d'informer les consommateurs par le biais d'un système de certification fiscale. Un tel système a été mis en place au Royaume-Uni en 2015, et quelques entreprises y ont adhéré.

PROMOUVOIR LA COOPÉRATION FISCALE INTERNATIONALE

Peut-être qu'un jour, les Québécois pourraient être tentés par l'idée de faire du Québec un paradis fiscal, une «petite Suisse de l'Amérique». Cette idée a du moins réussi à charmer les résidents des Bermudes en 1935, quand le bureau d'avocats Conyers, Dill & Pearman et Henry James Tucker ont proposé de transformer leur coin de paradis en «petite Suisse de l'Atlantique»...

C'est la chose à éviter absolument.

Le Québec a les outils qu'il faut pour s'engager davantage dans la conversation fiscale intergouvernementale et internationale dans le but de promouvoir une meilleure coopération avec ses principaux partenaires d'affaires. Pour réussir à moderniser les régimes d'imposition, il faut se rappeler que la plus grande faiblesse du processus actuel est le manque de ressources allouées pour inciter les pays à coopérer sur le plan fiscal.

LA CRISE FISCALE QUI VIENT

Aurons-nous à traverser des crises fiscales avant d'adapter nos régimes au XXIe siècle ? Les grandes révoltes fiscales de l'histoire démontrent que ces crises peuvent être sanglantes, et les leaders de notre époque devraient en prendre conscience et agir en conséquence. Si les inégalités sociales et la défiscalisation des grandes fortunes continuent de prendre de l'ampleur, il faut s'attendre à une réaction de la part des 99 % de la population qui assistent, impuissants, à l'enrichissement du 1 %. ◊

Notes et sources, p. 322

Villes

MONTRÉAL, VILLE MOYENNE DE PRESQU'AMÉRIQUE

À 375 ans, Montréal n'a certes pas la beauté harmonieuse ni le génie exubérant de Paris, ni la vitalité trépidante de New York, mais elle n'est pas pour autant une ville tiédasse ou soporifique. Toutes les villes de quelques millions d'habitants ne peuvent pas en dire autant.

PIERRE J. HAMEL
Professeur-chercheur, INRS Urbanisation, culture et société

Au début du XXᵉ siècle, Montréal était la Havane du nord, ville de débauche où l'Étatsunien vivant sous le joug de la prohibition protestante pouvait venir, aux marches de l'empire, s'adonner à d'aguichants péchés réprimés chez lui (alcool, jeu et prostitution).

Avec des airs d'Amsterdam (métro, vélos, « bobos »), les *coffee shops* et le Red Light explicite en moins, Montréal est devenue plus respectable ; elle a en quelque sorte troqué son image (et sa réalité ?) de lieu de perdition pour celle de « ville festive » bon chic bon genre, avec une succession de festivals qui remplissent les rues de fêtards disciplinés.

Ainsi, c'est comme si Montréal avait été bonne élève à l'école des humanités gréco-latines : *in medio stat virtus*, la vertu est éloignée des extrêmes. Bien qu'elle ait toujours semblé préférer le juste milieu, Montréal sort de l'ordinaire québécois : la moitié de la population du Québec s'y concentre sur une toute petite portion du territoire ; ses quartiers centraux affichent la deuxième densité de population d'Amérique du Nord, juste après ceux de New York ; et enfin, s'y logent la majorité des immigrants et des « étranges », la plupart des très pauvres et des très riches, des hors norme, des curieux et des bizarres.

À l'échelle mondiale cependant, Montréal est loin d'être exceptionnelle : à plusieurs égards, c'est même une ville du genre hypermoyenne. Elle a été fondée par de pieux colons catholiques davantage portés sur la modestie et la discrétion que sur le clinquant et le *think big*. Il n'y aurait donc rien d'étonnant à ce qu'elle soit devenue la capitale de la modération, loin de la démesure ou des superlatifs.

Sur son archipel, la métropole a généralement évité de faire des vagues, en pratiquant coûte que coûte les accommodements raisonnables (ou trop ou pas assez, c'est selon) et le « bon-ententisme » en toutes circonstances. Même que sa devise officielle est *Concordia salus*, le salut par la concorde ; on se rappellera cependant qu'une devise tient davantage du souhait et du fantasme que du constat, comme le montrent les épisodes de violence qui ponctuent l'histoire de Montréal.

Qu'on me comprenne bien : l'Histoire ne s'est pas déroulée selon le projet des fondateurs de Ville-Marie, mais c'est (presque) comme si cela avait été le cas. L'objectif de cette «folle entreprise», selon Jean-Jacques Olier (cofondateur de la Société Notre-Dame qui allait mandater et soutenir Maisonneuve, Jeanne Mance et quelques bateau et à se rendre à pied en haut des rapides pour poursuivre leur voyage en canot. Un point de transbordement a donc été consolidé au bas de ces rapides, porte d'entrée de l'Ouest, et la métropole commerciale et financière s'est ainsi développée par simple commodité logistique ; les navires qui faisaient la navette avec l'Europe y déchargeaient leurs marchandises pour rembarquer ce qui s'exportait ; et, au XIXe siècle, le nœud ferroviaire de

Montréal n'est pas Detroit, ni une des Pittsburgh de la Rust Belt nostalgiques de leurs aciéries. Il y a eu pire ailleurs.

autres), était d'«assembler un peuple composé de Français et de Sauvages, qui [seraient] convertis pour les rendre sédentaires, les former à cultiver les arts mécaniques et la terre, les unir sous une même discipline dans les exercices de la vie chrétienne[1] ». Montréal en est presque venue à vivre dans la paix et l'harmonie, dans les faits, en maintenant un profil bas, après avoir pourtant participé un certain temps au concours très nord-américain du plus haut et du plus gros.

THINK BIG, OU UN DESTIN ÉTATSUNIEN MANQUÉ ?

Depuis les débuts, les rapides de Lachine avaient forcé les voyageurs en partance pour «la Chine» à débarquer de leur Montréal n'a fait que prendre le relais des voyageurs en canot qui y convergeaient.

À l'ouverture de la voie maritime en 1959, qui permet depuis un accès direct aux Grands Lacs, Montréal a perdu son ascendant sur l'intérieur du continent. Ceci a contribué à ralentir la croissance de la métropole, mais contrairement à ce qui s'est vu chez la plupart de ses proches cousines du nord-est du continent, la ville n'a connu qu'un déclin relatif, sans diminution de population, sans effondrement de la ville centre : Montréal n'est pas Detroit, ni une des Pittsburgh de la Rust Belt nostalgiques de leurs aciéries. Il y a eu pire ailleurs.

Ouverte sur les pays d'en haut, Montréal la commerçante est américaine presque depuis le premier jour, mais au fil du temps elle est (presque) devenue étatsu-nienne : le premier siècle de l'occupation anglaise a d'abord transformé ce gros bourg français ; par la suite, avec une industrialisation tardive, Montréal a fini par se comporter comme ses voisines du nord-est du continent. Ainsi, l'immeuble de la Sun Life, voisin de la cathédrale sur le square Dominion, a déjà détenu le titre de plus grand édifice de l'Empire

une équipe des ligues majeures en dépit d'un interdit ségrégationniste, les Montreal Royals servant de sas d'acclimatation pour leur maison-mère, les Dodgers de Brooklyn.

MONTRÉAL, UNE VILLE À PART

Le déclin manufacturier a commencé dès la fin de la Seconde Guerre pour s'accé-lérer dans les années 1950 et 1960, bien avant les bombes du Front de libération

On serait mal avisé de vouloir expliquer le déclin manufacturier de Montréal par la (re)montée de la question nationale, puisque cela imposerait de chercher quelle loi linguistique explique la dégringolade similaire des Cleveland et autres Buffalo.

britannique. Mais il y a belle lurette que Montréal n'est plus dans la course qui se joue aujourd'hui entre Dubaï et Shanghai pour le plus haut gratte-ciel du monde.

De même, et ce n'est pas anecdotique, il y a eu du baseball professionnel pendant longtemps dans la métropole : dernière-ment, les Expos, et avant eux les Royaux (et d'autres). C'était bel et bien une ville presque étatsunienne, mais en marge, puisque c'est par ici, dans les années 1940, qu'un joueur de baseball noir, Jackie Robinson, a pu se faufiler pour rejoindre

du Québec (FLQ), la crise d'octobre 1970 et l'arrivée au pouvoir du Parti québé-cois en 1976. On serait donc mal avisé de vouloir expliquer le déclin manufactu-rier de Montréal par la (re)montée de la question nationale, puisque cela impo-serait de chercher quelle loi linguistique explique la dégringolade similaire des Cleveland et autres Buffalo. Les abords du canal de Lachine avaient été le site d'une des concentrations industrielles les plus imposantes des Amériques. La mondiali-sation des marchés et la délocalisation de l'emploi manufacturier a frappé ici comme dans l'ensemble des pays dits industrialisés ; les secteurs du textile, du vêtement et de la chaussure se sont écroulés, détruisant quantité d'emplois à bas salaire. Sans compenser pleinement ces pertes, Montréal a tout de même réussi à trouver de nouvelles activités plus lucratives, comme l'aéronautique et le jeu vidéo.

En revanche, il semble que Montréal ait perdu la course avec Toronto, en bonne partie à cause du décrochage dans le secteur de la finance, et que cela s'explique largement par ces « troubles » des années 1960 et 1970. Devant l'affirmation du « fait français », les anglophones qui étaient dans la mouvance des sièges sociaux canadiens ont préféré déménager leurs pénates plutôt que de s'adapter, et cet exode pénalisant a, en même temps, constitué une transfusion massive au bénéfice de Toronto.

En 1990, Montréal faisait encore partie de la liste des 100 plus grandes agglomérations du monde ; elle avait alors décroché la toute première place d'un palmarès, ex æquo avec Melbourne (Australie) et Seattle-Tacoma[2], comme ville offrant les « meilleures conditions de vie » (selon des critères typiquement étatsuniens, faut-il le préciser). Elles étaient surtout, toutes les trois, des villes relativement petites, riches, homogènes, tranquilles, sans problèmes réels, comme des villes de banlieue au pourtour de l'Empire, des Brossard ou des Sainte-Foy de ce monde. Avec la poussée urbaine des pays émergents, l'« aire urbaine » de Montréal (et

ses 4 millions d'heureux citoyens) ne fait plus partie de la liste des 100 villes les plus importantes.

« QUAND NOUS PARTIRONS POUR LA LOUISIANE » (VIGNEAULT)

Jusqu'à récemment, donc, Montréal devenait de plus en plus étatsunienne, avec un important noyau industriel et financier qui, bien entendu, s'affichait dans la langue de ses dirigeants, la même qu'ailleurs dans le nord de l'Amérique du Nord. En toute logique, jusque dans les années 1960, elle ne comptait qu'une seule université française – l'Université de Montréal – pour trois universités anglaises – McGill et deux universités qui allaient fusionner pour former l'Université Concordia, soit Sir George Williams University, une université « populaire » issue des cours du soir organisés par le YMCA (celui de Montréal étant d'ailleurs le premier YMCA fondé en Amérique, tout de même !), et le Loyola College, une université comme les Jésuites en ont fondé à Chicago et ailleurs. Les immigrants comprenaient très rapidement les règles du jeu de l'endroit où ils avaient abouti : il était évident que leurs enfants iraient à l'école anglaise.

Les recherches démontrent que l'attrait de l'anglais est encore prépondérant aujourd'hui pour de nombreux immigrants, que la domination de l'anglais est encore bien établie au quotidien dans certains milieux de travail et que les scénarios de recul (ralenti) du français sont encore utiles pour comprendre ce qui se passe ; ainsi, l'anglais continue à attirer un pourcentage disproportionné d'immigrants, et cela, bien que ceux dont la langue maternelle est l'anglais soient très minoritaires : ils ne sont que 8 % des Québécois, 13 % des habitants de la région de Montréal et 18 % des habitants de l'île de Montréal, c'est-à-dire pas la moitié, ni le quart, ni même le cinquième.

Cependant, le moins que l'on puisse dire, c'est que la fin du XXᵉ siècle a connu un virage marqué : le processus de « louisianisation » (de folklorisation des derniers Français d'Amérique), jadis en bonne voie de s'installer, n'est plus tout à fait certain. Certaines réformes avaient déjà contribué à cette embellie, comme la création du réseau des cégeps (1967) et de l'Université du Québec (1968). Mais si on devait identifier un seul geste, il faudrait retenir la loi 101, qui, dès 1977, a probablement infléchi le cours de l'Histoire en imposant le français comme langue d'enseignement pour les enfants des immigrants. Heureusement, parce que cela aurait pu mal tourner, en pétaradant.

Il ne faudrait pas passer sous silence le fait que l'histoire de Montréal-la-sereine a été ponctuée d'épisodes de violence. Et ce n'est pas faire injure à l'ampleur inégalée des manifestations étudiantes du « Printemps érable » que de reconnaître des épisodes de véritable violence. Il faut en effet rappeler que le Parlement canadien, avant de finir par s'établir à Ottawa, a dû quitter Montréal au bout de cinq ans environ, son édifice ayant été incendié par des émeutiers anglais en 1849. Cette manifestation, appelée par *The Gazette* et d'autres, visait à protester contre une loi

prévoyant l'indemnisation des Patriotes et de leurs familles ainsi que de toutes les personnes ayant subi des dommages matériels dans le cadre des opérations militaires de répression violente des « troubles » de 1837-1838. Les émeutes de Montréal contre la conscription de la Première Guerre ont été moins sanglantes que celles de Québec, mais la demeure du propriétaire du *Montreal Star* a tout de même été dynamitée.

Pendant les années 1960, les boîtes aux lettres de Westmount ont parfois retenti plus fort que les casseroles du « Printemps érable ». Puis une cellule du FLQ a enlevé un diplomate britannique et un ministre (et l'affaire a mal fini), provoquant la promulgation de la Loi sur les mesures de guerre et le déploiement de l'armée canadienne dans les rues de Montréal, la suspension des libertés et l'emprisonnement de centaines de militants nationalistes et syndicaux qui n'y étaient pour rien.

L'antiémeute, quant à elle, s'est formée à coups de matraques lors de manifestations nationalistes, comme celle du 24 juin 1968, ou syndicales, comme celle liée au conflit de travail au journal *La Presse* en 1971.

Est-ce s'égarer que de croire que Montréal aurait pu connaître un destin semblable à celui de Derry en Irlande ?

Certes, les batailles linguistiques n'ont pas disparu et notre quotidien est encore émaillé de bien d'autres chicanes. Mais Montréal est à bien des égards un havre tolérant et pacifique. C'est d'ailleurs ici que l'équipe du réalisateur Steven Spielberg a retrouvé la plus grande concentration de survivants de la fameuse liste de Schindler.

Par ailleurs, l'air doit y être respirable puisque, en Amérique, les juifs ortho-doxes ont choisi de s'établir à New York et à Montréal presque exclusivement ; ceux-ci déploient des trésors d'inventivité coutume ; les nouveaux arrivants auraient beau jeu de répliquer que, dans ce cas-ci, tant que le Québec refusera de devenir un pays de plein droit, Rome, ce n'est pas Montréal, mais Toronto : on y parle anglais et on y tolère tout ce qui est imaginable (par exemple, on a sérieusement songé

Contrairement à ce dont pouvait rêver Elvis Gratton, Montréal s'éloigne peut-être de son destin banal de ville étatsunienne, alors qu'elle avait vraiment tout ce qu'il fallait pour en devenir une.

pour éviter les contacts avec les Gentils afin de préserver et développer leur com-munauté : c'est souvent le degré zéro de l'intégration. La cohabitation ne se fait pas sans heurts et, dans certains cas, la Direction de la protection de la jeunesse se fait reprocher de ne pas venir en aide à des enfants qui deviendront des adultes pratiquement incapables de fonctionner en société en dehors de leur communauté.

Et ce refus d'intégration n'est pas l'apa-nage des juifs orthodoxes. En latin, on dit pourtant bien : « *When in Rome, do as the Romans do.* » Mais les Québécois auraient beau mettre de l'avant cet adage et pré-tendre qu'il serait convenable de se mettre au français et, du moins dans l'espace public, d'accepter de bonne grâce nos us et à placer le droit familial à l'enseigne de la charia pour les musulmans ontariens, avec un droit de la famille variable selon les croyances affichées de chacun).

PRESQUE SACRIFIÉE À L'AUTOMOBILE

Les escaliers extérieurs tournants de Montréal constituent une belle signature, très distinctive. Mais on fait semblant d'oublier que bon nombre étaient promis à la démolition. Dans la seconde moitié du XXe siècle, la fureur modernisatrice voulait multiplier le percement d'autoroutes et la construction d'échangeurs en pleine ville. Brandissant bien haut la question de la salubrité physique et morale, on assurait que la lutte contre les taudis devait pas-ser par la construction de plusieurs cités

HLM, par la duplication des barres et des tours des Habitations Jeanne-Mance un peu partout. Les quartiers centraux de Montréal ont été préservés comme par défaut, sans que cela ait été planifié ni même souhaité, simplement parce que les moyens ont manqué. Ouf ! Idem pour l'ancien quartier des affaires en bordure du Vieux-Montréal, qui sert de décor pour des scènes de films se déroulant dans le New York de la Belle Époque ; si les décideurs avaient pu mener à bien leurs projets, le tout aurait été radicalement modernisé.

La part modale du transport en commun est importante à Montréal, mais inférieure à celle de Toronto et bien moindre que celle de New York. Toutefois, elle est considérablement supérieure à celle de Portland et autres Seattle d'Amérique. Ouvert à la veille d'Expo 67, le métro souterrain a fait son œuvre, mais il n'a cependant pas empêché un étalement urbain fortement encouragé par un ministère des Transports qui affectionne les autoroutes par-dessus tout.

FINALEMENT ? « PAS TROP PIRE »

Montréal n'est pas la capitale des bouchons ni des infrastructures en décrépitude ; il suffit de voyager un peu pour s'en convaincre. Comparativement aux grandes villes de cette planète-ci, Montréal est une ville calme, sécuritaire, agréable et facile à vivre, ni très polluée ni très bruyante, ni très chère, sauf pour les pauvres. Encore que, par rapport à ce qui se voit ailleurs, les inégalités sociales y sont moins marquées, essentiellement à cause du système de soins de santé (presque universel et presque gratuit) et du système scolaire (gratuit en théorie, payant même au primaire pour les fournitures et certaines activités, mais tout de même assez bon marché).

Finalement, l'histoire de Montréal, la ville moyenne d'entre les moyennes, se singularise par une évolution très particulière. Contrairement à ce qui s'est passé chez de nombreuses cousines, chez elle le déclin manufacturier n'a pas entraîné un « écrapoutissement » de la ville centre ; le rôle foncier prétend en effet qu'en moyenne le mètre carré habitable le plus cher de l'agglomération est au cœur même de l'île, dans les quartiers centraux.

Contrairement à ce dont pouvait rêver Elvis Gratton, Montréal s'éloigne peut-être de son destin banal de ville étatsunienne, alors qu'elle avait vraiment tout ce qu'il fallait pour en devenir une, « normale », comme Toronto. ◊

Notes et sources, p. 322

Premières Nations

LA COMMISSION ROYALE SUR LES PEUPLES AUTOCHTONES : LES PREMIERS PAS D'UNE RÉCONCILIATION ANNONCÉE

En 1996, grâce au rapport percutant de la Commission royale sur les peuples autochtones, les Canadiens apprenaient à mieux connaître les réalités de leurs concitoyens des Premières Nations. Vingt ans plus tard, ce premier effort de dialogue n'a pas encore terminé son œuvre transformatrice.

CAROLE LÉVESQUE
Professeure titulaire, INRS Urbanisation, culture et société

P endant les années 1980, les relations entre les Autochtones et l'État canadien se sont sensiblement détériorées, notamment à cause de l'échec des conférences constitutionnelles et de l'impossibilité pour le gouvernement fédéral de reconnaître tant la légitimité que la portée des projets autonomistes autochtones. Cette décennie se termina donc sur de nombreux désaccords. La suivante débuta dans la confrontation, avec les événements de l'été 1990 à Kanesatake et Kahnawake, qui opposèrent la nation mohawk aux autorités québécoises et à l'armée canadienne. En 1991, quelques mois après cet épisode tourmenté, qui sera appelé la «crise d'Oka», le gouvernement conservateur de Brian Mulroney mit sur pied la Commission royale sur les peuples autochtones[1], dont le mandat était de répondre à une question cruciale : quels sont les fondements d'une relation équitable et honorable entre Autochtones et non-Autochtones au Canada ?

C'est dans un climat trouble, alimenté par le profond scepticisme des leaders autochtones, que la Commission prit son envol, mais elle devint rapidement une occasion de mobilisation au sein des sociétés et organisations autochtones du pays. Par contre, au sein de la population canadienne et québécoise, elle suscita en général peu d'intérêt, sauf chez les universitaires œuvrant dans ce domaine, qui en suivirent assidûment les développements.

Les travaux de la Commission se sont échelonnés sur cinq ans et se sont conclus, en 1996, par un volumineux rapport en six volumes dont le contenu, s'il a engendré de nombreuses analyses au cours des années passées, n'en reste pas moins assez méconnu d'une majorité de citoyens canadiens. Pourtant, lorsqu'on examine avec un peu de recul les grands questionnements et les avancées que cette commission a permis, on ne peut que saluer aujourd'hui son caractère avant-gardiste et sa grande pertinence sociologique. Sans la Commission royale sur les peuples autochtones, la Fondation autochtone de guérison (1998-2014), la Commission de vérité et réconciliation (2009-2015) et l'Enquête nationale sur les femmes et les filles autochtones disparues et assassinées[2] annoncée à l'été 2016 par le gouvernement Trudeau n'auraient sans doute pas pu voir le jour. En d'autres mots, la Commission royale a été un révélateur social, ce qui en fait une des pierres angulaires du renouveau politique et social autochtone.

L'AVÈNEMENT DE LA COMMISSION ROYALE

Bien qu'elle soit souvent perçue comme une initiative strictement gouvernementale, la Commission royale s'inscrit pleinement dans les mouvements d'affirmation identitaire autochtones qui ont jalonné le XXe siècle, et plus particulièrement les trois dernières décennies. Entre 1969, année de la réforme avortée du livre blanc du gouvernement de Pierre Elliot Trudeau, qui visait l'extinction juridique, culturelle et sociale des Peuples autochtones, et 1991, année qui a vu naître la Commission royale, on a assisté à un virage à 180 degrés des relations entre l'État et les Autochtones et à une reconfiguration géopolitique majeure des sociétés et populations autochtones. Pensons entre autres à la signature de la Convention de la Baie-James et du Nord québécois, premier traité de l'ère moderne, signé en 1975 et ayant préséance sur la Loi sur les Indiens ; à la reconnaissance du statut et des titres et droits ancestraux incluse dans la Constitution canadienne de 1982 ; à la mise sur pied d'organisations autochtones telles l'Association des femmes autochtones du Canada (1971), Femmes autochtones du Québec (1974) et l'Assemblée des Premières Nations du Québec et du Labrador (1985). Autant d'événements et d'initiatives illustrant l'affirmation politique des Autochtones et leur présence accrue dans l'arène publique du pays.

Loin d'être en rupture avec les revendications autonomistes des Autochtones, la Commission royale en a plutôt favorisé l'élargissement en identifiant les piliers sur lesquels devraient reposer non seulement leur autonomie politique et la coexistence harmonieuse avec les Canadiens et les Québécois, mais aussi et surtout l'amélioration de leurs conditions de vie.

LES NOUVELLES VOIX

La Commission royale a offert à la société canadienne et québécoise rien de moins qu'un portrait étayé et diversifié des inégalités socioéconomiques auxquelles faisaient face les communautés autochtones – inégalités qui persistent de nos jours : accès limité aux soins de santé et à l'eau potable ; système scolaire inadéquat ; infrastructures déficientes ; problèmes psychosociaux, pour ne nommer que ces dimensions. Ce portrait proposait aussi, pour la première fois, une image contemporaine des réalités et enjeux autochtones, et ce, partout au pays.

Ainsi, loin de se cantonner à la vie au sein des quelque 600 communautés établies au Canada, la Commission royale s'est aussi attardée à la situation des 45 % d'Autochtones résidant alors dans les villes canadiennes. Depuis les années

UNE COMMISSION UTILE MALGRÉ DES RETOMBÉES CRITIQUÉES

Même après 20 ans, la Commission royale sur les peuples autochtones demeure incomprise. De l'avis de plusieurs observateurs, ses retombées n'ont pas répondu aux attentes et ses recommandations auraient été balayées du revers de la main par le gouvernement de l'époque et les gouvernements successifs. Sous un angle strictement politique, il est clair que la Commission a engendré de nombreuses insatisfactions et désillusions, notamment en ce qui concerne l'autodétermination revendiquée par les Peuples autochtones.

Pourtant, sous un angle historique, social et culturel, force est de constater que la Commission royale a eu des répercussions majeures sur de nombreux fronts constitutifs de l'autonomie politique: l'éducation, la culture, le développement économique et social, la citoyenneté et l'identité autochtone.

Dans une autre perspective, on oublie souvent qu'une commission est bien plus qu'un simple rapport, aussi volumineux soit-il. Pendant cinq ans, les commissaires et leurs équipes ont sillonné le Canada et donné une grande place à la parole et aux savoirs des populations locales en consignant les propos de milliers d'Autochtones de divers âges, genre et origine. Qui plus est, un bassin de chercheurs, d'avocats et d'historiens autochtones ont brossé un portrait sans complaisance de réalités parfois difficiles à décrire. Les corpus de données scientifiques ainsi constitués demeurent à ce jour des sources uniques d'information sur le monde autochtone, dont l'actualité est toujours de mise.

1960, les Autochtones étaient en effet de plus en plus nombreux à s'établir en milieu urbain, une réalité dont ni les instances de gouvernance autochtones ni les gouvernements fédéral et provinciaux ne tenaient compte véritablement. Le rôle majeur du mouvement des centres d'amitié autochtones dans l'accueil et le soutien de cette population a été souligné par la Commission royale et leur contribution au maintien de l'identité autochtone a été documentée. D'ailleurs, en 1997, le gouvernement fédéral mit de l'avant une Stratégie pour les Autochtones vivant en milieu urbain afin de répondre à leurs besoins grandissants et de favoriser leur développement social, culturel et économique.

Le portrait tracé par la Commission royale accordait également une place importante aux femmes autochtones, dont la voix était alors marginalisée tant au sein de leurs communautés que dans la sphère publique plus large, malgré l'abolition partielle, en 1985, des clauses discriminatoires de la Loi sur les Indiens en vertu desquelles les femmes indiennes mariées à des non-Indiens perdaient leur statut (et leurs droits) et ne pouvaient par conséquent le transmettre à leurs enfants. Trente ans avaient été nécessaires aux femmes autochtones du pays pour faire reconnaître les injustices dont elles étaient victimes au sein de leurs propres sociétés et familles[3]. Dix ans plus tard, la Commission royale reconnut l'importance des femmes pour l'avenir des cultures autochtones et mit en relief leur rôle incontournable dans le maintien de la cohésion communautaire et des liens familiaux.

LA RECONNAISSANCE DES SAVOIRS

La Commission royale innova également en s'intéressant aux systèmes de savoirs autochtones et en faisant valoir leur pérennité, leur légitimité et leur pertinence pour la protection des écosystèmes et, plus largement, pour la survie des sociétés et des langues autochtones. Elle recommanda notamment que ces savoirs soient reconnus et que le rôle des aînés et aînées en tant que détenteurs et détentrices privilégiés de ces savoirs soit intégré dans les programmes scolaires destinés aux enfants autochtones. Les occasions de partage, soulignaient les commissaires, devaient être favorisées afin que les aînés et aînées puissent transmettre leurs savoirs aux autres générations, autochtones et non autochtones.

Ce faisant, la Commission royale a ouvert la porte au déploiement de la société du savoir dont on commençait tout juste alors à prendre la mesure à l'échelle planétaire. Favorisant la coexistence de systèmes de savoirs différents (scienti-fiques, autochtones, expérientiels, pratiques), cette société du savoir toujours en marche propose une refondation de la croissance et du progrès social en misant sur le capital humain plutôt que sur le seul capital économique. Une vision de l'avancement de l'humanité partagée par de nombreux Autochtones.

Dès les années 1980, de nombreux Peuples autochtones s'étaient dotés de stratégies de gestion innovantes en matière d'environnement et de protection des écosystèmes afin de protéger leurs ressources des atteintes découlant des développements hydroélectriques, miniers ou gaziers sur leurs territoires. La Commission royale insista sur l'importance de respecter, voire de reconduire les ententes, traités et autres outils de gouvernance et d'autonomie déjà en vigueur, et invita les Autochtones et l'État canadien à explorer de nouvelles avenues à cet égard.

CONSTRUIRE LA MODERNITÉ

Il ne fait aucun doute que la Commission royale sur les peuples autochtones a marqué un tournant dans l'histoire moderne des Autochtones. Certes, elle n'a pas mis fin aux injustices et aux inégalités de tous ordres qui jalonnent encore les trajectoires de ces sociétés. Cependant, elle a encouragé le développement communautaire autochtone au sein des réserves comme dans les villes, lesquelles sont devenues, au fil des ans, de véritables carrefours culturels et des espaces d'affirmation identitaire pour l'ensemble du monde autochtone. La Commission royale a permis d'avancer dans la reconnaissance des cultures et des savoirs. Surtout, elle a confirmé « le lien qui existe entre la crise sociale que vivent les communautés autochtones, les pensionnats autochtones, et l'héritage des traumatismes intergénérationnels[4] ». C'est dans sa foulée que furent formulées, en 2008, les excuses officielles du gouvernement du Canada à l'endroit des anciens pensionnaires autochtones et que fut mise sur pied la Commission de vérité et réconciliation, en 2009. Comme on le sait, cette commission a donné lieu à 94 appels à l'action en 2015, qui reprennent dans certains cas des dimensions déjà évoquées dans le rapport de la Commission royale[5]. Comme l'expliquait déjà en 2008 le chercheur onondaga David Newhouse[6], passer de l'idée de l'Indien qui est un fardeau pour la société à celle de l'Autochtone citoyen est un processus qui exige du temps et davantage qu'un simple changement de perspective. Cela requiert la reconnaissance de la place unique qu'occupent les Autochtones parmi les peuples fondateurs du Canada, puis une ouverture par rapport à la contribution des Autochtones à la modernité et à la prospérité du pays. C'est sans doute là que se situe l'apport le plus important à long terme de la Commission royale sur les peuples autochtones. ◊

Notes et sources, p. 322

Féminisme

QUATRE RAISONS DE « PARLER FÉMINISTE » EN 2017

Pauvreté, violence sexuelle, iniquité salariale, sous-représentation dans les lieux de pouvoir... Les femmes sont encore gravement discriminées, y compris au Québec. Mais des avancées se dessinent, grâce à des battantes qui portent à bout de bras la cause de l'égalité des sexes.

MARIE-HÉLÈNE PROULX
Journaliste, *Châtelaine*

On est peut-être en 2016, comme le dit Justin Trudeau, mais l'égalité des sexes est loin d'être acquise. Voici quatre grands constats tirés par des professeures, chercheuses et têtes penseuses qui ont analysé l'actualité de la dernière année.

PARCE QUE LE SIMPLE MOT FAIT PEUR

Une petite tempête a soufflé cet hiver sur le Québec quand la ministre responsable de la Condition féminine, Lise Thériault, a déclaré être moins féministe qu'« égalitaire ». Elle était appuyée en cela par sa collègue à la Justice, Stéphanie Vallée, qui a pris ses distances par rapport à l'« étiquette » féministe malgré son engagement proclamé pour l'égalité des sexes. La productrice Marie-France Bazzo a ajouté son grain de sel en sortant du garde-robe dans un éditorial intitulé « Je ne suis pas féministe, moi non plus », bien qu'elle estime « faire sa part » pour ouvrir des portes aux femmes.

Cette position paradoxale est en fait très répandue, observe Chantal Maillé, professeure titulaire à l'Institut Simone de Beauvoir, à Montréal. « C'est que le terme *féministe* est lourd. Celles qui le portent sont souvent stigmatisées. Je suis bien placée pour dire, après 27 ans à enseigner en études féministes, que ça prend du courage pour l'assumer. On a droit à notre lot de commentaires désobligeants. Reste que même s'ils ne se perçoivent pas comme des militants, beaucoup de gens adhèrent aux valeurs défendues par le mouvement. »

De fait, plus de 81 % des Québécois croient qu'hommes et femmes devraient être égaux, confirme un sondage publié en 2015 par la Commission des droits de la personne et des droits de la jeunesse. Un autre sondage, paru celui-là dans *La Presse* en 2009, indique que si seule la moitié des répondantes se considèrent comme féministes, neuf sur dix pensent que des luttes importantes restent à mener pour enrayer la discrimination envers leur sexe.

« Pour moi, ce sont surtout les gestes qui comptent, pas la décision de se dire ou non féministe », affirme Diane

Lamoureux, professeure à l'Université Laval. Or, en ce sens, l'experte en sociologie politique n'est pas encouragée par les actions du gouvernement libéral de Philippe Couillard, dont font partie les ministres Vallée et Thériault. «Ils ont beau se dire égalitaristes, dans les faits ils adoptent des mesures qui défavorisent les femmes.» Elle cite en exemple la décision de sabrer près d'un demi-million de dollars dans le budget du Conseil du statut de la femme, une cure minceur qui a forcé l'organisme à congédier le quart de ses employés l'an dernier.

Une goutte dans l'océan des 13 milliards de dollars de compressions dont ont écopé les femmes depuis 2008, souligne un rapport publié en 2015 par l'Institut de recherche et d'informations socioéconomiques[1]. À titre de comparaison, les hommes ont été touchés par des coupes s'élevant à 9,9 milliards de dollars. En revanche, ces messieurs ont bénéficié de mesures de relance totalisant 7,3 milliards, alors que ces dames, elles, ont dû se contenter de 3,5 milliards.

«Malgré toutes les transformations législatives ayant eu un effet positif sur les femmes depuis les années 1970, la société reste encore organisée en faveur des hommes», constate Diane Lamoureux, qui est aussi l'auteure du récent essai *Les possibles du féminisme*[2]. «Et si on ne se bat pas collectivement, ça ne changera pas.»

Les iniquités salariales qui perdurent font du féminisme un mouvement toujours aussi essentiel aujourd'hui, estime-t-elle. «Il est scandaleux, par exemple, qu'une enseignante à l'école primaire gagne moins qu'un professeur d'université, compte tenu de sa responsabilité sociale.» Les données les plus récentes indiquent qu'au Québec le revenu hebdomadaire moyen d'une travailleuse à temps plein ne représente que 85,9 % de celui d'un travailleur[3].

Les agressions sexuelles, que subiront le tiers des Québécoises à partir de l'âge de 16 ans[4], constituent aussi un problème majeur nécessitant encore la mobilisation des féministes. C'est d'ailleurs à elles qu'on doit les CALACS, ces centres qui viennent en aide aux victimes de violence sexuelle, rappelle Chantal Maillé. «Elles tiennent cet organisme à bout de bras depuis 40 ans. Elles font un travail inestimable sur le terrain qui permet de désengorger les CLSC, par exemple.»

Leur mobilisation rejaillit positivement sur tout le monde, y compris les hommes, précise Diane Lamoureux. Elle pense entre autres aux luttes pour hausser le salaire minimum, à la création et au maintien des centres de la petite enfance et à l'instauration des congés parentaux, attribuables en bonne partie au militantisme des femmes.

Militantisme qui semble d'ailleurs séduire une nouvelle génération, se réjouissent les deux spécialistes. D'abord, de jeunes personnalités publiques telles que Judith Lussier, Lili Boisvert, Véronique Grenier et Aurélie Lanctôt ne se gênent pas pour dénoncer sur moult tribunes la discrimination dont les femmes font encore l'objet.

En outre, Chantal Maillé observe que les inscriptions au programme d'études féministes à l'Université Concordia ont augmenté de 36 % depuis 2011. Le constat est le même à l'Institut de recherche et d'études féministes de l'Université du Québec à Montréal (UQAM), où le nombre d'étudiants a triplé au premier cycle en cinq ans[5]. « Même des gars viennent de plus en plus aux cours, ils veulent com-

restera dans les annales : « Parce qu'on est en 2015. »

« Ça crée un précédent très puissant sur le plan symbolique », croit Cristine de Clercy, professeure de science politique à l'Université Western Ontario. « Si son successeur ne suit pas son exemple, il devra sans doute se justifier. »

Cette avancée occulte néanmoins une réalité peu édifiante : seul le quart

Faut-il imposer des quotas pour s'assurer que les lieux de pouvoir soient systématiquement composés de 40 à 60 % de femmes ? L'idée ne fait pas l'unanimité.

prendre, ajoute Mme Maillé. Les filles, elles, ont vu leur mère déchirée entre leur famille et des milieux de travail peu accommodants, et ne veulent pas vivre ça. Elles viennent chercher des outils pour réparer des injustices. »

PARCE QUE LE POUVOIR ÉCHAPPE ENCORE AUX FEMMES

Pour la première fois de son histoire, le Canada est dirigé par une équipe de ministres composée d'autant d'hommes que de femmes. Un choix qui va de soi, a expliqué le chef du gouvernement Justin Trudeau lors de son assermentation il y a un an, servant aux journalistes qui lui demandaient pourquoi une réplique qui

(26 %) des élus au Parlement canadien sont des femmes[6]. Cela reste malgré tout un record, mais à ce rythme, il faudra attendre encore 60 ans avant que la députation soit parfaitement mixte, a calculé Kennedy Stewart, spécialiste des politiques publiques de l'Université Simon Fraser et désormais député du NPD en Colombie-Britannique. En février 2016, il a déposé le projet de loi C-237 pour instaurer la parité entre les sexes à la Chambre des communes.

Le Québec ne fait pas mieux, avec 27 % de députées à l'Assemblée nationale, tandis que le cabinet de Philippe Couillard n'accueille que 8 femmes sur 31 ministres. Si la province était un pays, elle ne récolterait qu'une 44ᵉ position à l'échelle mondiale pour le nombre d'élues[7].

Une situation antidémocratique, puisque les femmes constituent la moitié de la population, rappelle la journaliste Pascale Navarro, auteure de l'essai *Femmes et pouvoir : les changements nécessaires*[8]. «Ça va à l'encontre de la Charte des droits et libertés de la personne, qui stipule que femmes et hommes sont égaux. Ce principe n'est pas respecté, il faut qu'on réagisse», affirme-t-elle en entrevue.

C'est pourquoi le Groupe Femmes, Politique et Démocratie dont elle fait partie a publié cette année la déclaration *En marche pour la parité*, que les citoyens sont invités à signer pour appuyer la création d'une loi garantissant une représentation équitable des sexes dans toutes les institutions soutenues par les fonds publics – l'Assemblée nationale, les conseils municipaux et les commissions scolaires, entre autres. Déclaration qu'a d'ailleurs paraphée la ministre de la Condition féminine, Lise Thériault, en avril dernier. Pour le moment, seuls les conseils d'administration des sociétés d'État sont tenus de respecter la parité, grâce à une loi adoptée en 2006.

«Ce n'est pas parce que les femmes sont meilleures qu'il en faut plus dans ces instances – c'est parce que les préoccupations liées à leur rôle social seraient plus visibles et mieux défendues qu'en ce moment», estime Pascale Navarro. Elle pense entre autres à l'éducation, à la conciliation travail-famille, à la violence sexuelle. «Les enjeux féminins sont encore trop souvent effacés, dévalués.»

Des travaux montrent que dans une assemblée, il faut un minimum de 40% de représentants d'un même groupe pour qu'il réussisse à influencer les décisions[9].

Faut-il imposer des quotas pour s'assurer que les lieux de pouvoir soient systématiquement composés de 40 à 60% de femmes? L'idée ne fait pas l'unanimité. «Certains désapprouvent la notion de contrainte et disent que ce serait [comme] une faveur faite aux femmes», explique la journaliste. Des filles craignent aussi d'être choisies à cause de leur sexe et non de leurs compétences.

Pour sa part, Pascale Navarro juge que s'il faut en arriver là pour corriger les mauvais plis d'un système ayant tenu les femmes à l'écart des affaires publiques pendant si longtemps, c'est ce qui doit être fait. «Si on ne se fie qu'à la bonne volonté des partis politiques de présenter autant de candidats des deux sexes, je crains que ça n'arrive pas. Pour le moment, au Québec, seul Québec solidaire respecte ce principe.»

Recruter des aspirantes politiciennes pose néanmoins certains défis. «D'abord parce que faute de modèles, les femmes sont peu nombreuses à considérer ce choix de carrière», explique Cristine de Clercy. En fait, elles y songent deux fois moins que les hommes, selon une étude réalisée par une université privée à Washington[10].

Dans les classes où la chercheuse enseigne, c'est frappant : quand elle demande de nommer spontanément un leader politique, les figures masculines dominent. « Il en va de même pour ceux chargés de repérer des candidats potentiels, au sein des partis : leur représentation mentale d'un politicien est la plupart du temps un homme. » Elle salue néanmoins le travail de l'organisme Equal Voice, qui se consacre à initier les Canadiennes au processus électoral et les incite à se présenter.

Ces efforts se butent toutefois à un autre obstacle : les femmes s'occupant davantage que les hommes des tâches domestiques, des enfants et/ou des parents âgés, elles ont moins de temps à consacrer à l'implication politique et au réseautage, une activité essentielle qui permet notamment de trouver des appuis. « Elles déclinent souvent les invitations parce qu'elles sont trop occupées », note Cristine de Clercy. Des partis trouvent toutefois des solutions ingénieuses, observe-t-elle. Par exemple, certains offrent des services de gardiennage pour les accommoder.

En dépit des obstacles, la codirectrice du Leadership and Democracy Lab se dit « très optimiste » à propos de l'avenir des femmes en politique, 100 ans après leur obtention d'un premier droit de vote au Canada. Un avis partagé par Pascale Navarro. « Il y a un an, il n'y avait même pas de conversation à propos de la parité. » Mais depuis la parution de son livre, qui a coïncidé avec la formation du cabinet de Trudeau, des partis politiques la sollicitent et elle donne régulièrement des conférences sur le sujet. « En plus, la députée libérale de Richmond, Karine Vallières, est en train de mettre en place une commission parlementaire sur la place des femmes en politique. Ça bouge enfin ! »

PARCE QUE LES FEMMES AUTOCHTONES...

Un reportage diffusé à l'émission *Enquête* à la télévision de Radio-Canada a créé une onde de choc à l'automne 2015. *Des femmes* autochtones de Val-d'Or y racontaient être victimes depuis des années de sévices sexuels et d'abus de pouvoir par des policiers de la Sûreté du Québec. Leurs témoignages en ont entraîné d'autres : à Maniwaki, à Sept-Îles, à Schefferville, d'autres femmes autochtones ont soutenu avoir été violentées par des membres des forces de l'ordre.

On ignore encore si l'investigation du Service de police de la Ville de Montréal mènera à des accusations. L'enquête nationale lancée cet été pour faire la lumière sur les meurtres et les disparitions d'au moins 1 224 femmes autochtones (dont 22 au Québec) se penchera à son tour sur ces allégations de brutalité policière.

« J'espère que ça mènera à une stratégie d'action », soupire Viviane Michel, présidente de Femmes autochtones du Québec. On trébuche dans les consultations, les commissions et les mémoires depuis 30 ans, constate cette Innue de la Côte-Nord, autrefois intervenante en maisons d'hébergement. « Je suis contente que les familles aient gagné un espace pour parler, partager. Mais chaque fois, ces exercices mènent à des recommandations, puis on change de gouvernement, et le rapport est tabletté. »

Le «topo général», comme elle le dit, est pourtant connu depuis longtemps. Si on les compare aux autres Canadiennes, les femmes autochtones sont trois fois plus susceptibles de déclarer avoir été victimes de violence de la part d'un conjoint, d'un ex, d'un membre de la famille ou d'un étranger. En plus d'être proportionnellement plus nombreuses à subir les formes d'agression les plus graves – menaces au couteau, viol, tentative de meurtre, homicide[11].

coup de pouvoir au sein de leur communauté. On a voulu les effacer, carrément.» Dans les pensionnats, on les a traitées avec encore plus de violence que les hommes afin de les transformer en bonnes ménagères catholiques, au mépris de leur savoir et de leurs traditions. «Jusqu'en 1951, elles n'avaient même pas le droit de participer à des assemblées publiques.»

D'être dépossédées si brutalement de leur identité les a privées de leur «force psychologique», affirme Viviane Michel,

Sur les 250 postes d'élus répartis dans les 54 communautés autochtones du Québec, 103 sont occupés par des femmes.

Le reste du portrait est tout aussi affligeant: par rapport aux moyennes nationales, elles sont moins éduquées, moins en santé, surreprésentées dans la population carcérale, davantage dépendantes des drogues et de l'alcool, et plus nombreuses à vivre dans des logements surpeuplés. Le quart des femmes autochtones disent avoir eu des pensées suicidaires au moins une fois dans leur vie[12].

Une tragédie qui découle de l'approche coloniale mise en place par le gouvernement du Canada à partir de 1876, juge Suzy Basile, professeure à l'École d'études autochtones de l'Université du Québec en Abitibi-Témiscamingue (UQAT). «Les politiques d'assimilation ciblaient les femmes en particulier parce qu'elles avaient beau-

qui elle-même a souffert de toxicomanie à la suite d'une adolescence marquée au fer rouge par des abus sexuels. Mais pour elle comme pour d'autres, «le processus de guérison est amorcé». En témoignent leur prise de parole plus affirmée et le leadership dont elles font preuve. «Sur les 250 postes d'élus répartis dans les 54 communautés autochtones du Québec, 103 sont occupés par des femmes. Cent trois! Pour moi, ça veut dire qu'elles s'éveillent à leur potentiel.» Soulignons aussi qu'en septembre 2016 Eva Ottawa est devenue la première autochtone à présider le Conseil du statut de la femme.

Cet *empowerment* s'observe également sur les bancs d'école, où les femmes autochtones sont de plus en plus nombreuses à décrocher des diplômes[13]. Les chiffres sont éloquents : à l'Institut Kiuna d'Odanak, qui offre des formations de niveau collégial aux jeunes des Premières Nations, 83 % des étudiants sont des filles[14]. Même chose à l'UQAT, où elles forment 80 % des autochtones inscrits[15].

Leur résilience frappe Suzy Basile, qui enseigne au campus de Val-d'Or. « Elles ont plus de 35 ans, sont originaires d'une région isolée, ont des enfants à charge... Bravant le déracinement et les difficultés linguistiques, ces femmes viennent cher-

réalité des Premières Nations et des Inuits, même si le racisme persiste. Les classes de Suzy Basile regorgent de policiers, d'avocats, d'infirmières, tous désireux de mieux comprendre les autochtones avec qui ils doivent interagir dans l'exercice de leurs fonctions. « L'ouverture est là », dit-elle.

Viviane Michel aussi voit tomber peu à peu la méfiance entre les deux mondes. Elle-même invite parfois des groupes de Québécoises dans sa communauté de Mani-Utenam, sur la Côte-Nord. « On a tissé des liens très forts. Des liens de

Même si on est en 2016 et que les femmes sont supposément émancipées, elles se sentent encore obligées d'avoir des relations ou d'adopter des pratiques sexuelles dont elles n'ont pas envie.

cher des compétences utiles pour aider leur communauté à améliorer les conditions de vie. » Sans compter que dans certains cas, les emplois mieux rémunérés obtenus grâce à leur scolarisation leur confèrent l'indépendance et les outils nécessaires pour tenir à distance un contexte conjugal qui nuisait à leur santé, remarque la jeune professeure atikamekw.

Enfin, les deux interviewées se réjouissent que les non-autochtones manifestent plus d'intérêt qu'autrefois vis-à-vis de la

sœurs. » Elle note que les réflexes sont moins colonialistes qu'avant. « Aux tables de discussion, par exemple, les gens sont plus soucieux de ne pas nous imposer des façons de faire ou des solutions qui nous seraient étrangères sur le plan culturel. On est en marche vers la réconciliation. »

PARCE QUE LA CULTURE DU VIOL DOIT CESSER

C'était sans doute le verdict le plus attendu de l'année. En mars dernier, l'ex-animateur vedette de CBC Jian Ghomeshi a été acquitté de quatre chefs d'agression sexuelle, ainsi que de celui d'avoir vaincu par étouffement la résistance de l'une de ses présumées victimes. Les témoignages des trois plaignantes n'ont pas réussi à convaincre le juge William B. Horkins, entre autres parce que la défense a démontré qu'elles n'avaient pas révélé des informations importantes à la police et à la cour. Une décision qui a déçu au point de provoquer des manifestations à Toronto, où avait lieu le procès.

Si elle ne remet pas en cause la décision du juge, la jeune féministe Aurélie Lanctôt trouve tout de même cette histoire bien « démoralisante », surtout à cause de la manière dont le procès a été médiatisé. « C'est hallucinant : toute l'attention était portée sur le comportement des plaignantes. Ce qu'elles avaient dit, ce qu'elles avaient fait ou pas... Elles ont été traitées si brutalement que ça a dissuadé d'autres femmes de dénoncer, j'en suis certaine. »

Elles sont déjà bien peu à le faire, révèlent des données de Statistique Canada : en 2014, seule 1 agression sexuelle sur 20 a été rapportée à la police. Entre autres parce que les victimes craignaient de ne pas être prises au sérieux. Elles estimaient aussi qu'une démarche judiciaire aurait été vaine, puisque leur assaillant s'en serait probablement tiré[16].

Mais l'affaire aura eu au moins le mérite de relancer la discussion à propos de la violence sexuelle, qui avait été jusque-là largement banalisée, soutient l'étudiante en droit à l'Université McGill. « C'est comme si on avait soulevé le couvercle et vu toutes les horreurs en dessous, et qu'on s'était dit collectivement : OK, il va falloir qu'on prenne ces enjeux au sérieux. »

Au Québec, une femme sur trois subira une agression sexuelle au cours de sa vie[17]. C'est le seul crime violent qui n'ait pas diminué depuis 15 ans[18].

Sous la pression des associations étudiantes, les milieux d'enseignement se sont montrés relativement proactifs cette année. Au printemps, une tournée pour sensibiliser les jeunes aux rapports amoureux égalitaires a eu lieu dans les cégeps, 15 universités ont mis en branle une campagne coiffée du slogan *Sans oui, c'est non* pour clarifier ce que veut dire le consentement, et l'Université Bishop's à Sherbrooke impose depuis septembre une formation sur les agressions sexuelles.

Un travail d'éducation indispensable pour éradiquer cette culture qui maintient dans l'ombre les violences à caractère sexuel, souligne Sandrine Ricci, chargée de cours et doctorante en sociologie à l'UQAM, coordonnatrice du Réseau québécois en études féministes. « Même si on est en 2016 et que les femmes sont supposément émancipées, elles se sentent encore obligées d'avoir des relations ou d'adopter des pratiques sexuelles dont elles n'ont pas envie. C'est très sournois parce que les trois quarts du temps, sinon plus, ça se passe avec des hommes qu'elles connaissent. Un professeur, un étudiant, un collègue. Des gens qui peuvent avoir une emprise sur elles. »

La difficulté des femmes à faire valoir l'importance de leur consentement est nettement ressortie à l'occasion d'une récente enquête sur les violences sexuelles en milieu universitaire[19]. Une première au Québec. L'étude a révélé que le tiers des 9 284 participants – dont 70 % de femmes – avaient vécu au moins un épisode de violence depuis leur arrivée à l'université.

Violence qui peut prendre toutes sortes de formes, dont exercer du chantage en et à ceux qui subissent de la violence sexuelle », note-t-elle. Elle déplore aussi que le poste d'intervenante créé à l'UQAM en 2015, en réaction au mouvement #AgressionNonDénoncée, ait été supprimé après une seule année d'existence.

« On pousse les filles à dénoncer, mais il n'y a personne pour les aider. Le Regroupement québécois des centres

La difficulté des femmes à faire valoir l'importance de leur consentement est nettement ressortie à l'occasion d'une récente enquête sur les violences sexuelles en milieu universitaire.

échange d'avantages reliés à l'emploi ou aux études, explique Sandrine Ricci, qui a participé à la recherche. Exemple : le professeur qui fait miroiter à une étudiante une place dans son équipe de recherche en échange d'un tête-à-tête au restaurant... Une pratique plus répandue qu'on le croit. « Mais la grande majorité des filles ne la dénoncent pas, souvent parce qu'elles craignent de mettre en péril leur avenir, ou de plomber l'atmosphère du département. »

Et même si elles souhaitaient parler, les services de soutien sont pratiquement inexistants. « J'explore régulièrement les sites web des cégeps, et j'y trouve rarement de l'information destinée à celles d'aide et de lutte contre les agressions à caractère sexuel a des listes d'attente, faute de moyens pour embaucher du personnel. C'est aberrant ! On ne peut plus se contenter de belles paroles, d'actions temporaires saupoudrées au gré des scandales médiatiques. Le gouvernement doit débloquer des budgets. »

Cela dit, chacun a la responsabilité de soutenir adéquatement les victimes, en commençant par leur dire qu'on les croit. « Le sentiment d'être écouté diminue les symptômes dépressifs et le niveau de détresse, souligne Sandrine Ricci. Il ne faut pas remettre en question la parole de la personne, ne pas la juger, la laisser s'exprimer dans ses propres mots, à son rythme. Des réactions aidantes qui n'exigent pas un baccalauréat en travail social, et qui apportent un réel réconfort émotif. » ◊

Notes et sources, p. 322

N.D.L.R. : Ayant été mis en pages avant les événements survenus en octobre à l'Université Laval et avant qu'une jeune femme eut allégué avoir été agressée sexuellement par un député de l'Assemblée nationale, ce texte n'y fait pas référence.

Sextivisme : les nouvelles formes d'activisme féministe

ÉLISABETH MERCIER
Professeure adjointe, Département de sociologie, Université Laval

Plusieurs tactiques du féminisme contemporain font appel à la sexualité des femmes, à la nudité ou à la réappropriation positive d'insultes sexistes. Ces formes d'activisme controversées peuvent en faire sourciller plusieurs, mais doivent être interprétées dans le contexte actuel, marqué notamment par le sexisme en ligne.

La SlutWalk fait partie des initiatives du féminisme contemporain. La première édition de ce défilé a été organisée en 2011, à Toronto, pour protester contre l'humiliation des femmes taxées de «salopes» (*slut-shaming*) et contre la culpabilisation des victimes de viol et d'agression sexuelle (*victim-blaming*). Grâce aux médias sociaux, le mouvement a rapidement pris de l'ampleur, et des SlutWalks se sont tenues dans plus de 200 villes à travers le monde.

Bien qu'elle fasse appel à des thématiques et à des enjeux dénoncés depuis longtemps par les féministes, la SlutWalk est l'objet de nombreuses critiques, en particulier au sein des cercles féministes, où sa légitimité et sa pertinence politique sont régulièrement contestées. Deux éléments se trouvent au cœur de la controverse soulevée par la SlutWalk: la réappropriation positive de l'insulte *salope* et la «nudité militante». En effet, un certain nombre de participants – femmes et hommes – choisissent de défiler partiellement dénudés, en sous-vêtements, talons aiguilles et bas résille.

Les tactiques de la SlutWalk sont axées sur l'affirmation publique et positive d'une sexualité active. Il s'agit là d'une différence majeure avec les marches de nuit féministes organisées depuis les années 1970 et baptisées, au Québec, La rue, la nuit, femmes sans peur. Dans les deux cas, des femmes s'emparent de la rue afin d'y créer un espace de solidarité et de sécurité. Cependant, les marches de nuit féministes cherchent d'abord à combattre la vulnérabilité, la peur et le danger qui accompagnent la présence des femmes dans la rue, en particulier la nuit.

En ce qui concerne la SlutWalk, bien qu'une portion de l'événement soit habituellement réservée aux témoignages de survivantes d'agressions sexuelles, la vulnérabilité sexuelle des femmes ne se conçoit pas uniquement sur le plan de la violence mais, aussi dans les pays anglo-saxons ou encore en Amérique latine, où il connaît un certain succès. Reste que les Québécoises participent elles aussi à des formes d'activisme féministe contemporaines dont les tactiques reposent sur la sexualité. Il n'y a qu'à penser aux actions seins nus des militantes de l'organisation Femen, dont l'unique branche active

Les mouvements de dénonciation du harcèlement de rue insistent sur le fait qu'une femme peut subir des insultes et des avances à caractère sexuel même lorsqu'elle est habillée « normalement ».

sur ceux de la culpabilisation et de la honte. La tactique de dénudaition déployée par certaines participantes vise également à montrer comment une apparence sexy rend les femmes vulnérables aux jugements sociaux à propos de leur sexualité, notamment à la croyance que cela les expose aux agressions sexuelles.

FEMEN ET AUTRES FORMES D'ACTIVISME

À l'exception d'une Marche des salopes organisée à Montréal en 2011, le mouvement de la SlutWalk s'est fait plutôt discret au Québec, contrairement à ce qu'on voit en Amérique du Nord se trouve au Québec. Leurs récents coups d'éclat à l'Assemblée nationale et lors du Grand Prix du Canada ont montré que la nudité pouvait servir d'outil d'action politique en offrant une visibilité accrue aux corps féminins dans l'espace public et dans les médias.

Toutefois, à l'instar de la SlutWalk, les actions des Femen sont controversées, critiquées, voire ridiculisées. Plusieurs féministes y voient une objectification du corps féminin, inefficace et même nuisible sur le plan politique. Ainsi, tant les jugements que les interventions policières dont les Femen font l'objet sont souvent d'une violence inouïe.

Parmi les autres formes contemporaines d'activisme féministe qui touchent à la sexualité des femmes, notons la dénonciation en ligne du harcèlement de rue et le mouvement Free the Nipple. Ce dernier s'attaque à la censure des seins ou plutôt des mamelons féminins dans l'espace public en général et sur les réseaux sociaux en particulier, notamment Facebook et Instagram. Ce mouvement en provenance des États-Unis concerne le droit à la nudité elle-même, en particulier en situation d'allaitement. La nudité militante y est utilisée comme une tactique pour dénoncer et déjouer la censure du corps féminin.

Les mouvements de dénonciation du harcèlement de rue insistent quant à eux sur le phie d'incidents dans différentes villes. À cet égard, l'une des initiatives les plus connues est celle de Hollaback! qui compte plus de 79 sites web à travers le monde, dont celui de Montréal, où des femmes partagent et cartographient leurs expériences de harcèlement dans la rue, dans les transports en commun et en d'autres lieux publics[1].

OUTILS ET SYMPTÔMES DE LA CULTURE NUMÉRIQUE

Si ces différentes formes d'activisme féministe ne font pas toutes le même usage de la sexualité comme tactique militante, elles ont en commun d'allier la prise de parole dans la rue et en ligne, l'exposition de soi et le témoi-

Pour reprendre les termes de la Marche des salopes de Montréal, il existe un « double standard qui fait de la promiscuité un mode de vie respectable pour les hommes hétéros mais pour personne d'autre ».

fait qu'une femme peut subir des insultes et des avances à caractère sexuel même lorsqu'elle est habillée «normalement». La dénonciation se fait en grande partie grâce aux médias sociaux et aux technologies numériques, par le biais de témoignages, d'identification de harceleurs et de cartogra-

gnage public. Cela peut se comprendre en partie à la lumière de la culture numérique actuelle.

D'une part, les technologies numériques et les médias sociaux offrent de nouvelles possibilités de mobilisation féministe, de dénonciation et de témoignage en ligne. Ils facilitent également des comportements particuliers d'expression et d'exposition de soi ainsi que de nouvelles formes d'interactions et de communautés virtuelles.

D'autre part, le manque de modération sur Internet et les réseaux sociaux rend visibles diverses manifestations du sexisme contemporain et du double standard qui valorise la liberté sexuelle des hommes hétérosexuels et dénigre celle des femmes. De

DES MOUVEMENTS CONTROVERSÉS

À une époque où le corps et la sexualité des femmes sont continuellement ciblés, dénigrés et menacés sur Internet et ailleurs, le «sextivisme» féministe fait, à tout le moins, preuve d'à-propos. Or, de la SlutWalk à la dénonciation du harcèlement de rue en passant par les coups d'éclat des Femen et Free the Nipple, ces formes d'activisme sont loin de faire l'unanimité et suscitent de nom-

Ce sont d'abord les tactiques misant sur la sexualité, la réappropriation d'insultes sexistes, la nudité et la mise en scène de la vulnérabilité sexuelle des femmes qui posent problème.

plus, l'anonymat et le sentiment d'impunité en ligne autorisent les pires formes d'intimidation et d'humiliation. Et lorsqu'elles visent les femmes, ces pratiques d'humiliation attaquent le plus souvent leur apparence physique et leur sexualité. Selon une étude du Pew Research Center[2], les plus jeunes sont principalement touchées, au point que 25% des femmes âgées de 18 à 24 ans sont victimes de harcèlement à caractère sexuel en ligne. Il va sans dire que les Québécoises n'échappent pas à ce phénomène.

breuses critiques au sein même des mouvements féministes.

Ces critiques se regroupent sous deux catégories: l'accusation de sexisme et celle de racisme. Dans les deux cas, ce sont d'abord les tactiques misant sur la sexualité, la réappropriation d'insultes sexistes, la nudité et la mise en scène de la vulnérabilité sexuelle des femmes qui posent problème.

Les critiques de la première catégorie accusent ces formes d'action de renforcer le sexisme qu'elles prétendent combattre. Ce sont celles que l'on entend le plus souvent au Québec, où le féminisme institutionnalisé demeure à l'avant-plan des luttes. La nudité militante y est généralement perçue comme une façon provocatrice et frivole d'attirer l'attention des médias (et des hommes), eux-mêmes en partie responsables de l'objectification sexuelle des femmes. Plutôt que de chercher à changer en profondeur les structures patriarcales, ces jeunes femmes, en phase avec l'idéologie néolibérale, en

sexisme à l'intersection de celles du racisme et de la pauvreté, afin d'élaborer des actions féministes véritablement inclusives.

D'autres évoquent cependant la diversité ainsi que le caractère délocalisé et informel de ces mouvements, qui existent entre autres grâce aux médias sociaux. Dans une autre perspective, ces formes d'activisme participeraient ainsi d'un féminisme transnational

La majorité des critiques à l'encontre des nouvelles formes d'activisme féministe portent sur la légitimité de la sexualité comme mode d'action, de contestation et de représentation des femmes dans l'espace public.

seraient venues à croire que leur pouvoir réside dans leurs corps sexualisés. (À l'inverse, d'autres analyses soulignent que c'est précisément parce qu'elles sont nées de la culture hypersexualisée contemporaine que ces actions représentent une forme de résistance pertinente.)

Dans la deuxième catégorie de critiques, le sextivisme est perçu comme étant le privilège de jeunes femmes blanches, éduquées, de classe moyenne à aisée. Formulées en bonne partie par des féministes noires américaines, ces critiques insistent notamment sur l'importance de penser la question du

capable de créer de nouveaux espaces de solidarité et de lutte, au-delà des divisions géopolitiques habituelles.

EN ATTENDANT MIEUX...

La majorité des critiques à l'encontre des nouvelles formes d'activisme féministe portent sur la légitimité de la sexualité comme mode d'action, de contestation et de représentation des femmes dans l'espace public. Ces critiques sont valables à bien des égards, mais il faut néanmoins reconnaître que l'humiliation et la culpabilisation des femmes sur la base de leur sexualité sont encore bien d'actualité. Cela constitue d'ailleurs un problème criant sur Internet, où l'humiliation et le harcèlement sexuels sont fréquents et entraînent parfois des conséquences dramatiques.

Ainsi, des voix s'élèvent pour réclamer un plan concret de lutte contre le cyberharcèlement de la part des autorités, qui tardent à reconnaître l'importance du problème. En attendant, et en marge d'éventuelles mesures officielles, nous verrons sans doute se multiplier, au Québec comme ailleurs, les tactiques féministes visant à contester, pour reprendre les termes de la Marche des salopes de Montréal, « le double standard qui fait de la promiscuité un mode de vie respectable pour les hommes hétéros mais pour personne d'autre ». ¶

Notes et sources, p. 322

Médias

QUAND LES RELATIONNISTES REPOUSSENT LA FRONTIÈRE LES SÉPARANT DU JOURNALISME

Cinquante journalistes et relationnistes ont accepté de participer à une recherche visant à faire le point sur les liens actuels entre les deux professions. Les résultats montrent comment une partie de l'actualité se négocie au quotidien : le relationniste adopte l'identité du journaliste, son rôle et ses fonctions, pour être tour à tour une source, un fournisseur de contenu et un obstacle au travail journalistique.

CHANTAL FRANCOEUR, PH.D.

Professeure à l'École des médias, Université du Québec à Montréal

Trente relationnistes et 20 journalistes ont pris part à des entrevues individuelles de 60 à 90 minutes dans le cadre d'une recherche sur les échanges entre les deux professions. La description de leurs pratiques et de leurs façons de faire lève le voile sur la convergence entre les relations publiques et le journalisme. Voici les constats faits à partir des témoignages recueillis.

LE RELATIONNISTE « JOURNALISTE »

Les relationnistes interrogés dépeignent un quotidien marqué par les mêmes montées d'adrénaline que celles vécues par les journalistes. Leurs préoccupations sont calquées sur celles des salles de nouvelles : « Souvent, moi, je dis : "Quel est notre objectif pour demain matin ? Qu'est-ce qu'on veut comme première page, et où, pour cette nouvelle-là ?" Et selon la nouvelle, on va dire : "Quel est le meilleur journaliste pour couvrir ça ? Qui est celui qui aurait la meilleure compréhension ?" » explique un professionnel de la communication[1]. Il n'est pas journaliste, mais il endosse les fonctions d'affectateur et de chef de pupitre.

Une responsable des relations médias décrit son travail : « Il faut souvent aller chercher l'information à deux ou trois endroits, puis il faut la compiler. C'est faire la somme de tout ce qui existe pour avoir la vraie version ou la version qui va être le plus fidèle à la réalité possible. » Et il faut le faire vite, précise-t-elle. Ses tâches ainsi décrites ressemblent à un copier-coller du labeur journalistique.

C'est l'un des constats les plus éclairants que l'on peut tirer de l'analyse du discours des relationnistes interviewés au printemps 2015[2] : ils s'attribuent des rôles et des fonctions similaires à ceux des journalistes, avec une hiérarchie souvent semblable à celle des médias d'information.

Les relationnistes parlent également des journalistes qui couvrent leur *beat* (champ d'intervention) en utilisant des adjectifs possessifs : « mes vieux journalistes », « mes intervenants ». Les relationnistes veulent leur fournir une information «vraie, d'intérêt public, contextualisée», «clé en main». Ils se présentent comme les experts de leur organisation, donc les mieux placés pour formater cette information.

Par ailleurs, tous les relationnistes insistent pour que ce soit eux, et seulement eux, qui jouent ce rôle de liaison entre les médias et leur entreprise. Seul le chargé des communications répondra au journaliste : «On a plein de systèmes d'alarme

Les journalistes interrogés dans le cadre de la recherche apprécient ce mode opératoire quand ils ont besoin de chiffres, de statistiques ou d'une réponse rapide. Il en est de même quand cela leur amène un *scoop*, quand ils ont été choisis par le «relationniste-affectateur» pour «sortir la nouvelle». Ils saluent le travail des relationnistes qui leur ouvrent la porte de leur organisation.

> « Ce n'est pas parce que les journalistes ne sont pas bons. C'est parce que la machine qui contrôle le message est tellement rodée, tellement efficace. »

ici pour pas que n'importe qui entre [dans l'immeuble]. Au niveau des médias, c'est la même chose», explique l'un d'eux. «Chez nous, les employés ont ordre de ne pas parler directement aux journalistes», précise une autre. «C'est la règle», «c'est obligatoire», «c'est non négociable», disent-ils. «On ne laisserait pas quelqu'un qui n'a pas de formation en boucherie faire des coupes de viande en magasin. Pourquoi on laisserait quelqu'un qui n'a pas de formation média se faire interviewer sans ce soutien?» Assurer la crédibilité de leur client et la cohérence des messages publics légitime selon eux cette façon de faire.

Du même souffle, ils déplorent leur faible marge de manœuvre par rapport à l'industrie des relations publiques. Les 20 journalistes[3] interrogés à l'hiver et à l'automne 2014 parlent d'un étau qui se resserre sur eux : les relationnistes sont un «passage obligé», un «rempart», un «filtre», «des gardiens des journalistes», «le chien de garde des organisations». Les journalistes constatent que les stratégies des relationnistes pour se rendre incontournables fonctionnent : «Ils veulent contrôler l'information et contrôler l'accès aux intervenants. Y'a pas moyen d'aller au-delà», déplore l'un d'entre eux. «Ce n'est pas parce que les journalistes ne sont pas bons. C'est parce que la machine qui contrôle le message est tellement rodée, tellement efficace», résume un autre.

un journaliste. Les journalistes doivent aussi alimenter différentes plateformes en continu : «Il faut nourrir la bête. Dès qu'il y a de quoi qui sort, il faut que ça se retrouve

Selon certains auteurs, de 40 à 80 % des nouvelles reposent sur du contenu fourni par les relationnistes.

Cette autonomie restreinte explique en partie pourquoi les médias d'information contiennent autant de matériel issu des officines des relations publiques. En effet, selon certains auteurs, de 40 à 80 % des nouvelles reposent sur du contenu fourni par les relationnistes[4]. La une des quotidiens montréalais contient en moyenne 39 % d'éléments identifiables provenant des relations publiques[5]. De plus, les données les plus récentes d'Emploi Québec (2014) indiquent que la province compte 5 000 journalistes pour 30 000 directeurs et professionnels en «publicité, marketing et relations publiques». Les professionnels des communications ne font pas tous des relations médias, mais les journalistes «jouent en infériorité numérique», comme le déplore l'un d'entre eux. À ce ratio inégal journalistes-relationnistes s'ajoutent les multiples heures de tombée des journalistes : «Quand je passe ma journée en ondes, je n'ai pas le choix de me fier à l'information qui est soumise dans le communiqué de presse», raconte

sur le web tout de suite.» Face à ces défis, les journalistes se tournent vers l'information «officielle». «J'utilise le communiqué, parce que c'est plus rapide et c'est fiable», dit un journaliste. C'est un compromis en attendant de faire mieux, ou à défaut de faire mieux : «On n'est jamais sûr à 100 % que l'information qu'ils nous donnent est la bonne, mais ça reste que c'est une information qui vient d'une voix officielle. Si ce n'est pas la bonne information, ce sont eux qui ont l'air fous plus tard.» Le relationniste devient en quelque sorte une assurance-véracité pour les journalistes.

DEVOIRS D'ÉQUITÉ ET D'ÉQUILIBRE

Au devoir de véracité des journalistes s'ajoutent d'autres obligations déontologiques qui mènent ceux-ci vers les relationnistes. Les journalistes citent les valeurs d'équilibre et d'équité, notamment : «T'as comme pas le choix. T'as un reportage à livrer et puis il faut que tu donnes l'autre côté de la médaille», explique l'un d'eux. Donner une voix à toutes les parties concernées dans un reportage lie les mains des journalistes, soulignent-ils. Par exemple, lorsqu'un protagoniste ne veut pas donner d'entrevue : « Il embauche une firme de PR [relations publiques] pour sortir un petit communiqué de presse de trois paragraphes dans lequel il y a une belle citation, et c'est la seule qu'on a. Eh bien, on va la prendre là. » Un autre affirme : « On est obligé de dire quelque chose qu'ils disent. Puis des fois, c'est frustrant, parce que tu sais que ce qu'ils disent dans le univers. Les relationnistes sont au service de leurs clients, alors que les journalistes « servent l'intérêt public ». Dans le même esprit, tous les journalistes disent qu'ils ne font « pas entièrement confiance » aux relationnistes et ils mettent l'accent sur leur responsabilité éditoriale : ils contournent, ils confrontent, ils questionnent les relationnistes. Ils admettent aussi qu'ils ont « le dernier mot », puisque ce sont eux qui, au bout du compte, publient. Ils ont même le pouvoir de mettre au jour les stratégies déployées par les relationnistes : « Si on se fait donner une cassette, bien, je

> # La majorité des relationnistes perçoivent les journalistes comme des extensions de leur profession.

communiqué n'est pas tout à fait exact. Et s'ils te l'avaient dit en entrevue, tu aurais sous-questionné [relancé]. Mais là, tu ne peux pas. » Les journalistes constatent que les relationnistes connaissent ces obligations déontologiques : « Ils vont appeler puis ils vont dire : "Hé, nous on n'a pas pu s'exprimer dans cet article-là, rajoutez notre point de vue à nous !" »

LES JOURNALISTES NE SONT PAS DES RELATIONNISTES

L'analyse du discours des journalistes montre qu'ils tiennent à préserver la frontière qui les sépare des relationnistes : ils insistent sur la distinction entre les deux

n'écris pas le terme *cassette*, mais je veux le faire comprendre au lecteur », témoigne l'un d'eux. Des journalistes prennent le public à témoin : « On a toujours le pouvoir dans l'article de dire : "À telle ou telle question, elle n'a pas répondu", puis de demander aussi au public de juger de la valeur de cette réponse. » Mais ces reportages laissent les journalistes insatisfaits, parce qu'alors la nouvelle gravite autour des relations publiques.

SQUATTEURS DES SALLES DE NOUVELLES

La majorité des relationnistes perçoivent les journalistes comme des extensions de leur profession : « Je les vois comme des courroies de transmission. C'est des partenaires. » « C'est un intermédiaire, une interface. » « Ils sont nos porte-parole auprès du grand public. Ils sont là pour moi. » « C'est un haut-parleur, un messager. »

En adoptant l'identité du journaliste, son rôle et ses fonctions, les relationnistes parviennent à proposer – ou à imposer – *leur* définition d'une information vraie, d'intérêt public et contextualisée. Les journalistes se démènent pour accomplir

publiques deviennent l'antichambre des salles de nouvelles.

Les journalistes se transforment en techniciens, formatant des messages conçus par d'autres, ce qui ne correspond pas à leur vision de la profession. Comme le résume l'un d'eux, « c'est nous qui sommes fondamentalement chargés de travailler avec la matière brute, de la médiatiser et de la transmettre dans l'intérêt du public. Les relationnistes font ce travail-là en amont, supposément pour les journalistes.

Les journalistes se transforment en techniciens, formatant des messages conçus par d'autres, ce qui ne correspond pas à leur vision de la profession.

leur mission, disant qu'« il faut vraiment aller chercher le sujet dans l'arbre », « sortir du *beat* nouvelles », insistant sur le fait qu'ils n'ont pas les mains liées. « On a le choix. On a toujours le choix », assurent-ils. Mais le grand nombre des relationnistes, leur façon de gérer les relations médias, les contraintes de production des journalistes et leurs obligations déontologiques font en sorte que les relations

Ils le font non pas pour l'intérêt du public, mais pour un intérêt personnel ou corporatiste ou politique ».

La recherche présentée ici démontre que les journalistes conçoivent une partie de leurs reportages avec du matériel préformaté, prêt à être diffusé, plutôt qu'avec de la « matière brute ». ◊

Notes et sources, p. 322

Recherche scientifique

MISSION : ÉCLAIRER LA LANTERNE DES DÉCIDEURS

En 2017, l'innovation, la recherche et le développement seront sur toutes les lèvres. Alors que le gouvernement de Justin Trudeau travaille à positionner le Canada comme un leader mondial en recherche fondamentale, au Québec, la ministre de l'Économie, de la Science et de l'Innovation, Dominique Anglade, planche sur la prochaine stratégie de recherche et d'innovation et sur le Plan d'action en économie numérique.

Voilà des enjeux cruciaux qui rempliront l'agenda du scientifique en chef du Québec, Rémi Quirion. Celui qui a eu une riche carrière de chercheur en neurosciences a été le premier à occuper ce poste à sa création en 2011. En plus de présider les trois Fonds de recherche du Québec[1] (FRQ) et de conseiller la ministre Anglade quant au soutien et au développement de la recherche et de l'innovation au Québec, ses mandats sont de positionner la recherche québécoise au Canada et à l'international, de promouvoir les carrières en recherche et la culture scientifique, ainsi que de coordonner des enjeux communs et le développement des recherches intersectorielles.

Au terme d'un premier mandat de cinq ans, renouvelé par le Conseil des ministres jusqu'en 2021, Rémi Quirion dresse un bilan de ses réflexions en exclusivité pour *L'état du Québec*.

PROPOS RECUEILLIS PAR ANNICK POITRAS
Journaliste indépendante et directrice de *L'état du Québec 2017*

Quand vous repensez à votre premier jour de travail à titre de scientifique en chef il y a cinq ans, qu'est-ce qui vous vient à l'esprit ?

Que j'étais probablement un peu naïf ! (*rire*) Comme mon poste n'existait pas auparavant, je ne savais pas vraiment ce que j'allais faire, je n'avais pas de description de tâches précise. Je savais toutefois que mon rôle était de conseiller le gouvernement et d'amener tout le monde, soit les gestionnaires des trois Fonds de recherche du Québec, les chercheurs et les politiciens, à travailler ensemble. Je connaissais peu de choses de la politique et de ses modes de fonctionnement. Mais comme un de mes objectifs était d'établir des liens avec les élus afin de mieux leur faire connaître la recherche et ses impacts sur la société, j'ai appris à naviguer.

« Le gouvernement de Justin Trudeau réfléchit sur le modèle de conseiller scientifique qu'il souhaite mettre en place, et l'Ontario y songe aussi... Ce qui me ferait des amis au pays ! »

Avez-vous réussi ce pari ?

Apprendre le jeu de la politique n'est pas sorcier, mais j'ai quand même fait face à un défi, celui d'œuvrer sous l'autorité de six ministres en cinq ans, et ce, sous trois gouvernements différents. (*NDLR : les gouvernements de Jean Charest, de Pauline Marois et de Philippe Couillard.*) Comme conseiller du ministre, il faut s'adapter aux réorganisations administratives qui viennent avec tout changement de gouvernement. Il y a des avantages à ces restructurations : par exemple, je connais aujourd'hui beaucoup de fonctionnaires, ce qui facilite les partenariats avec les Fonds de recherche du Québec, que ce soit en santé, en éducation, en agriculture, en environnement ou en sécurité publique.

Quelles questions ont requis un avis scientifique récemment ?

C'est très varié ! Nos chercheurs ont notamment informé le gouvernement sur les sources de radicalisation chez les jeunes et les risques que posent les drones sur le plan de la sécurité publique, par exemple. L'idée, c'est de se servir des données probantes et des meilleures pratiques dans le monde pour renseigner les politiciens de manière à ce qu'ils puissent prendre les décisions les plus justes possibles.

De plus en plus d'États sont intéressés par l'idée de créer un poste de scientifique en chef parce que les politiciens, bombardés d'informations, ont besoin d'avis d'experts rapidement pour pouvoir réagir sur la place publique. Avec l'appui de ses collègues, un scientifique en chef peut vite éclairer un ministre, voire un premier ministre sur une question d'actualité brûlante. Et ça ne peut attendre à la semaine prochaine, c'est du conseil *live*, souvent par téléphone! De là l'importance, pour moi, de développer un lien de confiance avec les décideurs.

Est-ce qu'Ottawa souhaite aussi se doter d'un scientifique en chef?
Oui, le gouvernement de Justin Trudeau réfléchit sur le modèle de conseiller scientifique qu'il souhaite mettre en place, et l'Ontario y songe aussi... Ce qui me ferait des amis au pays! Comme le fédéral donne une partie des subventions dont bénéficient nos chercheurs, il est un partenaire incontournable pour faire avancer la cause de la recherche et répondre aux préoccupations des élus.

Voilà qui détonne avec la philosophie de l'ancien gouvernement conservateur de Stephen Harper, non?
C'est sûr que l'arrivée du gouvernement libéral de Justin Trudeau change la donne. Pendant 10 ans, sous l'ancien gouvernement conservateur, certains chercheurs employés de l'État, qui travaillaient par exemple au Conseil national de recherches du Canada ou au ministère de l'Environnement et des Changements climatiques, ont dit avoir eu l'impression d'être contrôlés.

Le nouveau gouvernement libéral souhaite maintenant repositionner le Canada comme un leader en recherche fondamentale. Je suis optimiste. Cela favoriserait notamment l'innovation au pays. À ce sujet, j'ai d'ailleurs la chance de siéger au comité d'examen sur le soutien fédéral à la science fondamentale (*voir complément*).

Le Québec et le Canada peuvent-ils s'améliorer sur le plan de la recherche et de l'innovation?
Selon les données internationales, le Québec et le Canada sont au même point. Disons qu'on est dans la moyenne, alors qu'on devrait être parmi les meilleurs, ne serait-ce que dans nos secteurs d'expertise déjà développés, comme l'énergie verte et l'aérospatiale, domaine dans lequel on a un chef de file mondial avec Bombardier. Il faut se positionner dans nos forces, comme le font de petits pays comme Singapour, Israël, la Suisse... Ces pays ont choisi quelques secteurs particuliers et ont investi de façon conséquente en recherche fondamentale. Ils se sont donné les moyens de performer, de se démarquer, et par la suite ils ont facilité les processus d'innovation dans leurs entreprises.

Ici, nos nombreuses PME évoluent dans une dynamique particulière et ont un rapport différent de celui des grandes entreprises avec la recherche et développement (la R et D). Comme elles ont des ressources plus limitées, elles investissent peu en innovation. Est-ce que la R et D changera leurs façons de faire ? Perdront-elles du temps ? Au final, est-ce que ce sera rentable ? Mais si on veut avancer, on n'a pas le choix de prendre certains risques.

Dans ce contexte, qui devrait être responsable de faire de la R et D au Québec ?
Il faut trouver une façon de mieux marier les collèges, les universités et les PME. La majorité des jeunes que je rencontre souhaitent travailler de façon plus transversale. Alors pourquoi ne pas les envoyer faire des stages pratiques dans l'industrie tôt dans

QUI EST DONC RÉMI QUIRION ?

Jusqu'à sa nomination à titre de scientifique en chef en 2011, Rémi Quirion était vice-doyen aux sciences de la vie et aux initiatives stratégiques de la Faculté de médecine de l'Université McGill et conseiller principal de l'Université (recherche en sciences de la santé). Il était également directeur scientifique du Centre de recherche de l'Institut Douglas (santé mentale), professeur titulaire de psychiatrie à l'Université McGill et chef de la direction de la Stratégie internationale de recherche concertée sur la maladie d'Alzheimer des Instituts de recherche en santé du Canada (IRSC). Il fut aussi le premier directeur scientifique de l'Institut des neurosciences, de la santé mentale et des toxicomanies, l'un des 13 IRSC.

Ses recherches ont porté sur les pertes de mémoire dans la maladie d'Alzheimer et sur la perte d'efficacité des opiacés, comme la morphine, dans le traitement de la douleur chronique.

Rémi Quirion a obtenu son doctorat en pharmacologie de l'Université de Sherbrooke en 1980 et a effectué un stage postdoctoral au National Institute of Mental Health, aux États-Unis, en 1983. Auteur de plus de 700 publications dans des revues scientifiques reconnues, il est l'un des chercheurs en neurosciences les plus cités dans le monde.

Rémi Quirion a été honoré de nombreux prix et distinctions au cours de sa carrière. Il a notamment reçu la Médaille de l'Assemblée nationale du Québec, le Prix du Québec Wilder-Penfield et le prix Dre Mary V. Seeman. Il est de plus chevalier de l'Ordre national du Québec et membre de la Société royale du Canada, de l'Ordre du Canada et de l'Académie canadienne des sciences de la santé.

leur formation, tant dans les PME que dans les grandes entreprises ? Au départ, les PME peuvent être réticentes, car elles ont peu de temps, d'employés et de moyens. Mais au final, ça marche ! Le stagiaire se fait souvent embaucher par l'entreprise. Créer un programme d'arrimage étudiants-PME qui aurait une vraie pérennité serait à mon avis gagnant-gagnant et plus efficace, en général, que des crédits d'impôt visant à favoriser l'innovation en entreprise.

En quoi la transformation actuelle des technologies change-t-elle le défi d'innover ?
Est-ce que nos PME ont eu peur du numérique ? Peut-être. Elles ont pris ce virage lentement. Mais ça avance, et le Québec planche maintenant sur son nouveau Plan d'action en économie numérique. C'est un défi complexe, car au départ on n'a pas tous la même compréhension de ce qu'est le numérique et de ce en quoi devrait consister une stratégie numérique. Par exemple, on parle beaucoup du concept de ville intelligente. Mais une ville intelligente, c'est beaucoup plus que de savoir qu'il y a un stationnement libre en face de son bureau ! Il faut voir plus large. On a des experts fabuleux qui travaillent à développer divers aspects de la ville intelligente. Et ce n'est qu'un exemple, car ça bouge très vite dans tous les secteurs : en analytique d'affaires, en intelligence artificielle, en nanotechnologies, en foresterie et en agriculture de précision. Le Québec n'a pas le choix de suivre le mouvement, car si on ne fait rien, on va rester derrière.

Est-ce qu'on a les moyens financiers de mieux outiller nos PME ?
Je pense qu'on peut trouver les moyens, parce que les pays qui le font constatent que ce type d'investissement rapporte. L'innovation, c'est comme l'éducation, il faut être constant dans ses investissements à long terme pour en récolter les fruits.

Les chercheurs québécois réclament une réforme de la Politique nationale de la recherche et de l'innovation. Pourquoi cette politique est-elle importante ?
Cette politique deviendra une stratégie de recherche et d'innovation. L'objectif est de mettre en place un programme d'actions en milieu scolaire et industriel, une sorte de stratégie du savoir qui donnera une direction à tous.

Qu'est-ce que cette stratégie apportera de neuf ?
Premièrement, il faut qu'elle vienne avec des budgets ! (*rire*) Et qu'elle identifie nos secteurs forts, les niches dans lesquelles investir nos efforts de recherche stratégiques : développement durable, énergie verte, changements climatiques, etc. On a aussi une des populations les plus vieillissantes dans le monde et il y a des défis de société associés à cela, tant en médecine qu'en culture ou en technologie. Pourquoi ne pas choisir de devenir des experts dans ce domaine, par exemple ? Tout est possible.

Sciences et innovation :
de nouvelles fondations en construction

Puisqu'elle est source de progrès dans tous les secteurs économiques, promouvoir la recherche scientifique est au cœur des ambitions de nos présents gouvernements. L'année 2017 verra évoluer trois vastes chantiers.

1- LA STRATÉGIE QUÉBÉCOISE DE LA RECHERCHE ET DE L'INNOVATION

La Stratégie québécoise de la recherche et de l'innovation (SQRI) — Oser innover vise à donner au Québec une vision gouvernementale claire, cohérente et actuelle afin qu'il évolue vers une société du savoir plus prospère, avant-gardiste et rayonnante.

Dans sa stratégie pour l'innovation 2015, l'Organisation de coopération et de développement économiques (OCDE) signale l'urgence de trouver de nouvelles sources de croissance et souligne que les économies les plus résilientes sont les plus innovantes. Rappelons que, dans le contexte mondial actuel, tout évolue très vite, notamment dans les domaines de la recherche et de l'innovation. Le Québec doit donc accélérer le rythme et en faire davantage, en plus de stimuler sa productivité ; ce sont là des conditions essentielles à la réussite collective.

Cette stratégie est élaborée en collaboration avec les citoyens, les experts, les entreprises et les organismes selon leurs préoccupations, leurs besoins et leurs idées. Elle sera présentée au printemps 2017.

Des faits saillants

- La recherche publique Québécoise fait bonne figure à l'échelle internationale. Les dépenses qui y sont associées (institutionnelles et étatiques) ont en effet atteint 0,92 % du PIB du Québec en 2013. Très peu de régions à l'échelle internationale investissent autant à ce chapitre.

- Les chercheurs diffusent largement les nouvelles connaissances par l'intermédiaire des canaux habituels, notamment les publications scientifiques. Les chercheurs québécois produisent environ 1 % des publications scientifiques mondiales alors que la population du Québec ne représente qu'environ 0,1 % de la population mondiale.

- Les dépenses québécoises en R et D industrielle sont en décroissance. Il est primordial de trouver des solutions pour accentuer le transfert des résultats de la

R et D vers la société, le marché et les utilisateurs, et pour en accroître les retombées.

- Par rapport à d'autres régions ou pays comparables, le Québec n'obtient que des résultats moyens en matière de commercialisation. Les difficultés concernent généralement l'accès au capital, la compétitivité sur les marchés mondiaux ainsi que l'attraction de talents et le perfectionnement de l'ensemble des compétences appropriées.
- Le leadership créatif des individus et des communautés, qui peuvent par exemple s'appuyer sur l'innovation ouverte ou la recherche intersectorielle en innovation, est essentiel dans les entreprises et les organismes. L'enseignement supérieur et l'entrepreneuriat sont des vecteurs clés de la créativité. Malgré une forte hausse de la proportion de sa population détenant un diplôme universitaire, le Québec n'a toujours pas rattrapé son retard historique par rapport au Canada et à la moyenne de l'OCDE. En 2014, le pourcentage de la population âgée de 25 à 64 ans ayant obtenu un diplôme universitaire atteignait 26,3 % et se situait à près de 5,7 points au-dessous de la moyenne des pays de l'OCDE.
- Un indicateur de performance qui mesure la collaboration entre les universités et les entreprises montre la part de la recherche du secteur de l'enseignement supérieur qui est financée par le secteur privé. Au Québec, en 2013, cet indicateur était de 7,7 %, comparativement à 7,2 % pour l'ensemble du Canada.

Source: Ministère de l'Économie, de la Science et de l'Innovation du Québec, *Oser innover. Stratégie québécoise de la recherche et de l'innovation*, en ligne: www.economie.gouv.qc.ca.

2- LE PLAN D'ACTION EN ÉCONOMIE NUMÉRIQUE

Le gouvernement du Québec investira près de 200 millions de dollars sur cinq ans pour la réalisation des mesures présentées dans le plan d'action. Ces investissements dans toutes les régions du Québec constituent de nouveaux engagements visant essentiellement la croissance du secteur des technologies de l'information et des communications (TIC) et la transformation numérique des entreprises et des organisations québécoises. Ils auront un effet d'entraînement important sur le développement d'un écosystème numérique performant au Québec.

Trois objectifs pour positionner le Québec sur les marchés mondiaux

- Que les TIC soient davantage intégrées dans l'ensemble des entreprises et, en conséquence, qu'une proportion accrue de celles-ci s'approprient ces technologies et vendent leurs produits et services en ligne.
- Que l'intensité numérique des entreprises manufacturières québécoises soit rehaussée et, en conséquence, qu'une proportion accrue d'entre elles soient innovantes.

- Que le Québec consolide sa position parmi les acteurs les plus importants en TIC sur les marchés internationaux et comme terre d'accueil d'entreprises numériques innovantes dans des créneaux en forte croissance.

Cinq grands axes d'intervention prioritaire

- Stimuler l'émergence d'innovations par les technologies numériques et les données.
- Accélérer la transformation numérique des entreprises et l'adoption du commerce électronique.
- Renforcer la position du secteur des TIC comme chef de file mondial.
- Se doter des compétences numériques requises.
- Assurer un environnement d'affaires attrayant et favorable au déploiement du numérique.

Ce plan d'action sera un des trois pôles qui formeront la nouvelle Stratégie numérique du Québec.

Source: Ministère de l'Économie, de la Science et de l'Innovation, *Plan d'action en économie numérique*, en ligne: www.economie.gouv.qc.ca.

3- L'EXAMEN DU SOUTIEN FÉDÉRAL AUX SCIENCES

Le gouvernement libéral de Justin Trudeau s'est engagé à soutenir la recherche d'excellence au Canada. Devant la concurrence internationale grandissante, il est nécessaire de s'arrêter afin de voir quelles mesures s'imposent pour maintenir le classement du Canada à l'échelle mondiale. Cet examen garantira que le soutien fédéral à la recherche est stratégique et efficace, et qu'il procure des avantages optimaux au milieu de la recherche ainsi qu'aux Canadiens dont la vie est enrichie par ces découvertes.

Le budget de 2016 prévoit que la ministre fédérale des Sciences supervisera un examen exhaustif de tous les éléments du soutien fédéral à la science fondamentale au cours de la prochaine année. Pour respecter cet engagement, le gouvernement a nommé un comité consultatif composé d'experts de divers horizons. Ce comité est un organe indépendant et non partisan dont le mandat est de fournir des conseils et des recommandations non exécutoires à la ministre des Sciences.

Le comité jettera un regard neuf sur ce que fait le gouvernement fédéral pour soutenir la recherche dirigée par les chercheurs et sur ce qui peut être fait pour optimiser ce soutien. Il fournira aussi des conseils pour maintenir et renforcer le classement international du Canada en matière de science fondamentale. L'objectif est de faire en sorte que les scientifiques soient équipés, formés et préparés pour produire des travaux de pointe qui peuvent faire avancer la prospérité économique et sociale du Canada.

Cette initiative est complémentaire au Programme d'innovation du Canada annoncé par le ministre de l'Innovation, des Sciences et du Développement économique, M. Bains, qui, lui, mettra l'accent sur la transformation des atouts scientifiques du Canada en avantages économiques et sociaux.

Le comité consultera le public et les membres de l'écosystème de recherche postsecondaire du Canada par différents moyens. Il maintiendra un portail en ligne pour communiquer avec les Canadiens et s'inspirera des soumissions reçues pour présenter ses conclusions. Les Canadiens sont invités à consulter le site du comité pour obtenir plus d'information sur les modalités de participation.

Le comité devrait présenter ses recommandations à la ministre des Sciences d'ici la fin de 2016. Le rapport final sera rendu public sur le site www.examenscience.ca.

Source : site L'examen du soutien fédéral à la science, en ligne : www.examenscience.ca. ¶

Notes et sources, p. 322

Économie

LE QUÉBEC DANS UNE PÉRIODE DE CROISSANCE MOLLE ?

Depuis la récession de 2008-2009, la croissance économique est plus faible que par le passé. Certains observateurs affirment même qu'il s'agit de la nouvelle norme, notamment aux États-Unis et en Europe. Le Québec est-il lui aussi entré dans une période prolongée de faible croissance ? Et si oui, y a-t-il lieu de s'en inquiéter ?

MARCELIN JOANIS

Professeur agrégé d'économie, Polytechnique Montréal, et vice-président au développement économique et directeur scientifique du projet Québec économique, CIRANO

STÉPHANIE LAPIERRE

Professionnelle de recherche et coordonnatrice du projet Québec économique, CIRANO

Pour évaluer la situation, les économistes ont généralement recours au taux de croissance du produit intérieur brut (PIB) dit «réel», qui mesure les fluctuations de la production en excluant l'effet de l'inflation. Entre 2009 et 2014, soit depuis la grande récession – laquelle fut d'une ampleur relativement modérée chez nous –, le Québec a enregistré une croissance annuelle moyenne de son PIB réel de 1,6%. Au cours des 30 dernières années, entre 1984 et 2014, il avait connu une croissance annuelle moyenne de 2%. C'est donc dire que la performance récente de l'économie du Québec est plus faible qu'elle ne l'a été dans les dernières décennies.

UN RALENTISSEMENT BIEN ANCRÉ

Pour tracer un portrait plus complet de l'évolution de la situation, on peut se pencher sur une période encore plus longue, de 1948 à aujourd'hui, ce que nous avons fait dans une récente étude en collaboration avec Études économiques Desjardins[1]. Pour adopter cette perspective à long terme, il faut toutefois travailler avec deux séries distinctes du PIB québécois, la première couvrant la période de 1948 à 1980 et la seconde, de 1981 à 2014, soit la dernière année disponible au moment d'écrire ces lignes. En étudiant la performance économique du Québec par tranches de 10 ans (voir le graphique), on constate que la décennie 1960 est celle ayant connu la croissance la plus forte, avec une moyenne annuelle de 5,0%. Pour la période plus large allant de 1948 à 1980, ce taux est de 4,4%, soit plus du double de la moyenne des 30 dernières années (2%). Il y a donc incontestablement au Québec un ralentissement de la croissance économique qui s'est installé progressivement depuis le milieu des années 1960 et qui se confirme avec la décennie la plus récente, que l'on inclue ou non la récession de 2008-2009 dans le calcul. Au-delà des aléas de la conjoncture économique, il y a ainsi une tendance «structurelle» lourde à la baisse.

Croissance annuelle du PIB, Québec, 1948-2014

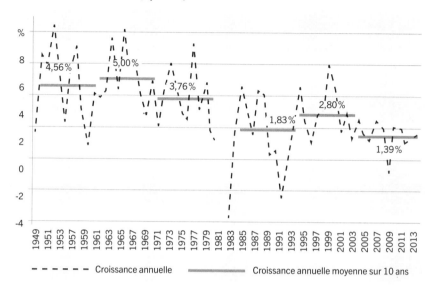

- - - - - - Croissance annuelle ▬▬▬▬ Croissance annuelle moyenne sur 10 ans

Note: Les taux de croissance décennaux sont donnés pour les six périodes suivantes: 1950-1960, 1960-1970, 1970-1980, 1984-1994, 1994-2004 et 2004-2014. Le saut entre 1980 et 1984 est nécessaire pour tenir compte d'une brisure méthodologique dans les sources de données, mais il permet également de ne pas biaiser outre mesure le taux de croissance de la décennie 1980, qui débute par une récession majeure. Ces calculs ont été réalisés par les auteurs à partir des données de 1948-1980 de l'Institut de la statistique du Québec[2] et du tableau CANSIM 384-0038 de Statistique Canada pour les données de 1981-2014.

EST-CE UNE SURPRISE ?

La faible croissance actuelle devrait-elle nous surprendre ? Pour répondre à cette question, il est pertinent d'étudier les grands facteurs qui déterminent la croissance économique à long terme. Celle-ci peut en effet être analysée comme la résultante de trois facteurs : la croissance démographique, qui détermine le bassin de travailleurs potentiels, l'évolution du taux d'emploi parmi ces derniers et la croissance de la productivité (qui est entre autres liée à l'évolution des technologies

de production). En se fiant à ces trois facteurs, aurait-on pu prévoir l'actuelle période de croissance faible ? Dans le cas du Québec, la réponse à cette question se trouve du côté de la démographie. Tout comme plusieurs autres économies avancées, mais dans une plus grande mesure ici, le Québec connaît un ralentissement de la croissance de sa population et une accélération de son vieillissement. Ces deux phénomènes combinés affectent de façon marquée le marché du travail québécois. Dans un texte publié dans

Le Québec économique 2010[3], le ministère des Finances du Québec estimait déjà qu'à partir de 2016 les mouvements démographiques auraient pour effet de plomber la croissance économique. Alors que la démographie avait tiré vers le haut la croissance durant la période 1982-2008, avec une contribution moyenne de 0,6 point par année, sa contribution

ou de qualité de vie plutôt que par le PIB. On sait par ailleurs qu'une croissance économique trop forte peut engendrer des problèmes, notamment de pollution, de surconsommation, d'endettement ou encore d'inégalités sociales. Le niveau souhaitable de la croissance économique doit donc tenir compte de ces externalités négatives. Ces considérations amènent

En envoyant un signal de rareté des ressources, un épisode de croissance faible peut, à terme, être positif pour une société.

annuelle moyenne projetée passera à -0,2 point pour la période 2016-2025. En clair, c'est 0,8 point de croissance qu'il faut dénicher ailleurs, en taux d'emploi ou en productivité, pour espérer retrouver le taux de croissance moyen de la période 1982-2008.

Le phénomène avait donc été prévu, mais on avait sans doute espéré que d'autres facteurs viendraient compenser pour le facteur démographique.

LA FAIBLE CROISSANCE EST-ELLE UN PROBLÈME ?

Une forte croissance économique n'est pas un objectif de société intrinsèquement souhaitable. Ce qui compte réellement, c'est la satisfaction des besoins de la population, que l'on cherchera à mesurer par des indicateurs de niveau de vie

d'ailleurs certains à souhaiter purement et simplement une décroissance économique. Dans cet esprit, on note d'ailleurs la popularité grandissante de concepts comme la croissance inclusive, le développement durable, la simplicité volontaire, etc.

Ceci étant dit, on peut se demander quels sont les défis liés à une faible croissance. Au premier chef, on retrouve ces défis dans la gestion des finances publiques. Pour un gouvernement, une forte croissance économique est synonyme de revenus abondants, ce qui facilite les investissements et le financement des dépenses publiques. À l'inverse, lorsque la croissance n'est pas au rendez-vous, les gouvernements doivent faire des ajustements parfois considérables afin que la croissance des dépenses demeure compatible, à long terme, avec celle des revenus. La raréfaction des ressources affectera également les budgets des autres agents économiques, ménages comme entreprises, les plaçant souvent devant des choix difficiles.

Néanmoins, en envoyant un signal de rareté des ressources, un épisode de croissance faible peut, à terme, être positif pour une société. Cela peut en effet encourager une meilleure utilisation des ressources disponibles. Cette optimisation pourra se traduire par des gains d'efficacité dans toutes les sphères de la société. Il en découlera notamment une hausse de la productivité dans les secteurs publics et privés ou encore une gestion plus responsable de l'endettement personnel. Il n'est donc pas interdit de croire que des bénéfices économiques soient associés à une période de faible croissance comme celle que nous connaissons actuellement[4].

PEUT-ON INVERSER LA TENDANCE ?

Atténuer voire inverser la tendance à la baisse de la croissance est envisageable. Puisque l'on n'est pas aux prises ici avec un défi de nature conjoncturelle, il y a toutefois peu à attendre de la politique budgétaire et de la politique monétaire. Ces outils macroéconomiques peuvent certes soutenir la croissance à court terme, mais ils ne sont pas une réponse appropriée aux enjeux de long terme qui nous intéressent ici.

En revanche, d'autres actions pourraient être menées. Comme nous l'avons vu, la croissance économique dépend de la démographie, du taux d'emploi et de la productivité. La démographie exerçant désormais une pression à la baisse, la croissance économique doit pouvoir s'appuyer sur les deux autres facteurs. Ce constat ne doit toutefois pas occulter le rôle important que peuvent jouer des politiques familiales et d'immigration innovatrices en matière de stimulation de la croissance démographique.

Pour accroître le taux d'emploi, on s'intéressera notamment aux politiques qui peuvent favoriser la réduction des barrières à l'entrée sur le marché du travail. Par exemple, beaucoup d'immigrants connaissent des difficultés majeures en ce qui concerne la reconnaissance de compétences acquises dans leur pays d'origine. La participation des femmes au marché du travail souffrira quant à elle de l'érosion de l'accès aux services de garde subventionnés.

Du côté de la productivité, une option intéressante, maintenant préconisée par les organisations internationales, est le recours aux investissements dans les infrastructures. Le contexte est actuellement favorable à une intensification de ceux-ci, notamment en raison des faibles taux d'intérêt. En outre, la faible croissance elle-même doit être vue comme une occasion pour l'ensemble des agents économiques de faire des gains d'efficacité susceptibles d'accroître la productivité.

Dans un récent ouvrage[5], nous avons proposé une série de réflexions sur le thème : «Maximiser le potentiel économique du Québec». On ne peut que souhaiter que les politiques publiques susceptibles d'être des facteurs de dynamisme pour l'économie du Québec soient analysées en détail dans le cadre d'un programme de recherche continu, actif, varié en matière d'approches méthodologiques et disciplinaires et mené indépendamment par des chercheurs d'ici et d'ailleurs. En se faisant les promoteurs d'un tel programme, les administrations publiques peuvent contribuer puissamment à faire en sorte que la phase de faible croissance actuelle ne devienne pas un piège. Ce rôle de promoteur passera par des administrations publiques proactives dans la diffusion de données ouvertes sur leurs programmes et dans le financement de la recherche appliquée à ceux-ci. Enfin, le respect d'une liberté universitaire permettra l'émergence des solutions originales, diversifiées et parfois paradoxales aux grands problèmes économiques de notre temps. ◊

Notes et sources, p. 322

L'EMPLOI DEPUIS 2008 : LE QUÉBEC A TIRÉ SON ÉPINGLE DU JEU, MAIS...

L'économie semble piétiner depuis la récession de 2008-2009.
Pourtant, en dépit de ces conditions peu favorables, le marché du travail
a connu une progression au Québec. Dans quelle mesure celui-ci
a-t-il vraiment tiré son épingle du jeu ? Décryptage.

JOËLLE NOREAU
Économiste principale, Mouvement Desjardins

D epuis la récession de 2008-2009, le contexte économique plutôt morose pourrait laisser croire que le Québec traîne de la patte, notamment sur le plan de l'emploi. Or, il n'en est rien. Entre 2008 et 2015, l'emploi dans la province a crû de 5,5 %. C'est donc dire qu'il a connu une croissance en dépit des incertitudes qui planaient. L'emploi est un paramètre fréquemment utilisé pour mesurer la croissance, même s'il n'est pas le seul.

UN BON INDICATEUR ?

Mais que peuvent bien représenter 5,5 % d'augmentation ? Pour apprécier ce chiffre, il faut le comparer au taux d'autres provinces et de certains pays de l'OCDE. Selon Statistique Canada[1], la hausse de l'emploi à l'échelle du pays a été de 5,5 % entre 2008 et 2015. Toutefois, cet accroissement est réparti inégalement : l'Alberta est en tête avec une progression de 12 %, alors que l'Ontario et la Colombie-Britannique ont connu une augmentation de l'emploi de 4,7 % et de 2,9 %, respectivement, durant la même période.

Ces comparaisons ne révèlent cependant qu'une seule facette de la réalité. En y regardant de plus près, on constate en effet que durant la dernière récession, le marché du travail québécois a encaissé des pertes moins lourdes que d'autres provinces, que ce soit l'Ontario, l'Alberta ou la Colombie-Britannique. La pente a donc été plus difficile à remonter pour celles-ci puisqu'elles ont dû récupérer, toutes proportions gardées, beaucoup plus d'emplois que le Québec pour revenir au niveau d'avant la récession. Aussi, lorsqu'on analyse l'évolution du nombre de travailleurs entre le creux atteint lors de la dernière crise économique et 2015, le portrait est moins flatteur pour le Québec, qui se classe alors derrière la moyenne canadienne, et notamment derrière l'Ontario et l'Alberta (voir le tableau 1).

UNE ÉCONOMIE DIVERSIFIÉE

On pourrait s'interroger sur les raisons pour lesquelles le Québec a moins écopé que les autres provinces en fait de pertes d'emplois. D'abord, sa structure écono-

TABLEAU 1

Variation du niveau de l'emploi entre le creux de la dernière récession et l'année 2015

	Variation en %	Période
Canada	7,3	2009 à 2015
Québec	6,3	2009 à 2015
Ontario	7,6	2009 à 2015
Alberta	13,7	2010 à 2015
Colombie-Britannique	5,2	2009 à 2015

Sources: Statistique Canada et Desjardins, Études économiques.

mique relativement diversifiée lui a permis d'amortir le choc, bien davantage que l'Ontario, où l'industrie automobile est concentrée, que l'Alberta, dont l'économie est fortement liée au prix des énergies fossiles, et que la Colombie-Britannique, dont une partie de l'activité repose sur son rôle de porte d'entrée vers l'Asie.

Or, durant la dernière récession, l'industrie automobile a déraillé et a fait vaciller l'économie ontarienne. La chute du prix du pétrole a affecté les provinces productrices. Et le commerce international avec l'Asie a passablement ralenti. De plus, l'effondrement du marché américain de l'immobilier a touché davantage la Colombie-Britannique, parce que l'industrie du bois d'œuvre exporte davantage vers les États-Unis que le Québec. Ajoutons à cela les vastes travaux d'infrastructures ici, qui ont permis de maintenir les travailleurs de la construction en emploi, comme cela avait été le cas lors de la récession du début des années 2000, ce qui a soutenu l'économie.

ET NOS VOISINS DU SUD?

Le Québec a connu un repli du marché du travail nettement moins marqué qu'aux États-Unis. Ainsi, de 2008 à 2015, l'emploi y a progressé de 5,5 %, comparativement à 3,3 % aux États-Unis. Toutefois, en y regardant de plus près, on constate qu'entre le creux américain (2010) et le sommet (2015), la progression a été de 8,8 %, comparativement à 6,3 % pour le Québec. Lorsqu'on compare les données québécoises durant la même période avec celles de certains États où le Québec exporte, on ne note cependant pas de différence marquée: 5,4 % pour New York, 5,3 % pour le Massachusetts. Pour leur part, le Connecticut et le Vermont ont affiché une performance plus faible, avec respectivement 1,5 % et 1,7 %. Quant à l'État de Washington (5,4 %), où l'industrie aéronautique occupe une place importante, il présente peu de différence par rapport à la performance québécoise.

LA SITUATION DANS QUELQUES PAYS DE L'OCDE

La zone euro (19 pays en 2016) se relève difficilement de la dernière récession et a fait piètre figure en matière d'emploi en comparaison avec le Québec pour la période 2008-2015. Les conditions économiques y ont été beaucoup plus éprouvantes que de ce côté-ci de l'Atlantique et demeurent difficiles. Dans les faits, le nombre d'emplois en 2015 était encore en deçà de celui qui prévalait en 2008 (-1,8 %).

La moyenne de la zone euro cache néanmoins des disparités. Du côté des piliers, l'Allemagne n'a pas perdu d'emplois (sur la base de la moyenne annuelle) et a même connu une croissance de 5,3 % entre 2008 et 2015. Cela montre la robustesse de cette économie, en dépit du fait que ses marchés d'exportation européen et américain étaient en récession et que celui de l'Asie s'était nettement contracté. Du côté de la France, la progression de des emplois perdus (-0,5 % entre 2008 et 2015). Au Royaume-Uni, la croissance de l'emploi n'a été que de 4,8 % entre 2008 et 2015. En revanche, entre 2010 et 2015, la hausse a été de 7,4 % comparativement, rappelons-le, à 6,3 % pour le Québec.

DES TENDANCES QUI AURONT UN IMPACT

Ces données permettent de tirer plusieurs conclusions. D'abord, que le Québec a connu une croissance de l'emploi depuis la récession, en dépit d'un contexte éco-

Bon nombre d'employeurs éprouvent déjà des difficultés à combler certains postes à cause de la rareté de la main-d'œuvre.

l'emploi n'a atteint qu'un maigre 1,3 %, tandis que l'Italie peine toujours avec un déficit de 2,6 % par rapport à 2008.

Un bref coup d'œil sur la situation en Grèce, en Espagne et au Portugal permet de constater l'ampleur du fossé qui les sépare du Québec. Ainsi, en 2015, la première comptait 21,8 % d'emplois de moins qu'en 2008, la deuxième 12,7 % de moins et le troisième 11,1 % de moins.

Enfin, du côté du Japon et du Royaume-Uni, on remarque que la récession a laissé davantage de séquelles que chez nous, parce que le niveau de l'emploi y avait davantage diminué qu'au Québec. Le Japon n'a pas réussi à récupérer l'ensemble

nomique plutôt incertain. Par ailleurs, le marché du travail québécois a encaissé moins durement la récession que ses partenaires économiques canadiens ou américains, et les efforts nécessaires au rattrapage ont été moins importants. Enfin, la diversité de ses activités économiques est un atout qui a tempéré, en quelque sorte, les mouvements à la baisse de l'économie et de l'emploi au Québec.

Néanmoins, l'évolution récente du marché du travail québécois ne pave pas nécessairement la voie pour les prochaines années. Il faudra en effet composer avec une population qui vieillit plus rapidement que dans le reste du Canada et de l'Amérique du Nord. Cela se traduit par un vieillissement accéléré de la main-d'œuvre et par une diminution du nombre potentiel de personnes prêtes à occuper un emploi.

Bon nombre d'employeurs, aussi bien parmi les petites entreprises, les moyennes et les grandes, éprouvent déjà des difficultés à combler certains postes à cause de la rareté de la main-d'œuvre. Pour certains emplois, notamment ceux de nature technique qui requièrent une formation de niveau secondaire ou collégial, le problème est plus aigu, et le recrutement est si problématique que certains parlent de pénurie.

Le vieillissement de la main-d'œuvre augmente l'urgence de trouver des travailleurs pour remplacer ceux qui partent à la retraite. Cependant, il faut garder en tête que l'arrivée de la relève n'augmente pas le niveau de l'emploi pour autant.

Emploi-Québec a d'ailleurs bien mis en évidence le phénomène dans son plus récent exercice de prévisions de l'emploi (publié en 2016). En fait, ceux qui arriveront sur le marché du travail ces prochaines années seront davantage appelés à succéder à quelqu'un qu'à occuper un nouveau poste. Sur les 1 372 000 emplois à pourvoir entre 2015 et 2024, 82,5 % seraient destinés à remplacer des départs à la retraite, tandis que seulement 17,5 % résulteraient de la création de postes.

En outre, on sait que le groupe des 20 à 29 ans ne compte pas suffisamment de personnes pour prendre le relais des 55 à 64 ans qui quittent le marché du travail au Québec, et ce, depuis 2010. Selon les dernières projections démographiques de l'Institut de la statistique du Québec, on peut d'ores et déjà prévoir que le rapport entre les deux groupes continuera à diminuer jusqu'en 2023. Il commencera par la suite à augmenter, jusqu'en 2033, sans toutefois combler l'écart qui sépare la tranche des 55 à 64 ans de celle des 20 à 29. Ces derniers demeureront donc moins nombreux que leurs aînés.

DES FACTEURS DE RALENTISSEMENT

Une croissance démographique au ralenti signifie également un potentiel de croissance économique moindre, générant une progression de l'emploi moins forte que dans les économies voisines, qui peuvent compter sur une augmentation plus rapide de leur population. Ce phénomène vient appuyer l'idée selon laquelle la création de nouveaux emplois se fera à moins grande vitesse au Québec dans les prochaines années qu'elle ne l'a fait dans la seconde moitié du XXe siècle et au début du présent millénaire.

S'ajoute à cela la robotisation croissante des activités économiques. Elle ne touche pas que la production manufacturière : elle s'introduit également dans le secteur des services. Les avancées technologiques sont fulgurantes et promettent encore davantage dans les années à venir. Quel en sera l'effet net ? On a déjà observé la baisse du nombre d'emplois aux fonctions répétitives et pour lesquels le recrutement était difficile, en raison de l'intégration de robots. La promesse de créer des postes plus complexes en contre-partie se concrétisera-t-elle ?

On sait aussi que le Québec a un retard de productivité important à combler, notamment dans le secteur manufacturier. Il affronte des concurrents étrangers nette-ment mieux équipés et qui rivalisent avec lui tant sur les marchés étrangers que sur

ploi, on serait tenté de croire qu'il n'y aura pas, ou très peu, de croissance au Québec dans les prochaines décennies.

Mais il s'agirait là d'un raccourci, car la progression de l'économie québécoise passe aussi par des gains de productivité, un rehaussement du taux d'activité chez les travailleurs âgés et une augmentation

> Il est quelque peu réducteur d'évaluer l'économie uniquement par le biais de l'emploi. La création de richesse reposera également sur un meilleur usage des ressources naturelles, énergétiques et humaines.

son propre territoire. De façon générale, on souhaite donc améliorer la compétiti-vité québécoise, et cela passe notamment par une plus grande automatisation.

AU-DELÀ DE L'EMPLOI

Au début de cette analyse, nous nous sommes interrogés sur la pertinence de l'emploi en tant que baromètre de l'écono-mie. On sait que cet indicateur fait moins l'unanimité que par le passé et qu'il n'est que l'une des variables à considérer dans l'analyse de la prospérité. En se basant strictement sur les perspectives de l'em-

des heures travaillées. Il est donc quelque peu réducteur d'évaluer l'économie uni-quement par le biais de l'emploi. La créa-tion de richesse reposera également sur un meilleur usage des ressources natu-relles, énergétiques et humaines. Enfin, la croissance ne viendra pas d'elle-même, elle nécessitera des investissements et, pour ce faire, il faudra en finir avec la morosité. Pour progresser, on ne doit pas se considérer comme battu d'avance... ◊

Notes et sources, p. 322

Coworking : une tendance qui favorise la flexibilité du travail

DIANE-GABRIELLE TREMBLAY
Professeure à l'École des sciences de l'administration, TELUQ – Université du Québec

ARNAUD SCAILLEREZ
Chercheur postdoctoral, ARUC (Alliance de recherche université-communauté) sur la gestion des âges et des temps sociaux, TELUQ – Université du Québec

Le coworking est une solution permettant de travailler à partir d'un autre lieu que son bureau ou son domicile. Basé sur l'entraide et le partage professionnel, il favorise l'émergence d'un modèle plus flexible et collaboratif.

L'espace de coworking, aussi nommé espace de cotravail, espace de travail collaboratif ou encore *third place,* se situe entre le bureau et la maison[1]. Le principe consiste à louer des locaux à plusieurs, ce qui aide à réduire les coûts tout en encourageant le réseautage et l'échange de connaissances.

Les espaces de coworking s'adressent autant aux travailleurs autonomes qu'à certains salariés. Pour les premiers, cette formule permet également de briser l'isolement qu'ils peuvent ressentir en œuvrant à domicile. Quant aux employeurs qui autorisent leurs salariés à utiliser ces espaces, ils ont apparemment moins d'inquiétude quant au fait que leurs salariés soient distraits par des activités domestiques, puisqu'ils ne se trouvent pas chez eux, mais bien dans un lieu de travail collectif. Le mode de fonctionnement de ces espaces semble ainsi correspondre aux attentes de plusieurs en matière de flexibilité, de développement de réseaux, de créativité et d'innovation.

Avec plus de 2 500 espaces à travers le monde en 2013 – dont 1 160 en Europe et 750 aux États-Unis, pays occupant le premier rang – le coworking est une tendance à la hausse[2]. La France dénombrait 121 lieux destinés au travail à distance et aux échanges[3], occupant le sixième rang mondial. Le Québec compte 54 espaces de coworking (27 à Montréal, 6 à Québec et 21 autres à travers les banlieues (Laval, Longueuil et Lévy) et les régions[4]. À Montréal, le premier a été créé en 2008 dans le Mile-End. Le mouvement est encore récent, mais chaque année leur nombre croît.

DES FORMULES VARIÉES

Ces espaces génèrent-ils aussi de nouvelles formes d'organisation du travail? Pour le savoir, nous avons réalisé une enquête qualitative afin de préciser le rôle qu'ils peuvent jouer en matière de flexibilité organisationnelle aussi bien que professionnelle. Nous sionnel. Un processus de communication autour de l'existence du lieu, bien souvent le bouche-à-oreille, suffit à attirer d'autres travailleurs par la suite. Le plus souvent, l'initiative de la création de ces tiers-lieux est individuelle et soutenue par des fonds privés ou majoritairement privés. Mais d'autres situations existent. Ainsi, en France, il est intéressant de noter que les administrations publiques sont intervenues dans ce domaine.

La mise en place d'espaces de coworking se justifie notamment par la recherche d'une relation de travail plus flexible.

nous sommes donc entretenus avec 21 gestionnaires d'espaces de travail collaboratif, 10 en France et 11 au Québec.

La mise en place d'espaces de coworking se justifie notamment par la recherche d'une relation de travail plus flexible. Bien que les attentes soient identiques, les modes de fonctionnement et les objectifs varient.

Les créateurs des espaces de coworking sont, pour la plupart, des travailleurs autonomes qui œuvraient à domicile et souhaitaient réduire leur isolement. Les espaces communautaires de travail sont utilisés par les *coworkers* parce qu'ils sont moins coûteux que les locaux individuels, mais aussi parce qu'ils permettent d'élargir le réseau profes-

Certains espaces de coworking ont été créés loin des centres urbains afin de favoriser le maintien de l'emploi ou d'encourager les initiatives professionnelles dans des zones moins habitées.

Mais des lieux de coworking voient le jour partout, particulièrement dans les secteurs urbains et périurbains. Des promoteurs immobiliers et des investisseurs privés commencent d'ailleurs à acquérir des locaux et à en faire des espaces de travail collaboratif.

Si le secteur privé est très actif en ville, c'est moins le cas dans les zones rurales, où l'initiative publique semble jouer un rôle essentiel, du moins en France. Au Québec, on y retrouve parfois des initiatives privées, comme c'est le cas à Granby avec l'espace NoBuro.

Les formules d'adhésion aux espaces de coworking sont variées et flexibles. On trouve en France comme au Québec des formules de location de bureaux à l'heure, à la demi-journée, à la journée, à la semaine, au mois, au trimestre ou à la carte, avec un tarif dégressif. Certains forfaits proposent des locations cinq jours par semaine, sept jours sur sept ou encore pour le week-end. La location s'effectue selon un horaire traditionnel (de 8 heures à 18 heures) ou est illimitée (24 heures sur 24).

Les tarifs dépendent de la formule choisie et du bureau que l'on souhaite occuper: bureaux à cloisons, fermés, en espace ouvert (*open space*), bureaux mobiles ou permanents que l'on conserve tout au long de la location. Au Québec, les frais mensuels pour utiliser un bureau cinq jours par semaine varient de 250 à 400 dollars hors taxes. En France, les frais pour ce même forfait s'échelonnent de 300 à 400 euros hors taxes (environ 420 à 560 dollars)[5].

DES ESPACES DE FLEXIBILITÉ

Parmi les prestations généralement offertes dans ces espaces, on retrouve au minimum un bureau comprenant de l'équipement de base — photocopieuse, imprimante, téléphone, accès Internet à haut ou très haut débit — ainsi que des salles de réunion, de visioconférence, etc. Certains, plutôt rares, proposent de l'équipement informatique. Le plus sou-

vent, toutefois, les *coworkers* apportent leur propre ordinateur. On retrouve également des espaces de convivialité (salle de repos, cuisinette avec machine à café, etc.) propices aux rencontres et aux échanges. Ceux-ci sont souvent un argument de vente, car ils peuvent potentiellement déboucher sur de nouveaux contrats, réseaux ou apprentissages. Certains espaces offrent aussi des services permanents ou occasionnels (animation, secrétariat, etc.), moyennant un supplément.

En somme, les espaces communautaires de travail proposent un équipement de qualité que les travailleurs autonomes pourraient ne pas être en mesure de s'offrir à leur domicile.

SOURCE D'ÉCHANGES ET DE RENCONTRES

Les espaces de coworking sont aussi des lieux de vie et d'animation, où l'on organise régulièrement des rencontres et des événements à l'intention des utilisateurs.

La plupart des espaces de travail partagés proposent des activités ou événements autour d'une thématique précise. Le but est de faciliter le réseautage entre *coworkers*, tout en consolidant le sentiment d'appartenance à un milieu de vie et à une famille professionnelle.

Au Québec, certains espaces situés à proximité les uns des autres proposent des rencontres communes pour instaurer un esprit de coopération plutôt que de compétition. À Québec, par exemple, les espaces Niviti et Koala ont mis sur pied un «déjeunercauserie collaboratif» auquel l'ensemble de leurs *coworkers* sont conviés. L'espace Koala a d'ailleurs déjà offert à certains travailleurs autonomes de plutôt louer des locaux chez Niviti, estimant que les usagers de cet espace étaient plus susceptibles de contribuer au développement de leur activité. Ces deux espaces réfléchissent en termes d'entraide et de complémentarité d'action davantage qu'en termes de concurrence potentielle. Niviti précise d'ailleurs qu'il «faut travailler pour le *nous*, et le *je* va bien aller[6]».

Autre exemple: à Montréal, un passeport coworking a été créé par sept espaces différents (Espace 106, Hub 305, La Commune, Ecto, La Halte, Orbit et le Plancher de l'Usine C). La création de ce passeport a permis d'organiser des rencontres tous les trois mois, les prémices d'une éventuelle mise en réseau. Le principe du passeport est simple: le *coworker* prend un abonnement pour trois jours et peut utiliser un bureau dans n'importe lequel des sept espaces; en échange, il a droit à un rabais de 50 dollars sur son abonnement. Même si, pour l'heure, le dispositif n'a pas connu le succès escompté, la volonté de collaboration existe.

En outre, parmi les initiatives les plus récentes, certains espaces de coworking (par exemple Esplanade et le Salon 1861, tous deux à Montréal) cherchent à favoriser l'activité des entreprises d'économie sociale et l'entrepreneuriat social dans le but de stimuler le développement de projets dans ce domaine. On peut aussi noter l'arrivée à Montréal, et pour la première fois au Québec, du coworking avec enfants au sein de l'Espace 106 dans le Mile-End. Malheureusement, les choses évoluent rapidement dans le domaine du coworking, et cette initiative n'existe plus; elle est toutefois intéressante, car elle facilitait la conciliation travail-famille des usagers, qu'ils soient pères ou mères de famille[7].

Les résultats de notre recherche sur le coworking montrent que l'on assiste actuellement à l'émergence d'une nouvelle tendance en matière d'organisation du travail, de réseautage et de coopération professionnelle. L'objectif est aussi de faire de ces espaces non pas des concurrents, mais des partenaires et de véritables lieux de partage. Même s'il s'agit d'un phénomène relativement nouveau au Québec, il progresse très rapidement. Il semble satisfaire les besoins de nombreux travailleurs autonomes, mais aussi de certains salariés qui souhaitent élargir leurs réseaux et œuvrer dans de nouveaux environnements de travail. Une tendance à suivre... ¶

Notes et sources, p. 322

Entrepreneuriat

L'ÉCONOMIE QUI POURRAIT SAUVER NOTRE ÉCONOMIE

L'économie sociale, qui regroupe les activités des coopératives, des mutuelles et des organisations à but non lucratif, a fait du chemin depuis l'inauguration en 1852 de la première mutuelle d'assurance et la création, en 1900, de la coopérative à l'origine du Mouvement Desjardins. Malgré un climat économique hostile, l'évolution de ce modèle marginal surprend, mais le défi de sa survie reste entier.

MICHEL LAFLEUR

Professeur, École de gestion, Institut de recherche et d'éducation pour les coopératives et les mutuelles de l'Université de Sherbrooke (IRECUS)

CLAUDE-ANDRÉ GUILLOTTE

Professeur, École de gestion, Institut de recherche et d'éducation pour les coopératives et les mutuelles de l'Université de Sherbrooke (IRECUS)

Devant un système économique ne permettant qu'à une minorité d'améliorer son sort, des Européens ont proposé au XVIIIᵉ siècle l'idée d'un système économique basé sur des valeurs de prise en charge citoyenne, de démocratie, d'équité, d'égalité, de solidarité et de liberté. Ces socles, espéraient-ils, permettraient de créer un nouveau type d'organisations qui s'intégreraient dans un système économique au service des individus.

Ainsi est né le projet de l'économie sociale : une forme d'entrepreneuriat reposant sur des organisations aux valeurs définies, financièrement rentables et engendrant des retombées économiques bénéfiques pour l'ensemble de la société. Aujourd'hui, plusieurs États et instances reconnaissent la pertinence de l'économie sociale dans l'écosystème économique mondial. L'Assemblée générale des Nations unies avait proclamé 2012 l'Année internationale des coopératives[1], et l'Organisation internationale du travail demande à tous les gouvernements d'appuyer ce type d'organisations[2].

En 2013, le gouvernement libéral de Philippe Couillard a aussi adopté une première Loi sur l'économie sociale visant à soutenir celle-ci comme levier de développement socioéconomique et à établir le rôle du gouvernement en cette matière[3]. Malgré son caractère novateur, cette loi a surtout marqué l'aboutissement d'un long parcours au Québec, où il existait depuis longtemps déjà deux lois régissant les coopératives[4] – une pour les coopératives financières (1906) et une pour les autres (1902).

Notons aussi qu'en 1940 a été fondé le Conseil québécois de la coopération et de la mutualité (CQCM), l'instance démocratique dont se sont dotés les réseaux coopératifs et mutualistes québécois afin d'assumer le plein développement de leur potentiel.

Enfin, lors de son Sommet sur l'économie et l'emploi en 1996, le gouvernement péquiste de Lucien Bouchard a donné naissance au Chantier de l'économie sociale (CES), dont la mission est encore aujourd'hui « de promouvoir l'économie sociale comme partie intégrante de l'économie plurielle du Québec et, ce faisant, de participer à la démocratisation de l'économie ainsi qu'à l'émergence de ce modèle de développement basé sur des valeurs de solidarité, d'équité et de transparence[5] ».

Chacun à sa façon, le CQCM et le CES concrétisent aujourd'hui une vision du monde basée sur les forces de l'économie sociale.

valeurs de l'économie sociale, semble plus que jamais nécessaire.

La bonne nouvelle est que le Québec est un terreau fertile pour le développement de cette économie parallèle : la province compte déjà 7 000 organisations de l'économie sociale qui regroupent directement et indirectement des millions de membres. Celles-ci génèrent des ventes annuelles d'environ 40 milliards de dollars et créent 200 000 emplois un peu partout

À travers ses succès et ses échecs, le secteur de l'économie sociale peut développer des capacités entrepreneuriales de premier plan.

LE QUÉBEC, BON ÉLÈVE

Sur différentes tribunes, le directeur général actuel du CES, Jean-Martin Aussant, lance cet appel : « Arrêtons de propager la croyance que les modèles économiques dominants, basés sur l'individualisme et l'efficacité des marchés, fonctionnent[6]. » Entre les lignes, on lit des constats inquiétants : le système économique en place depuis la Seconde Guerre mondiale, fondé sur le libre marché et la croissance des profits, accroît les inégalités sociales entre les riches et les pauvres et encourage une surconsommation de biens qui défie les limites de production et de renouvellement de nos écosystèmes. Une autre vision du développement, basée cette fois sur les

sur notre territoire. Ces 3 300 coopératives et mutuelles et 3 700 organisations à but non lucratif (OBNL) sont très diversifiées, sur le plan tant du nombre d'employés que des secteurs d'activité (ressources naturelles, éducation, santé, assurance, etc.).

RÉPERCUSSIONS
SUR LE LIBRE MARCHÉ

Ces organisations ont aussi un effet régulateur sur le marché en ce qui a trait à l'offre, à la demande et aux prix en vigueur. Par exemple, les coopératives et les OBNL du secteur de l'habitation contribuent à stabiliser le coût des loyers en plus d'aider à améliorer la qualité de l'offre. De même, la présence des coopératives dans le secteur funéraire depuis les années 2000 a fait baisser le prix moyen des services funèbres de 50 % dans l'ensemble du Québec.

Étant donné leur flexibilité, ces organisations sont également habiles à combler des lacunes en matière de services délaissés par les secteurs privé et public. Par exemple, la coopérative forestière Boisaco (Saguenay), la coopérative de santé Les Grès (Mauricie) et la Coopérative de solidarité V.E.R.T.E. active en tourisme et en environnement (Saguenay) illustrent la capacité de l'économie sociale à offrir des services et à générer une activité économique unique répondant aux besoins de la population.

LA RICHESSE RESTE
DANS LES COMMUNAUTÉS

Une partie des surplus empochés par les organisations de l'économie sociale est retournée sous forme de ristournes individuelles et/ou collectives dans leur communauté. Le total de ces ristournes représente un retour dans les communautés créatrices de richesse de 365 millions de dollars par année en moyenne, des sommes qui autrement iraient enrichir quelques actionnaires d'entreprises privées.

Combien de projets et d'événements sportifs, culturels, éducatifs, sanitaires et autres sont créées et soutenus par l'économie sociale ? Aucune donnée précise n'existe pour l'heure au Québec, mais l'étude de quelques cas concrets suggère que l'effet des activités de ces organisations est significatif. Il est impossible de penser le Québec d'aujourd'hui sans cette redistribution de richesse.

UNE ÉCOLE D'ENTREPRENEURIAT

Près de 100 000 citoyens, pour la plupart bénévoles, administrent des entreprises collectives basées sur des élections et des activités de reddition de compte. Plusieurs organisations réservent des postes aux jeunes et leur offrent des programmes d'intégration. Aucun autre secteur économique ne fait autant en matière d'initiation à l'entrepreneuriat et au système démocratique.

Rappelons aussi que les coopératives et les mutuelles ont un taux de survie près de deux fois supérieur à celui de l'entreprise traditionnelle : après cinq ans, 62 % d'entre elles sont toujours en affaires contre seulement 35 % pour les autres[7].

Ces effets bénéfiques sur notre société ne doivent cependant pas masquer les difficultés rencontrées (voire la faillite) d'organisations de l'économie sociale, ni les problèmes démocratiques que certaines connaissent. Mais à travers ses succès et ses échecs, le secteur de l'économie sociale peut développer des capacités entrepreneuriales de premier plan.

SOUTIEN ET FINANCEMENT À LA CLÉ

Qu'ils soient associés au CQCM ou au CES, plusieurs organismes soutiennent le développement de projets d'économie sociale – plan d'affaires, formation, appui technique, conseils stratégiques, etc. Cette expertise et ce filet de solidarité déployés au Québec font l'envie de plusieurs pays.

Parallèlement, depuis 20 ans, le réseau assurant le financement de ce secteur se diversifie : Caisse d'économie solidaire Desjardins, Capital régional et coopératif

Desjardins, Fiducie du Chantier de l'économie sociale, Réseau d'investissement social du Québec (RISQ), Investissement Québec, etc. On note aussi des expériences intéressantes de financement dans de grandes coopératives. Par exemple, en 2015, la coopérative laitière Agropur a obtenu 300 millions de dollars pour ses

forestier et des soins ambulanciers, par exemple, des percées prometteuses se font jour dans les services à la personne (santé, services à domicile), le travail (regroupement de certains professionnels), le tourisme et la culture.

Il faudra d'ailleurs observer comment notre économie sociale se positionnera

> Près de la moitié des propriétaires de PME québécoises prévoient prendre leur retraite d'ici 10 ans. Observerons-nous un mouvement de transformation de ces PME traditionnelles en coopératives ?

projets de développement auprès de bailleurs de capital de risque traditionnel (notamment la Caisse de dépôt et placement du Québec), sans pour autant céder sur sa gouvernance coopérative ou sur la distribution de ristournes à ses membres.

ÉVOLUER ET SE RENOUVELER

Si la création et le développement d'entreprises de l'économie sociale demeureront un défi important dans les années à venir, la conquête de nouveaux secteurs économiques est un aspect crucial à surveiller. Outre les secteurs traditionnels – finance, assurance, agriculture, habitation – et certains réseaux développés depuis 30 ans dans les domaines scolaire, funéraire,

devant deux grands enjeux : le transfert d'entreprises dans un contexte de vieillissement de la population, et l'émergence de l'économie de partage ou collaborative. Près de la moitié des propriétaires de PME québécoises prévoient prendre leur retraite d'ici 10 ans, ce qui les amènera à vendre ou à transférer leur entreprise. Observerons-nous un mouvement de transformation de ces PME traditionnelles en coopératives ? La France connaît de beaux succès à ce chapitre[6].

La rencontre éventuelle de l'économie sociale et de l'économie collaborative soulève aussi des interrogations. Certaines valeurs partagées par ces deux mouvements pourraient créer de nouveaux noyaux dans la dynamique économique actuelle.

UN MODÈLE ENCORE MARGINAL ET MENACÉ

Mais à travers ce bilan somme toute positif, une grande question demeure : le gouvernement du Québec reconnaît-il pleinement l'économie sociale, ou l'accepte-t-il comme simple solution de dernier recours lorsque les acteurs des secteurs privé et public n'y trouvent pas leur compte ?

de modifier la gouvernance des caisses Desjardins : un comité de la fédération aura le pouvoir, entre autres, de remplacer un administrateur ou un dirigeant d'une caisse, de révoquer un conseil d'administration, d'interdire la distribution de trop-perçus et de fixer les taux d'intérêt sur l'épargne, le crédit et les parts de capital. Ces décisions pourraient se prendre sans l'accord des membres propriétaires ou de leurs élus au sein des conseils d'administration locaux. Cette décision du gouverne-

Cette vision de l'économie demeure absente des programmes scolaires, où seuls les modèles traditionnels, avec comme base le modèle capitaliste, trouvent place.

Il n'existe toujours pas de cours ou de contenus obligatoires portant sur l'économie sociale ou sur l'entrepreneuriat collectif dans notre système d'éducation, du primaire à l'université. Encore marginale, cette vision de l'économie demeure absente des programmes scolaires, où seuls les modèles traditionnels, qui ont pour base le modèle capitaliste, trouvent place.

Dans le même ordre d'idées, à cause des pressions induites par certains accords internationaux (accords de Bâle III sur la réglementation bancaire, en 2010), le gouvernement du Québec a prévu en 2016

ment, qui n'était pas encore en vigueur à l'automne 2016, violera la logique de prise en charge et de démocratie propre à la vision coopérative.

Ce phénomène se répète dans les centres de la petite enfance (CPE) et les coopératives de santé, qui se voient dévalorisés par certaines politiques gouvernementales au profit des services privés. Les centres locaux de développement (CLD), où plusieurs groupes de citoyens décidaient de projets collectifs, ont aussi été démantelés au bénéfice d'une seule instance politique, les municipalités, sans autres parties prenantes.

Sous le gouvernement conservateur de Stephen Harper, Ottawa a fermé son secrétariat aux coopératives et a restreint certains programmes de financement, notamment le vital Régime d'investissement coopératif, privant ainsi le mouvement coopératif d'outils adaptés à son développement.

À la lumière de ces exemples, il semble que le défi d'une pleine reconnaissance gouvernementale de l'économie sociale comme levier socioéconomique demeure entier.

Malgré sa différence, l'économie sociale a su jusqu'ici prendre racine dans l'environnement hostile de la vision capitaliste de notre économie, laquelle semble aujourd'hui atteindre ses limites. Ainsi, tout reste à faire dans ce monde parallèle qui vise l'équité et la prospérité économique de tous. ◊

Notes et sources, p. 322

L'ENTREPRENEURIAT COLLECTIF : LA FORCE DU TROISIÈME PILIER

Depuis qu'il a troqué la City de Londres pour le Chantier de l'économie sociale, le financier Jean-Martin Aussant connaît l'économie sociale, aussi appelée « entrepreneuriat collectif », comme le fond de sa poche. Il la considère comme l'un des trois piliers fondamentaux d'une société équilibrée et se consacre à la promotion de ce mode de développement plus durable, qui favorise l'ensemble de la population plutôt que le profit individuel.

JEAN-MARTIN AUSSANT
Directeur général, Chantier de l'économie sociale

EN COLLABORATION AVEC MARTIN FRAPPIER
Directeur des communications et de la recherche, Chantier de l'économie sociale

J eter un regard sur l'évolution de l'économie sociale au Québec depuis 20 ans, c'est pratiquement suivre les progrès et les réalisations de la période la plus riche de ce mode de développement économique, social et culturel. Ce qui était auparavant composé d'initiatives éparses s'est structuré en un véritable mouvement, en grande partie grâce à l'impulsion des travaux menés par le groupe de travail sur l'économie sociale issu du Sommet sur l'économie et l'emploi en 1996, qui s'est déroulé sous le gouvernement alors dirigé par Lucien Bouchard.

Certes, l'histoire de l'économie sociale remonte à beaucoup plus loin – les Premières Nations pourraient en quelque sorte l'appeler leur «économie traditionnelle». Mais les deux dernières décennies ont néanmoins été déterminantes dans son évolution, comme pour plusieurs autres secteurs qui ont connu de grands changements au Québec et dans le monde.

Ceci dit, le regard du grand public sur l'économie sociale n'a pas évolué au même rythme. De l'appellation *économie sociale*, on semble trop souvent ne retenir que la partie *sociale*, en y rattachant une connotation péjorative la confinant par défaut à un développement de seconde zone. On semble oublier que dans *économie sociale*, il y a aussi *économie*. C'est pourquoi je préfère parler d'*entrepreneuriat collectif*. D'une part, parce qu'il s'agit de développement économique en bonne et due forme. D'autre part, parce que l'entrepreneuriat collectif ne se résume pas à une dynamique de lutte contre la pauvreté ou de développement social. Il ne s'agit pas d'un secteur d'activité, mais bien d'une forme de développement identifiable, entre autres, par la forme juridique de l'entreprise, qui place l'intérêt collectif avant l'intérêt individuel, et où la réponse à un besoin de la communauté l'emporte sur l'accumulation des profits pour quelques-uns. Ce qui n'empêche pas ces entreprises d'être rentables, comme en témoigne leur taux de survie de loin supérieur (près du double) à celui des entreprises privées après 5 et 10 ans.

Selon la loi québécoise, l'économie sociale regroupe les entreprises collectives ayant le statut d'organisme à but non lucratif (OBNL), de coopérative ou de mutuelle. Aujourd'hui, à défaut de statistiques officielles complètes, nous estimons de manière très prudente que le

même celui-ci au rang de nation modèle en la matière. Mais l'entrepreneuriat collectif se développe aussi dans d'autres secteurs : commerce de détail, culture, agroalimentaire, industrie manufacturière, technologies, etc. Pour peu que nos décideurs leur accordent une reconnaissance et un soutien équivalents à ceux offerts aux entreprises privées à but lucratif, le potentiel de

Notre économie repose sur trois piliers : le secteur public, le secteur privé et le secteur collectif. Mais la question de l'équilibre entre ces piliers n'est pas réglée.

Québec compte plus de 7 000 entreprises collectives, employant plus de 200 000 personnes[1] et dont le chiffre d'affaires avoisine les 40 milliards de dollars, ce qui représente plus de 10 % de l'économie québécoise. Il s'agit donc d'un poids lourd de notre économie, plus lourd que des secteurs aussi symboliques que l'aéronautique, l'automobile, la construction et les mines.

Il n'est pas question ici de nier l'importante portée sociale des entreprises qui se sont construites pour répondre à des besoins collectifs : services de garde, insertion socio-professionnelle, aide à domicile, logement, santé, périnatalité, etc. Le développement de nombreuses entreprises collectives dans ces secteurs a marqué l'histoire récente du Québec, élevant

développement des entreprises collectives est pratiquement illimité.

À bien des égards, sur le plan économique, les décennies 1980 et 1990 ont été marquées par une certaine absence de solutions de rechange. « There is no alternative », affirmait la première ministre du Royaume-Uni, Margaret Thatcher, qui présentait le libre marché et le capitalisme comme tout aussi bénéfiques que nécessaires au bon équilibre de l'économie mondiale. Depuis, les effets délétères de ce modèle de développement dominant se font de plus en plus sentir partout sur la planète. La situation environnementale se détériore, les inégalités sociales croissent. Et ce ne sont là que deux exemples des limites d'un modèle marqué par des dérives flagrantes qui nuisent au sain développement des sociétés. De l'OCDE, qui plaide aujourd'hui pour une croissance plus inclusive, jusqu'au Fonds monétaire international, qui a reconnu l'inefficacité des politiques d'austérité, les appels en faveur d'un changement profond de logique économique se multiplient.

Or, paradoxalement, il souffle sur le monde entier un vent de désolidarisation auquel le Québec n'échappe pas : des économistes et des technocrates semblent refuser de laisser la réalité nier leurs modèles théoriques basés sur la croissance éternelle et les lois du libre marché (qui, à maints égards, est tout sauf libre).

Pourtant, ces modèles mènent directement ou indirectement à des décisions telles que des compressions budgétaires lourdes de conséquences sur les populations, des partenariats public-privé où les risques sont souvent assumés par le premier et les profits récoltés par le second, la privatisation de certaines missions fondamentales de l'État ; et, plus généralement, à l'hypothèse implicite que le marché saura toujours mieux réguler le développement de nos sociétés que ne pourrait le faire un gouvernement. Sauf qu'il n'existe pas, dans l'histoire économique, la moindre preuve empirique que cette approche ait réellement fonctionné. Au contraire, il existe de plus en plus de distorsions insoutenables au sein des populations, sur les plans économique et social mais aussi sur le plan environnemental.

En 1996, alors que le Québec surnageait en pleine crise économique, le Sommet sur l'économie et l'emploi a inscrit l'entrepreneuriat collectif à l'agenda du renouvellement économique. Depuis, des outils ont été développés : pôles d'économie sociale partout au Québec, formation de la main-d'œuvre, outils de financement spécifiques, développement d'entreprises et de réseaux, recherche appliquée, commercialisation, liaison et transfert, etc. Et la reconnaissance gouvernementale a évolué entre autres par le biais de politiques publiques sectorielles, de plans d'action gouvernementaux, d'une loi-cadre sur l'économie sociale et de liens avec les municipalités.

Le Québec jouissait ainsi d'un écosystème efficace de soutien et d'accompagnement à l'entrepreneuriat collectif louangé un peu partout dans le monde. Paradoxalement, depuis deux ans, la restructuration des outils de développement économique régionaux, notamment la disparition des centres locaux de développement (CLD), a fragilisé cet écosystème et oblige maintenant à procéder à sa reconstruction ou, à tout le moins, à une importante reconfiguration.

LA RECONNAISSANCE DES TROIS PILIERS

On reconnaît de plus en plus qu'il y a une solution au dilemme public-privé, et que notre économie repose en réalité sur trois piliers : le secteur public, le secteur privé et le secteur collectif. Mais la question de l'équilibre entre ces piliers n'est pas réglée. Encore aujourd'hui, le réflexe de l'entrepreneuriat collectif reste à développer chez les décideurs politiques et dans les sphères du développement économique. Au Québec comme ailleurs, les décisions économiques accordent une large place à l'entreprise privée à but lucratif. Plus encore, des préjugés persistent à l'égard des entreprises collectives lorsqu'on les compare au secteur privé traditionnel.

D'ailleurs, il est étonnant de constater que l'on qualifie encore trop souvent les entreprises collectives de «bénéficiaires

tants dans la lutte contre les préjugés. Si le gouvernement n'achetait pas son service d'un OBNL, il devrait se le procurer ailleurs. C'est donc aussi, simplement, un contrat.

Un équilibre entre les trois piliers de l'économie apparaît plus que jamais souhaitable et le contexte y semble favorable. Les économistes sont nombreux à remettre en question le PIB comme indi-

L'entrepreneuriat collectif, qui s'est développé sur la base d'une rentabilité sociale en parallèle à la nécessaire rentabilité économique, a tracé la voie à l'entrepreneuriat social qui prend son envol aujourd'hui.

de subventions». Les faits modèrent grandement cette perception. D'une part, mon expérience internationale dans le domaine financier m'a maintes fois permis d'observer que l'entreprise privée jouit partout d'un soutien financier gouvernemental de loin supérieur à celui accordé aux entreprises collectives. D'autre part, on tend à appeler «subvention» le paiement pour un service livré au gouvernement lorsque ce service est prodigué par un OBNL. Alors que lorsqu'il est livré par une entreprise privée à but lucratif (par exemple, un travail d'asphaltage), on parlera d'un «contrat». Les mots sont impor-

cateur valable du niveau de vie d'une société. S'il est utile pour mesurer une certaine capacité de production, le PIB ne dit rien de la qualité de vie réelle sous-jacente des citoyens.

L'OCDE a ainsi conçu un Indice du vivre mieux[2] qui tient compte du revenu, certes, mais aussi de l'accessibilité à des soins de santé, du système d'éducation, de la qualité de l'environnement, du logement, de la vitalité des territoires et du taux de criminalité, entre autres. Selon cet indice, le Québec se classe au sommet mondial, aux côtés de pays comme le Danemark et la Norvège. J'ai la prétention de croire que la force historique de l'économie sociale au Québec, appuyée sur l'idée toute simple de faire passer le bien-être des populations avant l'accroissement des profits pour quelques actionnaires, a grandement contribué à ce succès admirable.

EN MODE XXIᵉ SIÈCLE

Par ailleurs, on parle de plus en plus d'*entrepreneuriat social* dans le discours économique. En soi, c'est une bonne nouvelle que des entreprises privées aient comme objectif d'engendrer par leurs activités des répercussions sociales positives, au-delà de l'augmentation du prix du titre en Bourse. L'entrepreneuriat collectif, qui s'est développé sur la base d'une rentabilité sociale en parallèle à la nécessaire rentabilité économique, a tracé la voie à l'entrepreneuriat social qui prend son envol aujourd'hui.

Dans l'optique de redonner à la collectivité, la vision des entrepreneurs privés a longtemps été : « d'abord millionnaire, ensuite philanthrope ». La génération montante est beaucoup plus ouverte à la création d'entreprises collectives comme mode naturel de développement, ce qui mène plutôt à une redistribution de la richesse tout au long du projet. Autre signe positif de l'évolution des mœurs : les universités offrent de plus en plus de cours et de programmes en économie et en finance qui traitent d'entrepreneuriat collectif, dépassant les dogmes néolibéraux de la main invisible et des équilibres de marché miraculeux.

Autre phénomène bien de notre époque, les concepts d'économie collaborative et d'économie de partage s'ajoutent au lexique des façons de développer une entreprise. Si l'enthousiasme est grand, il ne faut toutefois pas confondre les genres. La compagnie Uber, incarnation parfaite d'un capitalisme froidement calculateur, aurait pu offrir les mêmes services à titre de coopérative de travailleurs par exemple, répartissant ainsi beaucoup mieux la richesse générée au sein de la collectivité. Les nouvelles technologies, incluant celles développées par Uber ou Airbnb, sont entièrement applicables à l'entrepreneuriat collectif. Rappelons que l'économie sociale n'est pas un secteur d'activité, mais bien un mode de développement qui s'applique à tous les secteurs d'activité et à toutes les technologies.

On peut dire que les espoirs, voire les attentes, sont grands envers l'économie sociale. On sait maintenant que le 1 % des personnes les mieux nanties possède davantage que les autres 99 % des habitants de notre planète. Bien que les inégalités sociales soient moindres au Québec qu'ailleurs, aucun argument intelligent ne peut continuer à justifier ce déséquilibre absurde sur le plan mondial. Le Québec a développé son économie en misant davantage sur l'entrepreneuriat collectif que d'autres États, avec des résultats probants. Il faut poursuivre ce travail en continuant de s'appuyer sur les trois piliers. Et pourquoi pas, inspirer ainsi le reste du monde à viser cet équilibre. ◊

Notes et sources, p. 322

Des profits, des hommes et de l'espoir

PROPOS RECUEILLIS PAR **ANNICK POITRAS**
Journaliste indépendante et directrice de *L'état du Québec 2017*

 À 84 ans, Claude Béland, véritable battant de l'économie sociale au Québec, n'a rien perdu de sa verve. L'homme qui a présidé le Mouvement Desjardins de 1987 à 2000 partage ici un regard lucide, mais dur, sur l'état du Québec et du monde à l'ère de la domination du capital. Heureusement, si on se retrousse les manches, tout n'est pas perdu.

Dans quel état est le Québec actuellement, selon vous?

J'ai vécu trois grandes périodes dans ma vie: la domination religieuse d'avant les années 1960, puis la domination civile de la Révolution tranquille durant laquelle on a bâti une économie au service de la collectivité. Desjardins a connu un essor important pendant cette période-là parce que ça rejoignait les valeurs de ce projet de société. Et puis, dans les années 1980, on a commencé à basculer dans la domination du capital dans toutes les sphères de la société, ici comme ailleurs. Par conséquent, nous vivons maintenant une crise de la démocratie et du vivre-ensemble au Québec.

D'accord, mais ne sommes-nous pas coincés dans un courant économique dominant?

J'admets que le défi est grand. Le génie humain fait des choses merveilleuses et désastreuses; il n'arrive pas à organiser des sociétés permettant à tous de vivre pleinement et dignement.

Pour ma part, c'est après que j'ai lu la Déclaration universelle des droits de l'Homme de 1948 – adoptée par la presque totalité des pays membres de l'ONU au lendemain de la Seconde Guerre mondiale – que le coopératisme et la mutualité me sont apparus comme une philosophie de développement de la société qui permettrait d'assurer la prospérité de tous.

Aujourd'hui, dans mes conférences, quand je demande aux étudiants s'ils ont déjà lu cette déclaration, personne ne lève la main. Peut-être un, de temps en temps... C'est très grave, car ce texte porte des valeurs pourtant fondamentales, les valeurs d'une social-démocratie. Mais aujourd'hui, on est en pleine incohérence avec ses principes. Le système économique mis en place depuis les années 1970, le néolibéralisme, a produit des effets contraires.

Comment pourrait-on faire en sorte de promouvoir les valeurs de l'économie sociale à l'ère du néolibéralisme?

Avec l'éducation. Quand j'allais à l'école, j'entendais le même message qu'à la maison, soit que le partage, c'est important. La quer ces valeurs, car au fond, c'est toujours les valeurs qui font bouger les gens.

Une de mes petites-filles qui est en troisième secondaire apprend comment investir à la Bourse. Les élèves achètent des actions fictives et certains font plus d'argent que d'autres... Ce qu'on met dans la tête des enfants, c'est que la vie, c'est de faire profiter ton capital.

Quand j'entends dire que le salaire minimum actuel est suffisant, car les travailleurs « ils peuvent manger », moi, ce que j'entends c'est : tout est OK, les esclaves sont nourris…

plus grande gloire de mon père, un entrepreneur, était de pouvoir embaucher un nouvel employé. Il disait, fier: j'ai engagé une famille. Ce qui voulait dire: je vais aider à faire vivre sa femme et ses enfants.

Aujourd'hui, la mesure du succès est l'enrichissement individuel. Si tu meurs en laissant des milliards de dollars derrière toi, tu es un héros! La vie a donc perdu de son sens, de sa valeur profonde. À mon avis, ça explique en partie le décrochage scolaire chez les jeunes. Il faut faire en sorte de redonner du sens et enseigner comment créer une société où le système politique, la société civile et le pouvoir économique travailleraient ensemble, au bénéfice de tous. Il faut incul-

Le modèle coopératif tel que vous avez largement contribué à le bâtir est-il obsolète ou dépassé?

Pas du tout, au contraire! Il continue d'ailleurs à se développer et c'est tant mieux. Car dans les années 1900, Alphonse Desjardins a créé une coopérative d'épargne qui permettait à notre nation, selon ses mots, de créer un rempart solide pour se protéger contre ses adversaires et rivaux. Sans préciser de qui il parlait, il disait: c'est ceux qui ne voient pas l'avenir. Aujourd'hui, quand j'entends le premier ministre Couillard dire que ce n'est pas grave d'avoir vendu le Cirque du Soleil ou Rona à des étrangers, et que je vois des agriculteurs prêts à vendre nos terres aux Chinois pour quelques millions, je crains qu'on soit en train de liquider le Québec! Nous avons perdu un rempart de protection.

Mais la rentabilité n'est-elle pas nécessaire pour survivre sur le plan économique?
Être rentable, c'est être capable de s'acquitter de ses obligations financières. Ce n'est pas de faire des milliards de profits et d'annoncer en même temps des milliers de mises à pied, comme le font certaines banques. Alors elle existe pour qui, la banque, finalement? Elle n'existe que pour les actionnaires. J'aimerais que le meilleur banquier soit quelqu'un qui réussit à respecter les principes de l'égalité et de la fraternité. Car l'économie, ça ne peut qu'être au service de la collectivité. Sinon, on dit «au plus fort la poche» et on déclare la guerre à tout le monde. Et c'est ce qui se passe, d'ailleurs. Tout le monde se bat pour la richesse, notamment le pétrole.

Le krach boursier de 2008 et la faible croissance économique qui s'étire depuis semblent indiquer que le néolibéralisme atteint des limites. Est-ce une bonne nouvelle?
Oui. Il faut que ça change, car ce qui tue notre monde actuellement, ce sont les inégalités. Quand 1% des gens détiennent plus de 50% de la richesse mondiale, on revient au temps de la monarchie, avec ceux qui habitaient au palais de Versailles et le reste des gens. Ça a mené à la Révolution française... Quand j'entends dire que le salaire minimum actuel est suffisant, car les travailleurs «peuvent manger», moi, ce que j'entends, c'est: tout est OK, les esclaves sont nourris...

Les inégalités, il y en a toujours eu, mais l'économie sociale contribue à les aplanir. Il faut donc arrêter de penser que c'est une économie des pauvres. Ce n'est pas vrai. D'abord, c'est elle qui nous a permis de survivre, et ça fait maintenant 20 ans que le Chantier de l'économie sociale existe! Ce n'est donc plus vraiment un chantier, d'ailleurs... (*rire*) Alors, j'aimerais que les écoles de gestion cessent de dire: ne perdons pas de temps avec ça!

Vous qui avez travaillé si longtemps en économie sociale, avez-vous parfois l'impression d'avoir tout fait ça pour rien?
Oui... Je dois l'admettre. Écoutez, mon épouse aime beaucoup aller chez Costco. Je lui dis: mais pourquoi tu vas là? Quand on fait ça, on enrichit des Américains et ça fait fermer les épiceries, les magasins locaux et des dépanneurs du coin. On s'en va où en permettant ça? Vers notre fin. La fin de notre nation. Et ça, oui, ça me donne envie de pleurer. ¶

Environnement

TRANSITION ÉNERGÉTIQUE : LES QUÉBÉCOIS SONT-ILS PRÊTS?

Grâce à son hydroélectricité et à ses ambitieux objectifs de réduction des gaz à effet de serre, le Québec fait bonne figure en matière de transition énergétique. Mais les Québécois sont-ils prêts à faire leur bout de chemin?

PIERRE-OLIVIER PINEAU

Professeur titulaire, Chaire de gestion du secteur de l'énergie, HEC Montréal

L e Québec est une société distincte sur le plan environnemental. Son secteur électrique est composé presque entièrement de sources d'énergie renouvelables, en l'occurrence l'hydroélectricité, une situation pratiquement unique sur terre. Seuls la Norvège, l'Islande, le Manitoba et la Colombie-Britannique peuvent se comparer au Québec en matière d'hydroélectricité, mais à plus petite échelle.

De plus, nous avons l'objectif de réduction des émissions de gaz à effet de serre (GES) le plus ambitieux en Amérique du Nord : 20 % sous le niveau de 1990 d'ici 2020 et 37,5 % sous ce niveau en 2030. L'Ontario vise une réduction de 15 % sous le niveau de 1990 en 2020, tandis que la Californie n'aspire qu'à revenir à son niveau d'émissions de 1990 à cette date. Ces deux entités se présentent aussi comme des *leaders* de la lutte contre les changements climatiques.

Nous avons non seulement un objectif, mais une véritable contrainte : le marché du carbone. Celui-ci couvre environ 85 % de nos émissions et impose aux émetteurs d'associer un droit d'émission à chaque tonne d'équivalent CO_2 dont ils sont responsables. Dans la majorité des cas, ces droits doivent être achetés. Le nombre de droits d'émission disponibles diminuant progressivement, une réduction des émissions est inévitable – pour autant que les règles du marché soient respectées. Hormis la Californie, à laquelle notre marché du carbone est lié, aucun autre État dans le monde n'a une telle contrainte, englobant autant de secteurs d'émission : industrie, transport et bâtiment. Seuls les secteurs des déchets et de l'agriculture sont exclus.

Déjà très « vert », le Québec s'impose donc des objectifs plus ambitieux que tout autre pays sur terre, en visant officiellement une réduction de 80 % des GES d'ici 2050 !

UN GOUVERNEMENT PROVINCIAL QUI S'IMPLIQUE... TIMIDEMENT

Pour faciliter l'atteinte de ces objectifs sous la contrainte du marché du carbone, le gouvernement québécois a jusqu'à ce jour élaboré deux plans d'action sur les changements climatiques (PACC), pour les périodes 2006-2012 et 2013-2020. Ces plans sont essentiellement financés par le Fonds vert, lui-même alimenté à plus de 80 % par les revenus de la vente des droits d'émission du marché du carbone. Ils ont toutefois été sévèrement critiqués par le vérificateur général du Québec à deux reprises, en 2012 et en 2014. L'une

En parallèle, la nouvelle politique énergétique du Québec, lancée en avril 2016, vient soutenir l'objectif de réduction des GES avec une cible de diminution de 40 % de la consommation de produits pétroliers d'ici 2030. Essentiellement, ces produits sont l'essence, le diesel et le mazout.

Au Québec, 55 % des émissions de GES sont issues de la combustion de ces produits pétroliers, le reste provenant du gaz naturel (15 %), de procédés industriels

Rien dans le comportement des conducteurs québécois ne semble indiquer la présence de préoccupations économiques ou environnementales.

des difficultés est que l'argent recueilli n'est pas dépensé : en 2015-2016, plus de 400 millions de dollars de surplus sont demeurés dans ce fonds. Le ministère du Développement durable, de l'Environnement et de la Lutte contre les changements climatiques gère les PACC. C'est également lui qui tente de donner une plus grande crédibilité au Fonds vert, notamment avec la création d'un « conseil de gestion », qui sera opérationnel fin 2016.

Jusqu'à présent, les PACC ont été constitués de bouquets de programmes visant des progrès marginaux de notre bilan de GES, sans s'attaquer de manière systémique aux causes de ces émissions.

(13 %), de l'agriculture (10 %), des déchets (5 %) et du charbon (2 %). Le défi de la réduction des émissions de GES concerne donc largement la consommation de produits pétroliers. De plus, comme les trois quarts de ces combustibles sont brûlés dans le secteur du transport, les initiatives de réduction des GES devront s'y intéresser tôt ou tard. À lui seul, ce secteur représente 41 % des émissions québécoises.

LE TRANSPORT : LE PRINCIPAL PÉRIL
Pour s'attaquer à sa consommation de produits pétroliers, le Québec aura un « plan directeur en transition, innovation et efficacité énergétiques », que le nouvel

organisme Transition énergétique Québec devra élaborer avec l'approbation du ministère de l'Énergie et des Ressources naturelles. Ce plan directeur coordonnera l'ensemble des programmes et des mesures nécessaires à l'atteinte des cibles, en lien évidemment avec le PACC, mais avec une gouvernance distincte.

Les obstacles auxquels ce plan directeur fera face sont nombreux. Les Québécois ainsi dépensé pour leurs camions neufs en 2015, comparativement à « seulement » 5,7 milliards pour les voitures.

Depuis la dernière année où l'on a vu un déclin des ventes de véhicules neufs, en 2009, les Québécois ont augmenté de 28 % leurs dépenses pour ces achats. Pour la même période, le produit intérieur brut du Québec n'a cru que de 9,8 %.

Cette tendance à acheter des véhicules

Devant l'ampleur de notre appétit énergétique actuel, il est illusoire de croire qu'on pourra simplement substituer des sources d'énergie « propres » aux sources « sales ». Une refonte de tout le système énergétique est à imaginer si l'on veut réussir la transition.

ont en effet développé depuis plusieurs décennies un goût très prononcé pour les véhicules lourds, qui sont les plus difficiles à électrifier. Les ventes de voitures au Québec sont en déclin : du sommet de 336 000 ventes en 1985, on a glissé à 218 000 en 2015. En revanche, les ventes de « camions », incluant les camionnettes mais surtout les véhicules utilitaires sport (VUS), ont triplé, passant de 75 000 unités en 1985 à 233 000 en 2015. C'est près de 9 milliards de dollars que les Québécois ont lourds – entre 1,5 et 2 tonnes chacun, malgré le nom de « camions légers » qui leur est parfois donné – n'est pas l'apanage d'une région en particulier. Si la Gaspésie semble la moins pressée de se procurer des VUS, avec seulement 17 % de plus de camions légers entre 2009 et 2014, la moyenne de croissance dans les régions québécoises est de 30 % pour cette période. La Capitale-Nationale est en tête dans le domaine de la croissance des achats de VUS, avec un parc en augmentation de 41 %, selon les données d'immatriculation de la Société de l'assurance automobile du Québec.

Cet engouement pour les gros véhicules est tel que le taux de motorisation (nombre de véhicules par habitant) de la province augmente. Ceci est paradoxal à au moins deux égards : le Québec est censé être en période de « rigueur budgétaire », et la population québécoise est parfois présentée comme étant plus sensible aux changements climatiques. Or, rien dans le comportement des conducteurs québécois ne semble indiquer la présence de préoccupations économiques ou environnementales : les ventes d'essence et de diesel ne montrent aucun essoufflement – elles auraient même atteint un record historique en janvier 2016, selon les chiffres de Statistique Canada. Mais c'est normal, car il faut bien remplir les réservoirs de tous les véhicules achetés !

L'autre volet du secteur du transport, celui des marchandises, est encore plus inquiétant, car la croissance de la consommation y est beaucoup plus prononcée. Ce n'est pas tant qu'il y ait davantage de camions de marchandises, mais les charges transportées ont plus que doublé ces 20 dernières années. L'essentiel de la logistique du transport de marchandises étant basé sur le transport routier, avec des contraintes de livraison « juste à temps » de plus en plus strictes, ce secteur sera aussi très difficile à faire évoluer.

Pour que le province réussisse sa transition énergétique, les plans d'action québécois devront donc s'attaquer à des habitudes fortement ancrées dans lesquelles des sommes record ont été investies.

MANQUE DE PRÉPARATION

Dans les autres secteurs d'émission de GES, industrie, bâtiment, agriculture et déchets, des virages importants devront aussi être pris. On ne pourra pas miser sur les programmes traditionnels qui ont été au cœur des PACC, car ils n'ont pas réussi à réduire les émissions de GES au Québec. Ce sont plutôt l'électrification du chauffage, des fermetures dans le secteur des pâtes et papiers et les gains d'efficacité des alumineries qui expliquent les réductions d'émissions de GES de 1990 à 2010. Depuis, jusqu'en 2014, dernière année documentée, les émissions sont demeurées stables au Québec.

On ne sait à peu près rien des initiatives qui nous permettront d'atteindre les cibles de 2020 et de 2030, encore moins celles de 2050, en transport comme dans les autres secteurs. On sait toutefois que les Québécois semblent être prêts pour davantage de VUS et pour des maisons encore plus spacieuses, avec moins de densité urbaine. De grands projets industriels sont aussi discutés : cimenteries, production d'hydrocarbures et d'engrais... Des projets de nature à faire augmenter, et non diminuer, nos émissions de GES.

DES AVENUES PROMETTEUSES

Les objectifs établis par le gouvernement ne sont pas inatteignables. Mais il faudra être franc avec la population québécoise : des choses devront changer. En premier lieu, il ne sera plus possible qu'autant de VUS soient vendus. Pour cela, il faudra développer les solutions pour remplacer l'auto-solo : transport collectif, transport actif et covoiturage 2.0 à l'aide de téléphones intelligents. On devra également ouvrir de nouveaux corridors ferroviaires, afin de rendre les déplacements interurbains non seulement moins polluants, mais aussi plus agréables et plus sécuritaires. Ces corridors permettraient également de transporter les marchandises sur de longues distances en utilisant 10 fois moins d'énergie – c'est le facteur de réduction de la consommation entre le camion et le train, pour déplacer une tonne sur un kilomètre.

Afin de réduire massivement la consommation d'énergie dans les immeubles, on devra produire un Code du bâtiment beaucoup plus strict, réaliser des rénovations écoénergétiques et gérer la consommation d'énergie beaucoup plus activement.

En ce qui concerne les industries, il faudra substituer des sources d'énergie renouvelables (biomasse et gaz naturel renouvelable) aux sources fossiles, tout en élaborant de nouveaux procédés moins énergivores ainsi que des écosystèmes industriels où les rejets des uns permettent d'alimenter les autres en énergie, sous forme de chaleur.

L'une des sources de gaz naturel renouvelable, les déchets, pourra jouer un rôle significatif. Mais il faudra éduquer la population à la collecte des matières organiques afin que les mélanges de matériaux (plastiques, métaux, etc.) ne causent pas de contamination, comme c'est trop souvent le cas actuellement.

Enfin, il faudra discuter ouvertement de la question des émissions du secteur agricole. Réduire l'utilisation d'engrais azotés et les émissions de méthane des bovins aura nécessairement un impact sur les coûts de production, surtout ceux des protéines animales. Par conséquent, les habitudes alimentaires devront évoluer.

La technologie, notamment les nouvelles sources d'énergie renouvelables et l'électrification des transports, va évidemment jouer un rôle important. Mais devant l'ampleur de notre appétit énergétique actuel, il est illusoire de croire qu'on pourra simplement substituer des sources d'énergie « propres » aux sources « sales ». Une refonte de tout le système énergétique est à imaginer si l'on veut réussir la transition.

La société québécoise est-elle prête pour une telle remise en question ? C'est ce que l'avenir nous dira. Mais pour une fois, on ne pourra pas accuser le gouvernement d'ignorer le défi et de ne pas avoir d'objectif ambitieux. ◊

ACCORD DE PARIS SUR LE CLIMAT : FAIBLE IMPACT POUR LE QUÉBEC

Quel impact aura sur les politiques environnementales québécoises l'accord
sur le climat conclu à Paris en décembre 2015 ? Quoi qu'on en pense,
les répercussions pourraient bien passer inaperçues...

J. MAURICE ARBOUR

Professeur associé, Faculté de droit, Université Laval

Plusieurs se demandent quelles seront les implications pour le Québec de l'accord sur le climat conclu à Paris le 12 décembre 2015 et signé à New York le 22 avril 2016 par 174 États et par l'Union européenne. En fait, cet accord, qui est entré en vigueur le 4 novembre 2016, n'a aucun impact juridique direct et immédiat sur l'élaboration des politiques environnementales québécoises. Et ce, même si le Québec peut se baser sur cette entente ainsi que sur les décisions de la Conférence des parties à la Convention-cadre des Nations unies sur les changements climatiques (CCNUCC) pour légitimer sa lutte contre les émissions de gaz à effet de serre (GES) et adopter des politiques propres à bâtir une économie plus verte et durable.

UNE AFFAIRE DE BONNE VOLONTÉ

L'objectif à long terme de l'accord de Paris est de contenir l'élévation de la température moyenne de la planète « nettement en dessous de 2 °C par rapport aux niveaux préindustriels » et à poursuivre l'action pour limiter l'élévation des températures à 1,5 °C. Malheureusement, ces deux objectifs ne se traduisent pas par des trajectoires précises de réduction des émissions de GES pour l'horizon 2030 ou 2050.

Pour atteindre cet objectif du « nettement en dessous de 2 °C », l'accord demande uniquement aux États de plafonner leurs émissions de GES « dans les meilleurs délais », sans préciser de date ou de pourcentages de réduction, étant entendu que les pays en développement auront besoin de plus de temps pour atteindre le pic de leurs émissions. Chaque pays est ainsi invité à contribuer librement aux efforts internationaux visant à contenir les émissions de GES en faisant connaître sa contribution nationale (contribution prévue déterminée au niveau national, ou CPDN).

Pour témoigner de leur sérieux, chaque « contribution nationale » ainsi déterminée sera inscrite dans un registre public

international. Une fois atteints ce plafonnement et ce pic (dans un avenir indé-
terminé), les États devront rapidement
opérer des réductions afin de parvenir à
un équilibre entre les émissions de CO_2
causées par les activités humaines et leur
séquestration dans les réservoirs naturels
(océans, forêts) ou dans des puits artifi-
ciels, entre 2050 et 2100. Les pays développés, en raison de leur responsabilité
historique dans l'accumulation des GES,
une avancée par rapport au protocole
de Kyoto au point de vue du nombre
d'États invités à prendre des engagements de réduction des émissions de
GES, il accuse un important recul tant sur
le plan de la qualité des engagements de
réduction que sur celui du contrôle international des obligations. Ainsi, non seulement l'accord donne carte blanche aux
États dans la formulation de leurs objectifs de réduction, mais il écarte aussi toute

Pour demeurer en deçà d'un réchauffement de 2 °C, la communauté internationale doit réduire ses émission de GES de 40 à 70 % d'ici 2050 et les éliminer totalement d'ici 2100.

devront continuer d'«éclairer la voie» et
de prendre le leadership en s'imposant
des objectifs ambitieux de réduction des
émissions en chiffres absolus. On sait que
les CPDN actuelles, annoncées dans la
foulée de la conférence de Paris, ne seront
pas suffisantes pour limiter la hausse de
température à 2 °C.

En dépit du concert de louanges qui
a suivi la conclusion de l'accord, on doit
souligner avec force que celui-ci est très
largement en retrait des mesures préco-
nisées depuis longtemps par la communauté scientifique. Même s'il constitue

idée de sanctions internationales en
cas de violation des engagements pris.
Pour l'essentiel, tout est affaire de bonne
volonté, ce qui peut paraître contraire à la
nature même de l'engagement juridique.

LES OBJECTIFS DU CANADA ET DU QUÉBEC

Il peut être utile de rappeler que, malgré
l'imposante délégation québécoise à la
conférence de Paris, en décembre 2015, le
Québec n'est pas un État souverain et n'est
pas autorisé à signer cet accord ni à le rati-
fier. C'est le Canada, au nom de la fédération

canadienne, qui l'a signé le 22 avril dernier, c'est lui qui l'a ratifié le 5 octobre 2016, et c'est aussi le Canada qui devra adopter les mesures nécessaires (législatives, réglementaires et administratives), de concert avec les provinces, pour qu'il prenne effet sur le territoire canadien.

En mai 2015, soit deux mois après l'annonce de la contribution nationale américaine, qui prévoit une baisse de 26 à 28 % des émissions de GES par rapport à 2005 d'ici 2025 (ce qui équivaut à une réduction de 14 % à 16 % par rapport à l'année de référence 1990), et en prévision de la conférence de Paris de décembre 2015, le Canada a soumis sa CPDN au secrétariat de la CCNUCC. Pour l'essentiel, il s'est fixé comme objectif une réduction de 30 %, d'ici 2030, de ses émissions de GES par rapport aux niveaux de 2005 (et non pas de 1990), ce qui équivaut à une très timide baisse de 14 % par rapport aux émissions de 1990. Concrètement, cela signifie que les émissions polluantes du Canada devront passer de 732 mégatonnes d'équivalent CO_2 (MT éq. Co_2) en 2014 (soit 20 % de plus qu'en 1990) à environ 525 Mt à l'horizon de 2030, pour une réduction d'environ 207 Mt.

La Déclaration de Vancouver sur la croissance propre et les changements climatiques du 3 mars 2016 invite le gouvernement fédéral ainsi que toutes les provinces à mettre en œuvre « des politiques d'atténuation des émissions de GES qui atteignent ou dépassent l'objectif du Canada visant une réduction des émissions de 30 % par rapport au niveau de 2005 d'ici 2030 ». Le cadre pancanadien sur la croissance propre et les changements climatiques devait d'ailleurs être finalisé à l'automne 2016, soit peu avant la 22e Conférence des parties (COP22) qui aura lieu à Marrakech du 7 au 18 novembre.

En novembre 2015, avant la conférence de Paris sur le climat, le Québec a librement adopté, lui aussi, une cible de réduction de 37,5 % de ses émissions de GES par rapport au niveau de 1990, et ce, pour l'horizon 2030 ; concrètement, il devra réduire de 28 Mt ses émissions de GES pour les ramener aux alentours de 50 Mt (83,9 Mt en 1990 ; 78,0 Mt éq. CO_2 en 2012, soit une baisse de 8,0 % par rapport à 1990). On comprend qu'il ne s'agit pas d'un engagement international, mais bien d'une politique provinciale qui est alignée non seulement sur les analyses scientifiques les plus avancées, mais aussi sur les décisions prises dans le cadre régional de la Conférence des gouverneurs de la Nouvelle-Angleterre et des premiers ministres de l'est du Canada. Cet engagement se compare d'ailleurs avantageusement à celui pris par l'Union européenne, qui se propose de réduire d'au moins 40 % ses émissions de GES d'ici 2030 par rapport à leur niveau de 1990.

On sait maintenant, grâce aux travaux du Groupe d'experts intergouvernemental sur l'évolution du climat (GIEC), que pour demeurer en deçà d'un réchauffement de 2 °C, la communauté internationale doit réduire ses émissions de GES de 40 à 70 % d'ici 2050 et les éliminer totalement d'ici 2100. Si cet objectif global n'annonce pas nécessairement la fin de l'exploitation des énergies fossiles dans le monde, il suppose néanmoins une forme d'exploitation qui ne génère pas de GES. Pour l'heure, les émissions mondiales de GES ne cessent d'augmenter, en raison de la croissance économique et démographique planétaire. C'est dans ce contexte qu'il convient d'évaluer notamment l'opportunité de développer l'industrie des hydrocarbures sur le territoire québécois et de maintenir au Canada le système des subventions directes et indirectes à l'industrie des énergies fossiles.

LA STRATÉGIE NORD-AMÉRICAINE DU QUÉBEC

Il est bien évident que le projet de loi 106 concernant la mise en œuvre de la politique énergétique 2030, déposé à l'Assemblée nationale du Québec le 7 juin 2016, qui comprend la Loi sur les hydrocarbures dont l'objet est de régir le développement et la mise en valeur des hydrocarbures sur le territoire québécois, ne découle nullement de l'accord de Paris. Il en va de même du projet de loi 104 visant l'augmentation du nombre de véhicules automobiles zéro émission au Québec afin de réduire les émissions de gaz à effet de serre et autres polluants, qui a été déposé à l'Assemblée nationale le 2 juin 2016. S'il est conforme à l'esprit de l'accord de Paris, ce projet, qui vise à augmenter l'offre de véhicules électriques au Québec (100 000 d'ici 2020), s'inspire directement de programmes mis en œuvre dans une dizaine d'États américains. C'est par ailleurs dans le cadre de la Western Climate Initiative que s'inscrit le Règlement concernant le système de plafonnement et d'échange de droits d'émission de gaz à effet de serre, que le Québec a adopté en 2011, soit bien avant la COP 21 et l'adoption de l'accord de Paris.

Si le Québec apparaît plutôt comme un bon élève dans le dossier des changements climatiques, c'est parce que la nature l'a doté d'immenses ressources hydrauliques qui lui permettent de produire de l'énergie propre ; mais il lui reste encore beaucoup à faire, dans le domaine des transports notamment, pour diminuer ses émissions de GES. ◊

Le futur n'est plus ce qu'il était

PHILIPPE BOURKE
Directeur général, Regroupement national des conseils régionaux de l'environnement du Québec (RNCREQ)

Lors d'une conférence en 2004[1], le grand humaniste Albert Jacquard rappelait ce que le poète et philosophe français Paul Valéry avait déclaré en 1931 : « Le temps du monde fini commence[2]. » Cette prophétie se serait-elle réalisée ?

« Jusque-là, disait Jacquard, les hommes pouvaient agir comme si le coin d'univers à leur disposition était illimité ; nos lointains ancêtres chasseurs-cueilleurs étaient nomades ; lorsque leur domaine était épuisé, ils allaient chercher ailleurs de nouvelles ressources. Désormais, nous ne disposons plus d'un ailleurs. »

Trente ans après le mot de Valéry, en 1972, un rapport du Massachusetts Institute of Technology (MIT) intitulé *The Limits to Growth*[3] (*Halte à la croissance ?*) venait mettre des chiffres sur cette prophétie. En s'appuyant sur le fait que la Terre a une capacité limitée à fournir les ressources nécessaires à l'activité humaine, ce rapport montrait qu'il n'est pas possible d'imaginer une croissance continue de l'économie et de la population mondiales. Autrement dit, notre planète ne peut pas indéfiniment fournir les ressources naturelles nécessaires pour répondre aux besoins de l'humanité, ni absorber les déchets et la pollu-tion engendrés dans un système économique constamment en croissance.

UNE PRESSION INSOUTENABLE

Grâce à la mesure de l'empreinte écologique, un indice calculé annuellement par le Global Footprint Network, il est possible d'évaluer la pression de l'activité humaine sur les ressources de la Terre d'une année à l'autre. Selon cet indice, vers 1970, les humains consommaient la totalité des ressources disponibles et produisaient autant de déchets et de polluants que ce que la planète pouvait absorber en une année.

Depuis, avec la croissance continue de la population mondiale et de l'activité économique, l'équilibre est rompu, de sorte que l'humanité vit désormais à crédit. Il lui faut près d'une Terre et demie pour répondre à ses besoins. Et au rythme de croissance actuel, il lui en faudra deux vers 2030 !

Quelles sont les conséquences concrètes de ce déséquilibre croissant? De nombreux rapports en font régulièrement état: chute vertigineuse de la biodiversité, déforestation, pollution de l'air, acidification des océans, augmentation de la température atmosphérique globale due aux émissions de GES, diminution des stocks mondiaux de poissons, etc. Malheureusement, ces constats alarmants tombent en général dans l'oubli le lendemain même de leur publication.

En entrevue au *Devoir* lors de sa visite au Québec en octobre 2016, le scientifique à l'origine du concept d'empreinte écologique, William Rees, y allait de cette déclaration percutante: «Nous érodons, morceau par morceau, ce système qui nous permet de survivre. Nous n'allons rien laisser aux générations qui seront là dans 50 ans[4].»

L'année 2016 a d'ailleurs permis à la communauté scientifique de reconnaître que l'humanité est entrée dans une nouvelle ère géologique. Nous avons quitté l'holocène, période interglaciaire qui aura duré près de 12 000 ans, pour entrer dans l'anthropocène, l'ère où l'homme est devenu une véritable force géologique capable de modifier l'écosystème terrestre.

LE CLIMAT SOCIAL : UN INDICATEUR DE L'ÉTAT DE L'ENVIRONNEMENT

Plusieurs raisons peuvent expliquer pourquoi ces constats alarmants sont en général banalisés et tombent fréquemment dans la rubrique des faits divers. Dominique Bourg

– philosophe et professeur à l'Université de Lausanne – en a fourni une fort intéressante: «Le drame, avec les enjeux environnementaux, c'est que les problèmes auxquels nous sommes confrontés aujourd'hui, on ne peut pas les percevoir avec nos sens. On va se bouger quand on est confronté à un danger immédiat qu'on perçoit bien avec nos sens, ce qui n'est pas le cas avec l'environnement[5].»

Pour sa part, le biologiste Claude Villeneuve, professeur à l'Université du Québec à Chicoutimi, a une façon originale de décrire ce problème. Il compare notre perception de la crise environnementale et climatique à la chute d'une personne du haut d'un édifice de 20 étages. Arrivée au niveau du second ou du premier étage, celle-ci se dit sans doute : «Jusqu'ici, tout va bien[6]…»

Or, cela ne va pas si bien que ça… Si les signaux environnementaux sont encore peu visibles dans notre quotidien, les tensions sociales qui en découlent, elles, le sont de plus en plus. Pour les grands projets de développement comme pour les petits, ou lorsqu'il est question de mettre en œuvre de nouvelles politiques publiques, la polarisation et la confrontation sont de plus en plus la norme. Le nouveau problème de notre temps, l'acceptabilité sociale, est constamment au cœur de l'actualité, comme en témoignent ces dossiers qui ont fait les manchettes en 2016: pipeline Énergie Est, protection de la rainette faux-grillon, tarification de la congestion routière, aires protégées pour le caribou forestier, taxe sur le carbone, exploitation du pétrole à l'île d'Anticosti, réseau de train électrique métropolitain, etc.

Chaque camp a sa stratégie pour remporter la bataille de l'opinion publique. Tout le monde a une opinion sur tout et on se parle par médias interposés. On brandit sondages et études, et on fait appel à des firmes de relations publiques. Le gouvernement n'est pas en reste et cherche à revoir ses pratiques pour favoriser l'acceptabilité sociale des grands projets d'exploitation industrielle des ressources naturelles. On tient des colloques et on publie des guides de bonnes pratiques d'un côté, pendant qu'on accuse les Québécois en général de s'opposer au développement économique et de réclamer des moratoires sur tout.

Qu'y a-t-il derrière cette confrontation généralisée, exacerbée par des processus d'évaluation et d'approbation déficients et par l'absence d'espaces de dialogue et de débat constructif? Elle prend assurément racine dans le constat évoqué plus haut: une prise de conscience déficiente et inégale du niveau d'exploitation insoutenable des ressources limitées de la Terre. On trouve à un bout du spectre ceux qui font fi de cette réalité et qui rêvent du retour des beaux jours où il suffisait d'évoquer la création de quelques emplois pour obtenir le droit de produire. À l'autre extrémité, il y a ceux qui rejettent totalement le système capitaliste en place, pour ses conséquences environnementales et ses promesses non tenues de prospérité universelle. Entre les deux, des citoyens de plus en plus conscients d'une transition à faire vers des modes de production et de consommation plus viables, et en général démunis devant l'ampleur de la tâche, l'inertie des systèmes et les obstacles de toutes sortes qui favorisent le *statu quo*.

Certes, toute une série d'ententes internationales et d'engagements politiques ont été signés pour engager cette transition, que ce soit sur la protection de la biodiversité ou sur l'énergie, le climat, le développement durable. Or, même s'ils font généralement consensus, leur mise en œuvre implique de profonds changements qui touchent directement notre mode de vie et, au bout du compte, nous effraient. Résultat: on n'arrive toujours pas à concrétiser ces belles intentions.

Quel espoir nous reste-t-il? Revenons à Jacquard, qui, bien que parfaitement conscient du caractère insoutenable de notre mode de vie, conservait l'espoir que tout n'était pas perdu. Si la Terre a bel et bien atteint ses limites, ce n'est pas le cas de l'homme. Grâce à ses relations avec l'autre, dans un esprit de coopération plutôt que de compétition, il peut encore démultiplier ses capacités et mettre en place les conditions d'un vivre-ensemble soutenable. Car ensemble, les êtres humains peuvent créer plus grand qu'eux-mêmes.. ¶

Notes et sources, p. 322

Finances publiques

POLITIQUES BUDGÉTAIRES : DOIT-ON APPUYER SUR LE FREIN OU SUR L'ACCÉLÉRATEUR ?

À la suite de la crise financière et de la récession mondiale de 2008-2009, gouvernements, institutions internationales et économistes se sont demandé quelle politique budgétaire adopter pour renouer avec la croissance. Fallait-il s'endetter encore davantage pour relancer la machine ou, au contraire, resserrer les cordons de la bourse ? À cet égard, les stratégies diffèrent, même à l'intérieur du Canada.

JEAN-PIERRE AUBRY[1]

Économiste et *fellow* invité au CIRANO

En plus d'une politique monétaire très accommodante qui a permis d'injecter et de conserver un montant considérable de liquidités dans les marchés tout en maintenant les taux d'intérêt à des niveaux très bas, négatifs dans certains cas, les gouvernements devraient-ils dépenser et s'endetter davantage pour qu'on revienne plus rapidement aux taux de chômage et de croissance du PIB réel qui prévalaient avant la crise financière? Par ailleurs, est-il préférable d'opter pour une approche commune à l'ensemble des pays développés ou, au contraire, de laisser chacun choisir la politique budgétaire convenant le mieux à sa situation?

Le fait que de nombreux pays, provinces et États infranationaux aient connu avant même la crise financière des taux d'endettement élevés a rendu le choix d'une stratégie commune beaucoup plus difficile à justifier. De plus, ils ont fait face à des chocs de différentes amplitudes. Pour les pays affichant déjà un taux d'endettement très haut, on pouvait craindre qu'une reprise lente accompagnée de déficits successifs ne fasse grimper de façon notable le taux d'intérêt sur leurs nouvelles émissions d'obligations, comme ce fut le cas dans certains pays de la zone euro, dont la Grèce.

Plus préoccupant encore, on a constaté que, dans plusieurs pays, la lente croissance économique initialement perçue comme étant liée à un creux cyclique était en fait un problème structurel à long terme. Ainsi, au Canada, les estimations du taux annuel de croissance du PIB potentiel, qui étaient de près de 2,5 % avant la crise, se rapprochent désormais de 1,5 %[2]. Pour le Québec, on est passé de près de 2 % à moins de 1,5 %.

Des économistes se sont aussi inquiétés des effets du resserrement de la politique budgétaire, qui peut réduire le potentiel économique de nombreux pays développés, et ce, pendant des années. Comme l'a clairement énoncé Christine Lagarde, directrice générale du Fonds monétaire international (FMI), dans un discours prononcé le 1er septembre 2016, «plus [la] demande anémiée persiste, plus elle menace de nuire à la croissance à long terme, car les entreprises réduisent leurs capacités de production et les travailleurs privés d'emplois abandonnent la vie active, d'où la déperdition de compétences cruciales. La faiblesse de la demande pèse aussi sur les échanges commerciaux, ce qui s'ajoute à la progression décevante de la productivité».

Plusieurs institutions et analystes se sont donc joints au FMI pour demander aux pays développés d'accepter une hausse légère de leur endettement, d'investir dans des domaines qui allaient générer une croissance de leur PIB et d'améliorer leur compétitivité internationale. Par exemple, on a réclamé de la France qu'elle effectue des réformes visant à rendre son marché du travail plus flexible, en modifiant ses lois et ses pratiques.

On devait mener ces actions en gardant constant le ratio de l'endettement sur le PIB ou en tolérant une faible hausse de celui-ci. Selon les dernières projections de l'OCDE, le ratio de la dette nette de l'ensemble des pays membres de cette organisation devrait augmenter de près de 4 points de pourcentage de 2013 à 2017, passant de 68 % à 72 %, ce qui est bien peu lorsqu'on sait qu'il avait connu une hausse de 22 points de pourcentage de 2009 à 2013 dans le sillage de la récession.

L'APPROCHE DU GOUVERNEMENT TRUDEAU

Le gouvernement Trudeau, élu à l'automne 2015, a opté pour cette approche et a donc adopté un plan budgétaire et une politique monétaire tous deux très expansionnistes. Il a fait ce choix en tenant compte du ratio relativement bas de la dette au PIB du Canada (31 %), de la chute importante du prix du pétrole en 2014 ainsi que du ralentissement de la croissance économique canadienne qui en a découlé. On évaluait alors que le PIB réel du Canada se situait de 1 à 2 % sous son potentiel. Il fallait donc soutenir l'économie le temps que le prix du pétrole remonte et que l'économie se diversifie, afin de réduire sa dépendance aux matières premières. Pour cela, on a misé sur des investissements structurants, notamment dans les infrastructures collectives, afin de renouer plus vite avec la pleine utilisation des capacités de production et même de hausser le taux de croissance de ces capacités. Avec ses faibles taux d'intérêt, la période se prêtait également bien à l'investissement.

Le gouvernement fédéral a présenté au printemps 2016 un plan budgétaire marqué par le maintien de déficits non négligeables (20 milliards par année en moyenne de 2015-2016 à 2020-2021), mais qui devait permettre de ramener en mars 2021 le ratio de la dette fédérale au PIB au même niveau que celui de mars 2015 (31 %). Dans son dernier rapport sur la viabilité financière du gouvernement fédéral (juin 2016), le directeur parlementaire du budget concluait que, même après avoir augmenté le coût de certaines mesures prévues au dernier budget, le gouvernement fédéral se dirigeait à long terme vers une baisse significative de son ratio d'endettement. En somme, ces mesures de soutien contracycliques ne devraient pas générer de problèmes de viabilité financière, pourvu que de nouvelles dispositions ne placent pas le ratio d'endettement sur une trajectoire haus-

de croissance. On parlait alors du Plan Nord et de la stratégie maritime pour le Saint-Laurent. Le PLQ promettait de créer 50 000 emplois par an pendant les cinq années de son mandat, et ce, malgré la forte réduction du taux de croissance de la population active causée par le vieillissement accéléré de elle-ci.

Néanmoins, dès le début de son mandat, le gouvernement Couillard a plutôt

> Dès le début de son mandat, le gouvernement Couillard a plutôt choisi de mettre l'accent sur la réduction du ratio de la dette au PIB, alors que l'économie était clairement sous son potentiel, avec un taux de chômage de près de 8 %.

sière. Toutefois, la partie est encore loin d'être gagnée, notamment au chapitre de la hausse du potentiel économique et de la diversification de l'économie canadienne.

L'APPROCHE DU GOUVERNEMENT COUILLARD

Le Parti libéral du Québec (PLQ) a fondé sa dernière campagne électorale sur la nécessité de mettre en place des politiques et de prioriser des investissements qui rapprocheraient le PIB du Québec de son potentiel et augmenteraient son taux

choisi de mettre l'accent sur la réduction du ratio de la dette au PIB, alors que l'économie était clairement sous son potentiel, avec un taux de chômage de près de 8 %. Le ratio de la dette brute du gouvernement, qui était perçu comme beaucoup trop élevé, devait être ramené de 55 % au 31 mars 2015 à 45 % au 31 mars 2026. Sur la même période, le ratio du cumul des déficits budgétaires au PIB, ce que le gouvernement appelle la «mauvaise dette», devait être réduit de moitié et passer de 35 % à 17 %.

Dans son budget de juin 2014, le gouvernement Couillard reprenait donc exactement les mêmes cibles pour le 31 mars 2026 que celles énoncées dans le plan budgétaire de mars 2010. Mais il ne lui restait alors plus que 12 ans, au lieu de 16, pour y parvenir étant donné que le chemin restant à parcourir n'avait que peu ou pas diminué entre 2010 et 2014. En somme, il aurait fallu pouvoir compter sur une réduction annuelle encore plus rapide de ces deux ratios d'endettement pour atteindre ultimement, au 31 mars 2026, des objectifs similaires.

Relever ce défi impliquait la concrétisation de surplus annuels grandissants de 2015-2016 à 2025-2026, dans les quatre plans budgétaires (2010, 2014, 2015 et 2016). Car la baisse des projections du taux moyen de croissance du PIB nominal d'un plan budgétaire à un autre a pour effet d'accroître progressivement le niveau moyen des surplus budgétaires jugés nécessaires pour y parvenir.

Le tableau des surplus budgétaires projetés montre clairement qu'avec cette stratégie de réduction des taux d'endet- tement, la baisse de la performance économique force le gouvernement à générer des surplus encore plus importants, ce qui affaiblit davantage la performance économique. Cela signifie que sa politique budgétaire est procyclique ; au lieu d'atténuer une faible performance économique, elle l'amplifie.

Depuis la publication du plan budgétaire de juin 2014, la cible de réduction de l'endettement a très peu changé, même si les projections de la performance économique du Québec se sont progressivement détériorées. En juin 2014, le plan prévoyait pour les années 2014, 2015 et 2016 une hausse cumulée de 5,7 % du PIB réel (inflation déduite), de 11,3 % du PIB nominal (inflation comprise) et de 2,9 % de l'emploi. Or, selon les informations disponibles au mois d'août 2016, on aurait atteint respectivement des hausses de 3,8 %, 7,6 % et 1,3 %[3], ce qui représente une réduction des taux de croissance prévus d'environ 30 % pour le PIB et de 50 % pour l'emploi.

Ces faibles performances ne peuvent être attribuées uniquement à la morosité

Surplus budgétaires projetés pour cinq ans dans les quatre plans économiques du gouvernement du Québec (2010, 2014, 2015 et 2016)

	2010	2014	2015	2016
Période de projection	Du 31 mars 2010 au 31 mars 2015	Du 31 mars 2014 au 31 mars 2019	Du 31 mars 2015 au 31 mars 2020	Du 31 mars 2016 au 31 mars 2021
Surplus cumulatif	3,0 milliards $	5,6 milliards $	13,1 milliards $	14,5 milliards $
Surplus annuel moyen	0,6 milliard $	1,1 milliard $	2,6 milliards $	2,9 milliards $

Note: Les surplus prévus dans le plan économique de 2016 passent de 2,0 milliards $ pour 2016-2017 à 3,8 milliards $ pour 2020-2021.

de l'économie mondiale ou à une remontée trop lente du prix des matières premières produites par le Québec. En effet, ces facteurs auraient dû être compensés depuis par la baisse du prix du pétrole et surtout par la baisse du dollar canadien.

Le fort ralentissement des dépenses de programmes (0,4 % de croissance entre 47 %). Or, la province a enregistré une hausse de ce ratio d'endettement beaucoup plus faible de 2009 à 2013 que celle de l'ensemble des pays de l'OCDE (8 points de pourcentage au Québec, comparativement à 22 points de pourcentage dans les pays de l'OCDE). On comprendrait une telle différence de stratégie budgétaire si

> Alors que l'on devrait observer une modeste hausse (4 points) du ratio de la dette nette au PIB de l'ensemble des pays de l'OCDE de 2013 à 2017, le Québec projette sur la même période une baisse de 4 points.

2014-2015 et 2015-2016) a nécessairement contribué à cette situation. On a donc une économie où, au mieux, on a mis un terme en 2016 à la diminution des investissements privés observée au cours des trois années précédentes, et où le taux de croissance de la demande intérieure finale pour l'ensemble de la période de 2014 à 2016 ne sera, selon toute probabilité, que de 1,1 % au Québec, alors qu'il atteindra 7,3 % en Ontario.

De plus, alors que l'on devrait observer une modeste hausse (4 points) du ratio de la dette nette au PIB de l'ensemble des pays de l'OCDE de 2013 à 2017, le Québec projette pour la même période une baisse de 4 points de pourcentage (de 51 % à

l'économie du Québec était en plein essor, mais il n'en est rien.

GARDER LE CAP OU EN CHANGER ?

Dans un tel contexte, vaut-il mieux garder le même cap ou au contraire changer de stratégie ? Sur la base de l'évolution des données économiques et budgétaires, on serait tenté de se poser certaines questions sur la politique du gouvernement.

Tout d'abord, pourquoi ce dernier a-t-il jugé essentiel, au printemps 2014, de prioriser la réduction des ratios d'endettement, et pourquoi estimait-il crucial de les réduire si rapidement ? Il aurait pu se contenter de les garder constants de 2014 à 2026 ou même de les réduire légèrement, le temps que la majeure partie des conséquences liées au vieillissement de la population se dissipent.

Par ailleurs, à la lumière de la baisse de la performance économique des 18 derniers mois, pourquoi le gouvernement a-t-il jugé bon de maintenir sa stratégie budgétaire et de faire, pendant la prochaine décennie, des surplus encore plus importants que ceux prévus en 2014 ? Une telle dynamique engendre forcément des pressions négatives sur la performance économique, et prend ainsi la forme d'une politique budgétaire procyclique.

L'idée de maintenir l'actuelle stratégie budgétaire en arguant que l'économie du Québec est à son plein potentiel doit être examinée plus en profondeur. La première justification d'une telle politique serait que l'on souhaite réduire la taille de l'État et par la suite diminuer les taxes et les impôts, ce qui s'apparente à la politique de Stephen Harper durant son dernier mandat. Une deuxième justification serait que l'on cherche à éloigner la crainte d'une décote des agences de notation en réduisant significativement le ratio dette/PIB, afin que le Québec ne soit plus la province ayant la pire note au Canada. Cette hantise de la décote serait encore présente même si, depuis 20 ans, le service de la dette en proportion du PIB a diminué de 40 % !

La troisième justification pourrait être la nécessité d'économiser, parce que le Québec se dirige vers une situation pire encore que celle qu'il traverse actuellement. C'est d'ailleurs l'une des conclu-

sions du directeur parlementaire du budget fédéral, qui prévoit que l'ensemble des provinces canadiennes connaîtront à long terme des hausses importantes de leur taux d'endettement, notamment en raison de l'augmentation des coûts de santé causée par le vieillissement de la population. Ces trois justifications entrent évidemment en conflit avec le besoin de soutenir en priorité la croissance.

POUR Y VOIR PLUS CLAIR

Pour prmettre à la population de mieux comprendre la stratégie budgétaire du gouvernement du Québec, il serait souhaitable que ce dernier lui présente des projections crédibles, sur une longue période (environ 20 ans), de l'évolution de l'économie et de la situation budgétaire du Québec. C'est d'ailleurs ce que font déjà le gouvernement fédéral, le directeur parlementaire du budget et le gouvernement de l'Ontario. Le Conseil de la fédération a lui-même financé par le biais de son secrétariat de telles projections et les a utilisées[4]. Le gouvernement Couillard doit également intégrer ses plans économiques à une projection à long terme où l'on pourrait voir, notamment, les implications macroéconomiques et financières du vieillissement de la population. Ce serait une excellente façon de permettre aux Québécois de mieux comprendre la stratégie budgétaire à moyen terme du gouvernement Couillard. ◊

Notes et sources, p. 322

Budget et inégalités : Québec et Ottawa tirent en sens contraires

NICOLAS ZORN
Analyste de politiques, Institut du Nouveau Monde

Selon un panel d'experts réuni par l'Institut du Nouveau Monde, le dernier budget fédéral devrait grandement contribuer à la réduction des inégalités, tandis que le budget québécois semble laisser de côté cet objectif.

Le fait est désormais bien connu: les inégalités économiques et sociales élevées nuisent à l'économie, à la démocratie et à la société[1]. C'est l'opinion que partagent nombre de personnalités politiques, d'organisations internationales et de spécialistes d'horizons divers.

Une large majorité de Québécois souhaitent également que leurs gouvernements œuvrent à la réduction des inégalités économiques et sociales. Or, de l'avis d'un panel d'experts consulté par l'Institut du Nouveau Monde (INM), seul le gouvernement fédéral propose un budget ambitieux en ce sens. Le gouvernement provincial, quant à lui, ne semble pas engager de réels efforts en faveur de la réduction des inégalités.

LE BULLETIN DES BUDGETS

Encouragé par le succès du Bulletin des budgets de l'an dernier, l'Institut du Nouveau Monde a mobilisé cette année un panel de 33 économistes et experts politiques recon-

nus afin qu'ils se prononcent sur les effets qu'auront, selon eux, les mesures du budget fédéral et du budget provincial. L'objectif: produire un Bulletin des budgets[2].

La méthodologie, développée par l'INM, se base sur celle d'études similaires effectuées par l'OCDE (au sujet du protectionnisme) et du Forum économique mondial de Davos (au sujet des risques pour l'économie mondiale) et a été enrichie de l'apport d'une dizaine de spécialistes et d'économistes. Le résultat de l'analyse prend la forme d'une note exprimée par une lettre: A+ indique que l'ensemble des mesures analysées réduiraient énormément les inégalités, tandis que E indique que l'ensemble des mesures les augmenteraient considérablement.

RÉSULTAT DE L'ANALYSE

De l'avis des panélistes consultés, les effets des deux budgets diffèrent fortement. Dans l'ensemble, les mesures du budget provincial auront un effet nul sur les inégalités, ce qui vaut au budget la note de C+. L'effet des quelques mesures ayant un impact positif sur ce plan serait annulé par des mesures risquant d'aggraver les inégalités. La liste des effets pour chaque mesure est rassemblée dans le graphique 1.

Plusieurs mesures auraient pour effet de réduire les inégalités, selon notre panel, notamment la bonification du bouclier fis-

cal, l'ajout d'investissements en faveur des Autochtones et de leurs communautés, ou encore l'augmentation des primes au travail et de la prime à l'effort.

Inversement, un grand nombre des mesures du budget 2016-2017 présentées par le ministre Leitão auront plutôt pour effet d'augmenter les inégalités. Ce sera particulièrement le cas de la réduction de moitié des budgets pour la construction de logements

GRAPHIQUE 1

Effet global des principales mesures du budget provincial 2016-2017 sur les inégalités

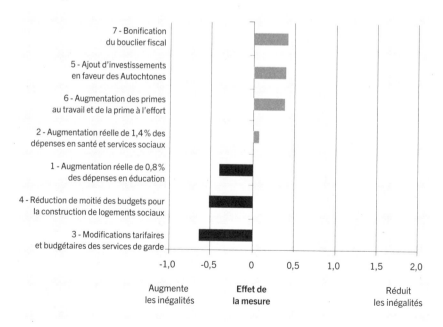

sociaux et des modifications tarifaires et budgétaires pour les services de garde.

Cependant, l'effet moyen des mesures peut cacher des discordances entre les panélistes; c'est pourquoi nous avons calculé le niveau de consensus des experts pour chaque mesure, comme le démontre le graphique suivant. Ainsi, il ne semble pas y avoir de consensus quant à l'effet probable de la modeste hausse des dépenses en santé et services sociaux; si 16 panélistes considèrent cette mesure comme favorable à la réduction des inégalités, 15 sont d'avis que l'effet sera défavorable (10), soit qu'il n'y aura pas d'effet net (5). La difficulté de savoir comment seront dépensées ces ressources additionnelles et le manque d'informations fournies

par le gouvernement à cet égard ne sont sans doute pas étrangers à ce désaccord.

A contrario, l'effet global des mesures annoncées par le gouvernement Trudeau est jugé nettement favorable à la réduction des inégalités. Le budget fédéral 2016-2017 obtient ainsi la note A- et mène par la même occasion au premier des quatre bulletins de l'INM concluant que le budget étudié réduira réellement les inégalités. Autre fait notable, le niveau de consensus des panélistes est ici particulièrement élevé, ce qui confirme cette interprétation.

De plus, *toutes* les mesures sont considérées par les panélistes comme réduisant les inégalités, une autre première dans la jeune histoire des Bulletins des budgets. Si

GRAPHIQUE 2

Niveau de consensus des spécialistes consultés pour les mesures du budget du Québec 2016-2017

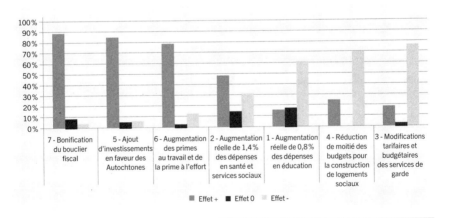

GRAPHIQUE 3

Effet global des mesures principales du budget fédéral 2016-2017 sur les inégalités

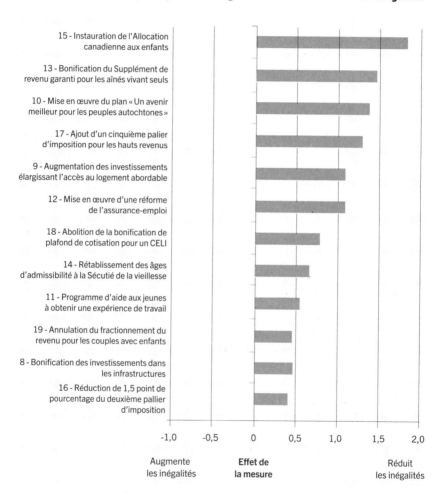

les effets escomptés varient en importance, les mesures ont toutes obtenu une note oscillant entre B et A, ce qui est particulièrement élevé.

Par ailleurs, les panélistes s'entendent clairement sur les effets de la grande majorité des mesures, 10 mesures sur 12 récoltant plus de 70 % d'avis les considérant comme étant favorables à la réduction des inégalités. D'ailleurs, l'ajout d'un cinquième palier d'imposition pour les revenus supérieurs à 200 000 dollars fait l'unanimité à cet égard. Deux mesures sont moins consensuelles: la bonification des investissements dans les infrastructures et la réduction de 1,5 point du deuxième palier d'imposition. Ceci dit, l'évaluation à la pièce des mesures permet d'offrir un portrait plus nuancé, ce que l'on peut découvrir dans la version complète du Bulletin des budgets.

Au final, certaines mesures sont plus complexes que d'autres et ont des effets opposés, ambigus ou contradictoires. Ces nuances nous rappellent les limites d'un tel exercice estimatif. Des études de cas et des évaluations plus poussées permettraient d'approfondir nos connaissances à cet égard. ¶

Notes et sources, p. 322

LE JEU DES SEPT ERREURS...

POUR LA FONCTION PUBLIQUE...

POUR LES DÉPUTÉS...

AUSTÉRITÉ

HAUSSETÉRITÉ

GARNOTTE
2015·11·14

Corruption

CORRUPTION : TROIS RAISONS D'ESPÉRER DES JOURS MEILLEURS

Si la commission Charbonneau laisse espérer que la corruption puisse un jour faire partie du folklore, il reste du travail à faire du côté des gouvernements pour endiguer ce mal qui ronge notre prospérité et notre fierté collectives.

FRÉDÉRIC LAPOINTE

Conseiller en évaluation, président de la Ligue d'action civique, membre du conseil des directeurs de Transparency International Canada

PIERRE-OLIVIER BRODEUR

Conseiller en marketing et en communications, membre du comité public de suivi des recommandations de la commission Charbonneau

L e Canada n'a pas la réputation d'être un pays rongé par la corruption. Les policiers ne taxent pas les passants, les directeurs d'école ne demandent pas de cadeaux aux parents, les fonctionnaires n'exigent pas un pourboire pour octroyer des permis. Ainsi, le Canada figure habituellement parmi les 10 pays perçus comme étant les moins corrompus dans le palmarès annuel produit par Transparency International[1], organisme dont la mission est de lutter contre la corruption dans le monde.

Trop beau pour être vrai ? Le Canada et le Québec ne sont pas différents des autres démocraties sur le plan de la vulnérabilité au cocktail corrosif de l'argent et de la politique. Rappelons le scandale du chemin de fer au XIXe siècle, le patronage sous les premiers ministres Taschereau et Duplessis au XXe, ou l'emprise du crime organisé sur la Ville de Montréal avant (et après ?) l'arrivée du maire Jean Drapeau...

Ces épisodes ont tous suscité, à leur époque, une indignation à la mesure de leur visibilité médiatique et entraîné la tenue d'enquêtes publiques. Et ils rappellent tous les événements qui ont mené à la création de la Commission d'enquête sur l'octroi et la gestion des contrats publics dans l'industrie de la construction (CEIC). Si les rapports des enquêtes passées ont inspiré la modernisation progressive des mœurs et des administrations publiques, ils n'ont pas empêché l'infiltration récente du crime organisé dans l'industrie de la construction et dans les coulisses du financement politique. Pourquoi en serait-il autrement maintenant que les caméras sont éteintes et que la CEIC s'est retirée ? Qu'auront apporté à la société québécoise la commission Charbonneau et les 45 millions de dollars de fonds publics[2] qui y ont été consacrés ? Voici trois raisons d'espérer que le changement soit cette fois durable... et aussi une raison de demeurer inquiet.

RAISON D'ESPÉRER N⁰ 1 : LES COÛTS DE LA CORRUPTION SONT MIEUX CONNUS

Les investissements dans les infrastructures publiques ont fortement augmenté au cours des dernières années. En 2016-2017, le gouvernement du Québec y a consacré près de 10 milliards de dollars, soit le double d'il y a 10 ans. Par exemple, jusqu'en 2009, l'augmentation rapide des investissements dans les transports était accompagnée de coûts que plusieurs observateurs ont estimé être 30 % trop élevés. La CEIC a aussi levé le voile sur des prix gonflés en génie conseil et dans le domaine de l'asphaltage, entre autres. Ainsi, le coût de la complaisance des administrations publiques à l'égard de l'industrie de la construction se chiffre en milliards de dollars.

Autre source importante de fuite de fonds publics : à Montréal comme ailleurs, les terrains qui sont la propriété des municipalités ou de sociétés paramunicipales peuvent être bradés (pensons au Faubourg Contrecœur) et le zonage de terrains privés peut être modifié. Les bénéfices sont tels que tous sont prêts à corrompre des élus ou à se mêler, légalement ou illégalement, du financement des partis politiques municipaux.

Le programme de remboursement volontaire des sommes payées injustement dans le cadre de contrats publics, mis sur pied par le gouvernement du Québec à la suite de la CEIC (projet de loi 26 entré en vigueur en 2015[3]), fixe par ailleurs le remboursement maximal à 20 % de la valeur des contrats obtenus par la fraude, la collusion, la corruption.

LOIS ANTICORRUPTION VOTÉES SOUS LE GOUVERNEMENT LIBÉRAL DE JEAN CHAREST

- 2009 – Loi prévoyant certaines mesures afin de lutter contre la criminalité dans l'industrie de la construction
- 2010 – Code d'éthique et de déontologie de l'Assemblée nationale (création du poste de commissaire à l'éthique) et Loi sur l'éthique et la déontologie en matière municipale (obligation pour les élus et fonctionnaires de se doter d'un code d'éthique)
- 2010 – Loi modifiant la Loi électorale concernant les règles de financement des partis politiques (loi anti-prête-noms en matière de contributions électorales (et baisse du plafond des contributions de 3 000 à 1 000 dollars) et Loi augmentant les pouvoirs de contrôle du directeur général des élections
- 2010 – Loi modifiant diverses dispositions législatives en matière municipale (renforcement de la vérification générale et du contrôle des appels d'offres)
- 2011 – Loi concernant la lutte contre la corruption (création de l'Unité permanente anticorruption [UPAC])

Reste un coût important de la corruption, moins tangible : les citoyens perdent confiance en leurs institutions démocratiques, en leur communauté. Pour le politologue suédois Bo Rothstein, ce capital social qu'est la confiance explique en bonne partie la différence entre les sociétés policées et coopératives, d'une part, et les sociétés davantage marquées affaires de corruption et autres irrégularités qui se produisent dans nos gouvernements municipaux et provincial. Les grands médias accordent-ils toujours autant d'importance aux affaires de corruption ? Plus que jamais, puisque ce sont eux, notamment les journalistes de l'émission *Enquête* à Radio-Canada, qui ont été les premiers à soulever des irrégularités et

> C'est la création de l'Unité permanente anticorruption qui a le plus modifié les règles du jeu. Désormais, il n'est plus possible pour des politiciens, fonctionnaires et organisateurs politiques de compter sur l'impunité.

par les conflits ou les déviances, d'autre part. Le concept est facile à illustrer : un citoyen aura davantage tendance à payer ses impôts, à réduire ses gestes polluants, à dénoncer les fraudes, à fournir un effort supplémentaire s'il est convaincu que ses concitoyens font de même.

RAISON D'ESPÉRER N⁰ 2 :
UNE VIGILANCE JOURNALISTIQUE,
CITOYENNE ET POLICIÈRE ACCRUE
La commission Charbonneau a donné le spectacle ahurissant, suivi assidûment par la population, des nombreuses

à sonner l'alarme sur la place publique. Les journalistes, qui se définissent comme les « chiens de garde de la démocratie », ne démordront pas : contrairement à d'autres pays, nous bénéficions d'une (mince) diversité de grands médias, sans monopole quant à leur propriété. Pour peu que la transparence des administrations augmente, les journalistes feront leur travail auprès des administrations qui cherchent à demeurer opaques.

La CEIC a bénéficié d'un avantage sur les exercices similaires du passé : elle a été réclamée pendant de nombreuses années

LOIS ANTICORRUPTION VOTÉES SOUS LE GOUVERNEMENT PÉQUISTE DE PAULINE MAROIS

- 2012 – Loi sur l'intégrité en matière de contrats publics (mandat donné à l'Autorité des marchés financiers d'autoriser les entreprises à recevoir des contrats publics)
- 2012 – Loi modifiant la Loi électorale (baisse du plafond des contributions de 1 000 à 100 dollars, baisse des limites de dépenses et autres dispositions)
- 2013 – Loi modifiant la Loi sur les élections et les référendums dans les municipalités en matière de financement (baisse du don maximum de 1 000 à 300 dollars et autres dispositions)

par une population outrée, et même par certains membres du Parti libéral du Québec malgré que celui-ci, alors au pouvoir, risquait d'être éclaboussé. Durant cette période d'incubation de la CEIC se sont créés des mouvements en faveur des données ouvertes, la Ligue d'action civique et de nouveaux mouvements politiques. La couverture des affaires municipales s'est améliorée dans les médias locaux, et s'y ajoute maintenant l'effervescence des discussions sur les réseaux sociaux dans toutes les régions du Québec. En l'absence d'un comité de suivi gouvernemental des recommandations du rapport de la CEIC, il est apparu naturel à d'anciens employés de la Commission et à des experts de former un « comité public de suivi[4] » indépendant. Contrairement à ce qui s'est produit lors des autres commissions d'enquête, les citoyens semblent s'être emparés tant du problème que des solutions.

C'est toutefois la création de l'Unité permanente anticorruption qui a le plus modifié les règles du jeu. Désormais, il n'est plus possible pour des politiciens, fonctionnaires et organisateurs politiques de compter sur l'impunité. Les citoyens clament ouvertement leur collaboration avec l'UPAC lorsqu'ils dénoncent des irrégularités, et les affidavits déposés par l'UPAC sont publiés par les médias. Les répercussions de la création de l'UPAC ne se mesurent pas au nombre d'élus ou de fonctionnaires en prison. Son véritable effet est plutôt que la peur a maintenant changé de camp ; elle n'est plus seulement du côté des sonneurs d'alarme, mais aussi du côté des personnes qui seront potentiellement dénoncées. À tel point qu'il sera peut-être nécessaire, dans certains cas, de s'attarder non plus seulement à l'impunité, mais également à la présomption d'innocence à laquelle ont aussi droit tous les élus et fonctionnaires à titre de citoyens.

RAISON D'ESPÉRER N° 3 :
LE RISQUE EST DEVENU TROP GRAND

Une entreprise, petite ou grande, voudrat-elle à l'avenir prendre le risque d'altérer ses relevés comptables, de frauder le fisc, de verser des pots-de-vin, d'engraisser une caisse politique occulte ou irrégulière ? À l'exception de ceux qui sont sous l'emprise du crime organisé, les gens d'affaires ont désormais tout intérêt à adopter une conduite exemplaire.

En vertu du régime d'intégrité du gouvernement du Canada[5], une entreprise reconnue coupable d'une infraction criminelle ou fiscale perd le droit de faire des affaires avec le gouvernement pour une période de 5 à 10 ans. Une entreprise simplement accusée peut subir le même sort en attendant son procès. Compte tenu des efforts policiers soutenus en matière de criminalité des cols blancs, le risque d'être accusé ou condamné s'accroît.

Au Québec, de nombreuses entreprises ont dû se conformer aux directives de l'Autorité des marchés financiers (AMF) chargée d'appliquer, depuis 2012, la Loi sur l'intégrité en matière de contrats publics[6]. Toutes n'obtiennent pas l'autorisation de faire affaire avec le gouvernement, et plusieurs de celles qui reçoivent l'autorisation ont dû modifier leur gouvernance, écarter certains individus de leur entourage, etc. Finalement, celles qui reçoivent l'autorisation vivent sous la menace constante de perdre l'accès aux lucratifs contrats du secteur public.

LOIS ET PROJETS DE LOI ANTICORRUPTION SOUS LE GOUVERNEMENT LIBÉRAL DE PHILIPPE COUILLARD

- 2014 – Loi concernant l'inspecteur général de la Ville de Montréal
- 2015 – Loi visant principalement la récupération des sommes payées injustement à la suite de fraudes ou de manœuvres dolosives dans le cadre de contrats publics
- 2016 – Loi donnant suite aux recommandations de la commission Charbonneau en matière de financement politique
- 2016 – Loi modifiant diverses dispositions législatives en matière municipale concernant notamment le financement politique
- 2016 – Loi facilitant la divulgation d'actes répréhensibles dans les organismes publics (adoption du principe en février 2016)
- 2016 – Loi modifiant diverses lois concernant [...] la gouvernance du système professionnel (adoption du principe en septembre 2016)
- 2016 – Loi [...] instituant l'Autorité des marchés publics (présentation en juin 2016)

Même dans les municipalités, les politiques de gestion contractuelle, auparavant dérisoires ou favorisant la collusion, se sont durcies et excluent désormais les entreprises délinquantes. À Montréal et à Laval, ce renforcement s'appuie sur le Bureau de l'inspecteur général (BIG) et le Bureau d'intégrité et d'éthique de Laval (BIEL), récemment créés, qui veillent notamment à l'application des nouvelles politiques d'encadrement. Reste que le favoritisme des élus et donneurs d'ouvrage envers certaines entreprises est toujours possible, en particulier avec l'augmentation du plafond de 25 000 à 100 000 dollars, en deçà duquel les municipalités peuvent désormais donner un contrat de gré à gré, c'est-à-dire sans appel d'offres (contrats d'approvisionnement, de construction et de services professionnels). Cette mesure, déjà en vigueur au provincial, est issue du Plan d'action gouvernemental pour alléger le fardeau administratif des municipalités adopté en 2016 par le gouvernement de Philippe Couillard[7].

Il faut aussi souligner deux autres retournements saisissants depuis la commission Charbonneau. Si, auparavant, ne pas participer au financement politique (légal, occulte ou par prête-noms) était perçu comme un risque d'affaires, aujourd'hui, participer au financement politique de façon tout à fait légale est perçu comme un risque sur le plan des relations publiques.

Ensuite, avant la CEIC, les entreprises du secteur de la construction en menaient large dans le milieu politique et ne craignaient pas l'État ?

Seul l'avenir nous donnera raison ou non sur ce point, mais aussi longtemps que la classe politique sera relativement indépendante des entreprises faisant affaire avec l'État, ce dernier disciplinera le milieu des affaires en matière de collusion, de corruption et de financement politique.

UNE INQUIÉTUDE PERSISTANTE : LES RÉSISTANCES DE L'APPAREIL GOUVERNEMENTAL

Les travaux de la CEIC ont révélé l'inefficacité du système de protection de l'intégrité dans l'attribution des contrats publics au Québec. Devant l'ampleur des stratagèmes mis au jour, il est difficile de croire qu'il existait déjà une vingtaine d'organismes qui se partageaient la responsabilité de protéger les marchés publics des phénomènes de collusion, de corruption, d'infiltration du crime organisé et de financement politique illégal : la Régie du bâtiment du Québec, la Commission municipale du Québec, la Sûreté du Québec, l'Ordre des ingénieurs, le ministère des Affaires municipales, le ministère des Transports, etc.

Le fractionnement des responsabilités entre tous ces organismes et la dispersion des ressources expliquent en grande partie leur insuccès. Devant ce constat d'échec, des réformes systématiques et profondes s'imposent. Il faudra donc surveiller la réaction du système aux réformes. Déjà, nous observons qu'il n'est pas naturel, dans l'écosystème étatique, d'encourager et de protéger les sonneurs d'alarme. Nombre de recommandations de la CEIC pourraient en effet provoquer une résistance de certaines composantes de l'appareil d'État, dont les fonctions, les ressources ou les pouvoirs pourraient être amputés.

L'Autorité des marchés publics, en particulier, court le risque d'être entravée par le réflexe de protection de la machine administrative. Selon le vœu des commissaires, ce nouvel organisme public sera doté de fonctions et de pouvoirs importants en matière de prévention de la collusion et de la corruption : traitement des plaintes, soutien aux donneurs d'ouvrage, enquête, vérification, formation et veille des marchés publics. Par conséquent, sa mise en œuvre aurait des répercussions importantes sur plusieurs autres organismes existants.

Au moment d'écrire ces lignes, en octobre 2016, le projet de loi 108 (Loi favorisant la surveillance des contrats des organismes publics et instituant l'Autorité des marchés publics) ne dotait pas cet organisme des pouvoirs et des fonctions souhaités par la CEIC, limitant son action à celle d'un vérificateur spécialisé dans les appels d'offres publics.

Il serait préjudiciable pour l'ensemble de la société que la volonté de maintenir le statu quo au sein de l'appareil gouvernemental l'emporte sur la nécessité de réformer un système dont l'inefficacité a été démontrée.

RÉTABLIR NOTRE CONFIANCE

Le comité public de suivi de la CEIC publiera d'ici 2017 un premier rapport portant sur l'état de réalisation des 60 recommandations figurant au rapport final de la CEIC[8]. Il s'agit d'un exercice vital pour permettre à la population de prendre la mesure des changements en cours, et ce, au-delà des dénonciations tapageuses et nécessaires des médias traditionnels et sociaux, qui alimentent la vigilance des citoyens mais aussi le cynisme envers les élus et le système démocratique.

Si les dérives mises au jour durant le feuilleton de la commission Charbonneau ont pu faire rire autant que pleurer, au point que le Québec se fasse décorer du titre de province la plus corrompue du Canada, les gouvernements provincial et municipaux doivent maintenant donner l'exemple et montrer patte blanche avant tout à nous, les citoyens. Car la confiance en l'intégrité collective sera essentielle pour endiguer durablement la corruption, cette faiblesse qui fait honte. ◊

Notes et sources, p. 322

Inégalités sociales

17

UN SALAIRE MINIMUM À 15 $? UN DÉBAT

Le salaire minimum est de 10,75 $ depuis mai 2016 au Québec. Depuis quelque temps, une campagne est menée aux États-Unis pour favoriser la hausse du salaire minimum à 15 $ l'heure. L'homme d'affaires Alexandre Taillefer s'est fait le champion de cette proposition pour le Québec. Il invoque des arguments politiques et sociaux liés à la réduction des inégalités. Des syndicats appuient eux aussi cette mesure. L'économiste Pierre Fortin met en garde toutefois contre une décision qui pourrait détruire des dizaines de milliers d'emplois et augmenter le décrochage scolaire. Voici leurs arguments.

ALEXANDRE TAILLEFER
Associé principal, XPND Capital

PIERRE FORTIN
Professeur émérite de sciences économiques, Université du Québec à Montréal, et membre du Groupe d'action pour la persévérance et la réussite scolaires

Une version abrégée de ce texte a été publiée dans le magazine L'actualité du 15 novembre 2016.

LE SEUIL DE PAUVRETÉ : SEULE BASE VALABLE POUR DÉTERMINER LE SALAIRE MINIMUM

ALEXANDRE TAILLEFER

Le fossé entre les plus riches et les plus pauvres ne cesse de s'agrandir. S'il est vrai que l'extrême pauvreté perd progressivement du terrain, l'extrême richesse, elle, a le vent dans les voiles, si bien que l'écart se creuse inexorablement. Nous assistons ainsi à une polarisation des classes qui s'accentue et qui laisse entrevoir des bouleversements qui pourraient miner fortement la paix sociale.

Il est essentiel de s'entendre sur ce diagnostic pour commencer à travailler tous ensemble à imaginer et à implanter des solutions qui permettront de corriger cette situation inacceptable. À ce titre, la hausse du salaire minimum est l'un des outils que de nombreuses sociétés ont retenus, et son implantation par étapes se déroule beaucoup mieux que ce que les prophètes de malheur le laissaient sous-entendre.

Soyons honnêtes, le salaire minimum n'est pas une panacée. Il ne peut régler à lui seul le problème complexe de la pauvreté. La solution la plus efficace s'appelle probablement «éducation», mais c'est un remède qui agit lentement. Les investissements que nous pourrions lui consacrer aujourd'hui n'auraient des effets que dans 5, 10, voire 20 ans.

De son côté, le salaire minimum permet justement d'agir rapidement en implantant une plus grande équité sociale. De plus, il ne dépend que de l'intervention réglementaire de l'État et non d'une responsabilité financière permanente accrue, comme le fera par exemple l'implantation d'un revenu minimum garanti ou l'augmentation de la déduction fiscale de base. C'est un outil qui permet d'utiliser l'inflation afin d'améliorer promptement les conditions des plus pauvres en n'affectant que très peu celles des plus riches.

La hausse du salaire minimum permettrait de rendre un emploi plus attrayant en marquant bien l'écart entre le revenu tiré de l'assistance sociale et celui obtenu grâce à un travail à temps plein. Il pourrait être un important motivateur pour inciter les décrocheurs à retourner sur les bancs d'école afin d'acquérir des compétences recherchées par le secteur manufacturier, par exemple. Une telle hausse devrait être appliquée à tous les salaires, sur une base décroissante.

Ce revenu supplémentaire que toucheraient les moins fortunés aurait un impact direct sur l'économie, car il serait consacré en très grande partie à la consommation. Disons-le franchement : on n'achète pas beaucoup de REER en ne gagnant que 1 600 $ net par mois...

Une telle hausse n'affecterait que très peu notre compétitivité internationale puisqu'elle toucherait surtout les entreprises qui œuvrent dans le commerce au

sociales et culturelles. Ces mesures pourront être entièrement financées par les impôts et les taxes supplémentaires que ces nouveaux revenus généreront.

À ceux qui multiplient les interventions pour protéger les pauvres des énormes pertes d'emplois qu'entraînerait une hausse importante du salaire minimum sur cinq ans, je rappelle que nos entreprises ont l'habitude de faire face à l'inflation, elles qui ne sont pas à l'abri de la hausse subite du prix des matières premières ou de celle du dollar américain.

Il est important de le rappeler : l'économie n'est pas une science exacte. Pour

Le Québec a toujours été à l'avant-garde quand venait le temps d'introduire et de maintenir des mesures sociales progressistes.

détail, la restauration ou les services, tous des secteurs qui vivent essentiellement des dépenses locales.

Gardons en tête que les effets négatifs de l'augmentation du salaire minimum, car il y en aura, pourraient être atténués par différentes mesures assez simples à mettre en place : l'éducation obligatoire jusqu'à 18 ans, pour s'assurer que les jeunes complètent leurs études, l'introduction de mesures compensatoires pour les secteurs qui seront les plus touchés, comme les petites entreprises en région, les entreprises agricoles et les entreprises

chaque étude de l'Institut économique de Montréal ou de l'Institut Fraser, on peut référer à une étude de l'IRIS ou du Centre canadien de politiques alternatives qui la contredira, et vice versa. On doit, bien entendu, toutes les consulter afin de nourrir nos réflexions et de connaître les deux côtés de la médaille. En entretenant cette saine prudence face à la science économique, quand on nous dit que le salaire minimum doit être déterminé selon un pourcentage du salaire médian, je pose une question simple : pourquoi ? Et pourquoi 47 % ? Aucun autre intrant n'est déterminé de cette façon. Pourquoi devrait-il en être ainsi du salaire ?

Ne serait-il pas préférable de déterminer le salaire minimum en fonction du seuil de pauvreté, en l'établissant à un niveau supérieur de 10 % à ce seuil, afin de s'assurer que tous ceux qui choisissent de travailler à temps plein puissent vivre un peu au lieu de survivre ? C'est exactement ce qu'atteindrait un salaire minimum de 15 $ en 2022, et c'est pour cette raison que c'est ce montant exact qui est proposé. Ce chiffre est bien plus qu'un symbole ou un slogan. Derrière lui se cache une réalité qu'on ne peut remettre en doute.

En conclusion, laissons de côté si vous le permettez les aspects économiques. Car ce débat est avant tout politique. Le Québec a toujours été à l'avant-garde quand venait le temps d'introduire et de maintenir des mesures sociales progressistes. Nous avons, depuis la Révolution tranquille, choisi de vivre dans une société plus juste et plus équitable. Continuer d'assister à la disparition de la classe moyenne, sans même tenter d'agir, ce serait accepter de nous éloigner des valeurs fondamentales qui ont forgé le Québec que l'on connaît aujourd'hui. Et ça, c'est peut-être ce qui devrait nous inquiéter le plus. ◊

PERTE D'EMPLOIS ET DÉCROCHAGE SCOLAIRE

PIERRE FORTIN

Il faut établir le salaire minimum au plus haut niveau possible. Seuls les sans-cœur pensent autrement. La question est de savoir où s'arrêter. Depuis mai 2016, le salaire minimum au Québec est de 10,75 $ l'heure, ce qui équivaut à 47 % du salaire moyen. Une personne seule qui aura travaillé à temps plein (37 heures et demie par semaine) toute l'année au salaire minimum va toucher en 2016 un revenu net de 19 000 $ après impôts, cotisations et crédits.

Ce revenu annuel net est supérieur ou à peu près égal aux divers seuils de pauvreté qu'on peut calculer à partir des données officielles. Pour 2016, les seuils disponibles pour une personne seule sont de

17 300 $ si on les calcule en se basant sur les estimations de Statistique Canada, et de 19 400 $ si on emploie celles de l'Institut de la statistique du Québec (ISQ). Pour une famille avec enfants, les allocations fédérale et provinciale pour enfants s'ajoutent au revenu. Cela lui donne accès à un revenu net qui est supérieur aux seuils de pauvreté.

Un salaire minimum élevé entraîne des conséquences sur le chômage et le décrochage scolaire. Il alourdit le coût d'embauche et incite les PME à offrir moins d'emplois et moins d'heures de travail ; et l'argent que procure un travail à temps partiel aux élèves du secondaire est une cause avérée de décrochage.

Si on veut éviter de telles conséquences, mais néanmoins assumer notre devoir de combattre la pauvreté des travailleurs du bas de l'échelle, il vaut mieux avoir recours aux autres moyens de l'arsenal anti-pauvreté : lutter contre le décrochage scolaire, réduire les impôts fédéraux et provinciaux des petits salariés, hausser la prime au travail et les crédits de TPS et pour solidarité, etc.

L'expérience vécue par le Québec dans les années 1970 est instructive. De 1967 à 1976, le salaire minimum a considérablement augmenté, passant de 48 % à 55 % du salaire moyen. Entre ces deux dates, tandis que le taux de chômage des hommes de 25 ans ou plus augmentait de 2 points

Évolution du salaire minimum en pourcentage du salaire moyen des employés payés à l'heure au Québec de 1966 à 2016

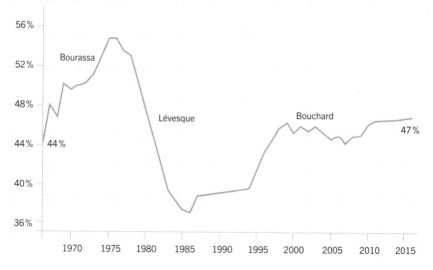

(à 6 %), celui des femmes du même âge grimpait de 5 points (à 8 %) et celui des jeunes de 15 à 24 ans de 8 points (à 15 %).

Comme 90 % des employés payés au salaire minimum à l'époque étaient des femmes ou des jeunes, les chercheurs n'ont pas mis de temps à conclure que le salaire minimum élevé était responsable d'une bonne partie de l'explosion du chômage dans ces deux groupes. Atterré, le premier ministre René Lévesque a gelé le salaire minimum pendant cinq ans.

Si le salaire minimum au Québec était fixé dès aujourd'hui à 15 $, il équivaudrait à 63 % du salaire moyen, soit encore plus que le fameux 55 % qui a tellement endommagé l'emploi dans les années 1970.

En 2010, j'ai publié les résultats d'une étude de l'impact du salaire minimum sur l'emploi. Ces résultats appliqués aujourd'hui indiquent que chaque hausse de 1 point de pourcentage du rapport entre le salaire minimum et le salaire moyen pourrait détruire 7 000 emplois au Québec. Si on passait de 47 % à 63 %, le nombre d'emplois détruits pourrait atteindre les 100 000. (Je ne gagerais évidemment pas ma chemise sur un chiffre trop précis ; c'est l'ordre de grandeur qui compte, et il fait peur.) En France, où le salaire minimum équivaut à 61 % du salaire médian selon l'OCDE, le taux de chômage des jeunes était de 25 % en 2015, soit le double de celui des jeunes Québécois.

Aux États-Unis, plusieurs villes vont bientôt porter leur salaire minimum à 15 $: San Francisco en 2018, New York en 2019, Washington en 2020, Seattle en 2021. L'Alberta va suivre fin 2018, la Californie en 2023. Mais les salaires minima de ces villes et États sont présentement si bas (inférieurs à 40 % du salaire moyen, comme au Québec de 1983 à 1994) et leurs salaires moyens sont si élevés (de 25 % à 45 % plus élevés qu'au Québec) que les hausses annoncées n'auront guère d'effet sur l'emploi. Dans aucun cas, à la date prévue, le rapport entre les salaires minimum et moyen ne dépassera le niveau que le Québec observe depuis 20 ans. Le Québec ne dispose pas encore de la base de richesse qui lui permettrait de porter son salaire minimum à 15 $ sans conséquences graves.

Même dans six ans, en 2022, le salaire moyen du Québec ne dépassera pas 27 $ l'heure. Porter le minimum à 15 $ à cette date nous ferait revenir au rapport de 55 % des années 1970. Cela pourrait nous coûter jusqu'à 50 000 emplois. Il faudra probablement attendre 2029 avant que le salaire moyen atteigne 32 $ et permette qu'un minimum à 15 $ maintienne à 47 % le rapport entre les deux.

Ce rapport stable avec indexation annuelle est la solution mitoyenne entre un salaire minimum « pas assez élevé » et un salaire minimum « trop élevé ». C'est la solution proposée par le premier ministre Bouchard en 1998 et observée par les gouvernements péquistes et libéraux depuis cette date. ◊

INÉGALITÉS : PAR OÙ COMMENCER ?

Les inégalités demeurent élevées ou s'aggravent dans la plupart des pays développés, entraînant avec elles nombre de maux économiques et sociaux. Pour les réduire, des solutions nouvelles peuvent être mises de l'avant – à l'aide d'un nouvel ingrédient : la contribution des citoyens[1].

NICOLAS ZORN

Analyste de politiques, Institut du Nouveau Monde

Depuis quelques années déjà, la question des inégalités économiques et sociales s'impose comme un enjeu politique récurrent ; ce fut encore le cas lors de la campagne électorale fédérale de 2015. Nombre de nouvelles études et données confirment l'accroissement des inégalités depuis une trentaine d'années dans la plupart des pays développés, y compris au Québec. Leurs effets néfastes sur la croissance économique, la mobilité sociale, l'espérance de vie, la réussite scolaire, la participation citoyenne, la qualité de vie et la démocratie sont désormais bien documentés[2].

Malheureusement, les inégalités vont demeurer importantes, voire se creuser davantage au cours des prochaines années. Depuis les années 1980, les revenus du 1 % le plus riche croissent beaucoup plus rapidement que ceux du reste de la population. La quasi-stagnation de l'activité économique risque de fragiliser encore davantage la classe moyenne et les moins nantis. Si rien ne change, cette tendance lourde s'accentuera.

Comme les coûts de l'immobilisme seront douloureux et grandissants, il faudra tôt ou tard changer de cap. Le défi est de taille, mais pas insurmontable. Par où commencer ?

POLITIQUES PUBLIQUES : ADAPTER, AMPLIFIER, INNOVER

Lois et conventions collectives régissant le marché du travail, éducation et formation, programmes de redistribution tels l'assurance emploi et l'impôt progressif sur le revenu : nous savons que plusieurs de ces politiques traditionnelles ont soit atteint leurs limites, soit perdu en efficacité. Adapter ces programmes aux nouvelles réalités économiques et sociodémographiques semble donc nécessaire, notamment par l'instauration de mesures fortes : éliminer la plupart des déductions fiscales bénéficiant surtout aux mieux nantis, réviser les modes de gouvernance d'entreprise, hausser progressivement le salaire minimum, élargir les droits sociaux des travailleurs, notamment au profit des non-syndiqués.

Si l'on doit miser sur ce qui fonctionne déjà, il ne faut pas pour autant craindre de sortir des sentiers battus. Par exemple, le récent ouvrage d'Anthony Atkinson, *Inégalités*, propose plusieurs solutions

Quant aux entreprises, elles peuvent directement agir sur les écarts de rémunération entre la direction et les travailleurs, écarts souvent considérables. Plusieurs études concluent notamment que ces différences affaiblissent leur productivité et leur compétitivité. Ces arguments doivent être utilisés pour convaincre les entreprises qu'elles ont avantage à s'enga-

Deux acteurs majeurs sont généralement ignorés dans les débats portant sur les inégalités : les villes et les entreprises.

originales : programme d'emploi garanti pour les chômeurs, régulation de l'innovation technologique, montant offert à tous les jeunes adultes (une sorte d'« héritage minimum garanti ») financé par un impôt sur l'ensemble des héritages, programme d'épargne public fournissant un retour sur investissement minimal pour réduire les écarts de rendements présentement favorables aux mieux nantis[3]. Nous pouvons innover.

Au Québec, deux acteurs majeurs sont généralement ignorés dans les débats portant sur les inégalités : les villes et les entreprises. Les municipalités jouent pourtant un rôle déterminant dans nombre de domaines liés directement à la réduction des inégalités de revenu : le logement, le transport, la santé, les loisirs, la sécurité, les services de proximité.

ger dans la réduction des inégalités. Elles pourraient aborder ces enjeux en optant pour des démarches de responsabilisation sociale, comme le propose l'entreprise de certification Wagemark. Ce sont des avenues pertinentes et complémentaires.

LES LIMITES DU POLITIQUE

Les gouvernements possèdent plusieurs leviers puissants pour s'attaquer aux inégalités. Adopter un programme ambitieux peut toutefois représenter un défi singulier. Un consensus entre spécialistes et acteurs sociaux sur les « faits » — quelles inégalités sont en hausse ou en baisse ? est-ce un problème ? — est le plus souvent une condition nécessaire pour pousser un gouvernement à s'attaquer à un problème. Un tel consensus semble exister depuis quelques années, une majorité d'experts et d'institutions internationales ayant (tardivement) souligné à grands traits l'accroissement important des inégalités et les maux sociaux qu'il peut entraîner.

Malheureusement, même un tel consensus suffit rarement à déclencher une réponse gouvernementale. Après tout, *l'interprétation* collective des « faits » résulte des discours dominants au sein de la société. La présentation du problème et des solutions dépend surtout du rapport de force entre les acteurs politiques, économiques et sociaux.

Il est vrai que, lors de la dernière élection fédérale, deux des trois principaux partis en lice ont mis de l'avant quelques propositions ambitieuses visant à réduire les inégalités de revenu, et que l'actuel gouvernement instaure progressivement des politiques à cet effet. Cela dit, ces dernières ne feront probablement qu'atténuer la tendance plutôt que de la renverser. Le risque serait de croire que le problème est réglé. Les partis politiques ne peuvent pas à eux seuls régler cet enjeu. À moins qu'on s'avoue vaincu, une question s'impose donc : comment provoquer le changement ?

MISER SUR LES CITOYENS

Puisque les experts, les médias et les décideurs politiques ne vivent pas séparés de la population, l'avis de cette dernière peut fournir un bon point de départ. Ainsi, un sondage Léger/Institut du Nouveau Monde (INM) a révélé en 2014 que 70 % de la population québécoise juge que la réduction des inégalités de revenu devrait être une priorité pour les gouvernements.

Pour aller au-delà des sondages, l'INM a mené en 2013 et en 2014 une vaste démarche délibérative auprès de 5 000 citoyens québécois[4]. Voici les principaux constats auxquels a abouti la démarche : si chaque individu est libre de ses initiatives, les moyens dont il dispose diffèrent grandement. Les avantages de la richesse, tout comme les handicaps découlant de la pauvreté, sont cumulatifs. Ils influencent fortement les occasions offertes à chacun. Les efforts ne doivent donc pas venir exclusivement de l'individu. Le système économique produit des gagnants et des perdants, ce qui justifie les interventions correctives des gouvernements et la mise en œuvre de politiques publiques appropriées. Ces constats montrent que le terreau est fertile pour des réformes, à condition qu'elles soient réfléchies et efficaces.

UN OBSERVATOIRE DES INÉGALITÉS

Plusieurs des participants à cette consultation de l'INM se sont référés à des données et à des recherches publiées dans les médias traditionnels ou sociaux. Ces informations influencent les citoyens, qui ensuite votent et partagent leurs opinions. Si la *production* de données et d'études sur les inégalités est un facteur clé de sensibilisation, leur *diffusion* dans le grand public est donc tout aussi importante. Ainsi, l'enjeu des inégalités étant souvent abstrait, des récits simples et accessibles sur les expériences des gagnants et des perdants d'une société inégalitaire rendraient cette réalité plus tangible.

La création d'un observatoire des inégalités permettrait de maintenir l'attention générale sur cet enjeu. C'était l'une
des grandes conclusions de la démarche
délibérative menée par l'INM. Cet observatoire pourrait être mis sur pied et pris
en charge par des organisations et des
citoyens, tout en étant affilié à des universités. Pour que on impact soit maximisé,
et leur consolidation seront tout aussi
importantes.

RÉUSSIR LES FUTURES RÉFORMES

Établir une volonté politique de changement est nécessaire, mais il faut réfléchir
plus loin, car ce n'est là que la première
étape. Plusieurs obstacles se présente-
ront. Une mauvaise conception ou mise en

> Les gouvernements doivent
> développer le réflexe d'évaluer
> l'effet sur les inégalités de toutes
> les nouvelles politiques publiques,
> incluant celles qui, à première vue,
> n'en auraient pas.

la recherche qu'il produirait pourrait être
couplée à des activités de communication pour interpeller les décideurs, mais
aussi les experts, la société civile et le
grand public. La vulgarisation d'études et
de données existantes serait déjà un bon
point de départ pour mieux faire connaître
l'enjeu complexe des inégalités, notamment au moyen de courtes vidéos, de
débats dans les médias sociaux, de conférences itinérantes et de cours en ligne.

Favoriser des réformes visant à réduire
les inégalités et encourager des changements sociaux — les principaux objectifs de l'observatoire — ne sont toutefois
qu'une partie du défi. Leur mise en œuvre

place fera dérailler tout programme politique ambitieux.

Pour éviter cette situation, les gouvernements doivent développer le réflexe
d'évaluer l'effet sur les inégalités de toutes les nouvelles politiques publiques,
incluant celles qui, à première vue, n'en
auraient pas (urbanisme, santé, transport,
etc.)[5]. D'ailleurs, un éventuel observatoire
pourrait élaborer des méthodes pour évaluer les conséquences des décisions politiques sur les inégalités au pays.

De plus, il faut dépasser la vision pas-
séiste selon laquelle le pouvoir politique et
les spécialistes informent une population
passive et occasionnellement réceptive,

dont la seule contribution consiste à voter. Pour convaincre et mobiliser, il faudrait institutionnaliser et pérenniser le dialogue entre les décideurs et les citoyens en intégrant systématiquement la participation citoyenne à la priorisation, à la conception et à la mise en place des politiques publiques.

Il est reconnu que cette approche favorise davantage le consensus, augmente la légitimité des mesures et améliore autant leur conception (sont-ce les bons moyens pour atteindre les objectifs ?) que leur mise en œuvre. Les politiciens et les fonctionnaires sont généralement compétents, mais ils ne sont pas omniscients. La meilleure façon de réussir une politique est d'y intégrer l'apport citoyen, au même titre que l'expertise scientifique. Rendre la majorité des estimations et des données gouvernementales disponibles et accessibles à tous serait un progrès salutaire en faveur de la démocratisation des politiques publiques.

UN TOUT-COMPRIS ÉGALITAIRE

Ces dernières années, le débat sur la réduction de la pauvreté a cédé la place à une discussion sur la stagnation des revenus de la classe moyenne et sur l'enrichissement du fameux 1 %[6]. Toutefois, ces deux nouveaux thèmes complémentaires n'ont pas nécessairement les mêmes frontières et n'appellent pas tout à fait les mêmes solutions ; par exemple, taxer davantage les riches ne règlera pas en soi les difficultés de la classe moyenne.

Il serait tentant de voir dans les nombreuses solutions possibles pour contrer les inégalités un menu où l'on peut piger selon ses préférences ou allégeances politiques. Mais un programme ambitieux est essentiel : ne privilégier qu'une partie de ces propositions risque au mieux de freiner le courant de fond plutôt que de le renverser. Une approche globale est donc nécessaire pour réduire les inégalités. Il ne reste plus qu'à agir. ◊

Notes et sources, p. 322

Territoires

DISPARITÉS RÉGIONALES : DES PROGRÈS, MAIS ENCORE DES RETARDS À COMBLER

Les disparités régionales au Québec se sont-elles creusées ou, au contraire, ont-elles tendance à s'atténuer ? Si des progrès ont été accomplis dans certains domaines, d'autres constituent encore un défi. Aperçu de la situation.

BRUNO JEAN
Professeur, Université du Québec à Rimouski

CÉDRIC BRUNELLE
Professeur, INRS Urbanisation, culture et société

A u Québec, la préoccupation concernant le développement régional est apparue au lendemain de la Seconde Guerre mondiale. Alors que s'amorçait un cycle de prospérité sans précédent et que les données statistiques devenaient disponibles, on a commencé à mieux connaître les disparités régionales.

Rapidement, la réduction de ces disparités est devenue un objectif pour les gouvernements. Ainsi, le Plan de développement de l'est du Québec du Bureau d'aménagement de l'Est du Québec (BAEQ), qui a eu 50 ans cette année (voir l'encadré), est l'une des premières initiatives de planification du développement régional visant une réduction des écarts avec le reste de la province.

Depuis, un grand nombre de politiques dans ce domaine, tant provinciales que fédérales, ont marqué notre histoire. Il est donc désormais possible de faire un bilan des disparités de développement entre les régions du Québec.

Contrairement à certaines croyances populaires, les différences ont été considérablement réduites en ce qui concerne le chômage et le revenu, mais pas réellement en ce qui a trait à l'éducation. Malgré une amélioration générale, les écarts absolus demeurent importants et posent donc de nouveaux défis en fait de développement régional.

PORTRAIT DES RÉGIONS

Lorsqu'on parle des régions au Québec, on fait implicitement référence à des zones géographiques éloignées de Montréal. Elles sont souvent désignées comme des régions ressources qui ont été ouvertes au peuplement tardivement pour l'exploitation de leurs ressources primaires (agriculture, pêche, forêts et mines, principalement).

Pour plusieurs observateurs, la typologie qui découle de cette définition distingue une région centrale, comprenant les régions administratives de Montréal, de Laval, de la Montérégie et des Laurentides, des régions intermédiaires (Estrie, Lanaudière, Capitale-Nationale, Centre-du-Québec, Mauricie, Outaouais, Chaudière-Appalaches) et des régions périphériques (Abitibi-Témiscamingue, Nord-du-Québec, Saguenay–Lac-Saint-Jean, Côte-Nord, Bas-Saint-Laurent et Gaspésie–Île-de-la-Madeleine).

Nous disposons de données statistiques qui permettent de mesurer les disparités de développement entre ces régions administratives. La mise en place des municipalités régionales de comté (MRC) à compter de 1979 et l'arrivée de la Politique nationale de la ruralité par la suite ont permis de se doter d'une typologie territoriale se basant sur

celle des milieux urbains. De fait, depuis deux ou trois décennies, les disparités de développement entre le monde rural et le monde urbain ont été considérablement réduites.

DISPARITÉS ENTRE LES RÉGIONS RURALES

Sur la base de la typologie des MRC, il est possible d'étudier l'évolution des différences entre divers types de territoires ruraux peu homogènes, ainsi qu'entre ces milieux ruraux et les zones urbaines, en

En 2011, le chômage dans les zones rurales chutait à 7,8 % pour pratiquement rejoindre la moyenne québécoise de 7 %.

le niveau de ruralité[1]. Celle-ci aide à saisir l'évolution de certaines différences de manière plus fine. On peut ainsi identifier 56 MRC rurales (qui n'incluent pas de villes de 10 000 habitants et plus) réparties dans les régions périphériques et intermédiaires, ainsi que 20 MRC rurales-urbaines, avec une agglomération de recensement dépassant 10 000 habitants, et une dizaine de MRC dans les régions métropolitaines de recensement (RMR). Cette typologie permet de constater que les écarts dans plusieurs paramètres (chômage, revenus, etc.) sont souvent plus grands entre certaines régions rurales qu'entre la moyenne du monde rural et

fonction de quelques facteurs particulièrement significatifs comme le taux de chômage et le revenu moyen des ménages.

Dès l'époque de la création du BAEQ, le taux de chômage a été identifié comme un indicateur probant de l'état de développement socioéconomique d'un territoire donné, et les politiques de développement régional ont souvent visé sa réduction. Encore en 1991, le taux de chômage du Québec rural était de 16,2 % (et de 22 % pour les MRC rurales périphériques), alors qu'il se situait à 12 % dans l'ensemble du Québec.

Mais en 2011, le chômage dans les zones rurales avait chuté à 7,8 %, pour pratiquement rejoindre la moyenne québécoise de 7 %. Ainsi, ce sont les pénuries de la main-d'œuvre qui font désormais la manchette. À cet égard, le calcul du taux de remplacement de la main-d'œuvre (le rapport entre la cohorte des jeunes en âge de travailler et celle des personnes au seuil de la retraite) montre que dans plusieurs régions il n'y a actuellement plus suffisamment de jeunes pour occuper les postes rendus disponibles par les départs à la retraite.

Au cours des 25 dernières années, le revenu annuel moyen des ménages ruraux est passé de 50 059 $ à 60 875 $, alors que celui des ménages urbains passait de 59 539 $ à 67 962 $, soit une croissance de 21,6 % dans les zones rurales comparativement à seulement 14,1 % pour les villes. Les revenus ont donc progressé plus rapide-

PETITE HISTOIRE DU BAEQ

L'ouvrage intitulé *Le BAEQ revisité*[1] retrace l'histoire méconnue du Bureau d'aménagement de l'Est du Québec. Cet organisme non gouvernemental, créé pour élaborer un plan de développement régional, déposait le 30 juin 1966 un volumineux rapport visant le rattrapage socio-économique du Bas-Saint-Laurent et de la Gaspésie. Malgré la contribution de ce plan à une réduction significative des écarts de développement, il a pourtant été mal vu à cause de la recommandation qu'il faisait de relocaliser quelques villages gaspésiens. Mais l'objectif de réduction des disparités de développement entre ces régions et le reste du Québec apparaît encore pertinent de nos jours.

À l'occasion de son 50ᵉ anniversaire, il fallait revisiter le BAEQ et proposer un regard renouvelé, mettant pour la première fois à contribution les perspectives croisées de ses acteurs et de chercheurs.

C'est ce que permet cet ouvrage. On y apprend notamment que les retombées de cette planification régionale auront été positives. Plusieurs projets importants comme le Parc national du Bic, le traversier-rail Matane–Baie-Comeau, l'aménagement des rivières à saumon, la consolidation agricole avec des coopératives, la recherche forestière et même l'implantation à Rimouski de l'Université du Québec ont été pensés par le BAEQ.

Le BAEQ fut non seulement un plan de développement régional réalisé avec des moyens considérables, mais aussi un exercice de planification qui a servi ailleurs au Québec et a contribué au développement de toute la société québécoise. Revisiter le BAEQ cinquante ans plus tard, aidera à sa réhabilitation.

1. Bruno Jean (dir.), *Le BAEQ revisité. Un nouveau regard sur la première expérience de développement régional au Québec*, Québec, Presses de l'Université Laval, 2016.

ment en milieu rural. Malgré ce rattrapage, le revenu moyen des ménages urbains était toujours, en 2010, de 11,6 % supérieur à celui des ménages ruraux, lesquels, par ailleurs, ont vu leur revenu passer de 87,4 % à 91,9 % de la moyenne du revenu à l'échelle du Québec. Cet écart est toutefois loin d'être catastrophique si l'on considère que les coûts du logement sont plus bas en région.

DISPARITÉS ENTRE LES RÉGIONS ADMINISTRATIVES

La réduction des écarts de développement entre les régions administratives centrales et périphériques, sur le plan tant du chômage que des revenus, n'est pas surprenante compte tenu des résultats présentés ici pour les régions rurales et urbaines. Nous estimons d'ailleurs que le revenu personnel disponible est plus fiable que le traditionnel produit intérieur brut (PIB) pour mesurer le niveau de développement d'une région donnée.

Depuis les années 1960, l'écart entre les revenus personnels disponibles des résidents des régions périphériques et ceux des régions intermédiaires et centrales s'est considérablement amenuisé, et ce processus d'harmonisation se poursuit. Par exemple, en passant de 15 609 $ à 23 317 $ entre 2002 et 2014, le revenu personnel disponible par habitant dans le Bas-Saint-Laurent a grimpé de 84 % à 89,5 % de la moyenne québécoise, qui était de 26 046 $ en 2014.

Dans le cas de la Gaspésie, le rattrapage est encore plus prononcé, le revenu par habitant passant de 81 % à 89 % de la moyenne québécoise.

Et contrairement à une opinion répandue, il se trouve des régions périphériques, comme l'Abitibi-Témiscamingue et la Côte-Nord, où ce revenu par habitant dépasse la moyenne québécoise. Cela reflète les salaires élevés versés aux travailleurs de l'industrie minière et des usines comme les alumineries.

Une autre croyance tenace veut que les habitants des régions périphériques soient des éternels assistés sociaux vivant aux crochets de ceux qui, dans la métropole, travaillent et paient des impôts. Au Québec, en moyenne, on travaille 44,7 semaines par

Les écarts en formation universitaire tendent à s'accentuer. L'explication est relativement simple : les ruraux qui obtiennent des diplômes universitaires restent travailler en ville.

année. Or, dans les régions ressources, on compte seulement quatre jours de travail de moins.

Dans les zones rurales les plus éloignées, on travaille trois semaines de moins que la moyenne québécoise. Cela explique que le nombre de personnes sous le seuil de faible revenu dans ces territoires périphériques tende à se comparer avec celui des régions centrales.

Depuis les trois dernières décennies, le pourcentage des personnes vivant sous le seuil de faible revenu défini par Statistique Canada a baissé de quelques points, pour représenter 16 % de l'ensemble des Québécois ; mais même dans les zones rurales les plus éloignées seuls 18 % des résidents vivent sous ce seuil. Par ailleurs, la pauvreté est aussi, faut-il le rappeler, un phénomène autant sinon plus urbain que rural, et qui touche particulièrement Montréal.

Cela explique la réduction des écarts concernant la part des paiements de transfert dans la composition du revenu (allocations d'aide sociale et de retraite, par exemple). Cette part s'est stabilisée autour de 12 % pour les régions centrales et à 16 % pour les régions éloignées.

L'ÉDUCATION : L'EXCEPTION QUI CONFIRME LA RÈGLE

La formation est le seul indicateur de développement socioéconomique qui présente un écart persistant entre les régions périphériques et centrales et entre le rural et l'urbain. Le pourcentage de la population ayant complété la 9e année ou moins est passé dans le dernier quart de siècle de 40 à 20 % pour les zones urbaines et de 55 à 30 % pour les zones rurales. Par ailleurs, les diplômés universitaires sont passés de 10 à 22 % de la population urbaine et de 4 à 10 % de la population rurale.

Malgré ces progrès, les écarts en formation universitaire tendent à s'accentuer, principalement entre Montréal et le reste du Québec. L'explication est relativement simple : les ruraux qui obtiennent des diplômes universitaires restent travailler en ville. Cette dynamique sociale influence la situation qui prévaut en région. Car le développement d'un territoire est fonction de ses capacités à innover, et celles-ci vont généralement de pair avec le niveau de scolarité de sa population.

À l'heure où les inégalités régionales se réduisent, de nouvelles disparités se profilent et menacent les acquis. Par conséquent, des politiques régionales sont plus que jamais nécessaires pour répondre à ce nouveau défi de développement. ◊

Notes et sources, p. 322

Générations

JEUNES ET AÎNÉS : ENTRE LES DEUX, LA RICHESSE BALANCE

Dans les années 1970, beaucoup de nos aînés étaient très pauvres. Au fil des ans, un filet social a été tissé pour leur assurer un niveau de vie plus décent. Aujourd'hui, leur revenu moyen a doublé, rééquilibrant ainsi la distribution de la richesse entre les retraités et les plus jeunes, qui détenaient alors la part du lion. Mais le balancier est-il allé trop loin en faveur des plus vieux ?

L'ÉQUIPE DE L'INSTITUT DES GÉNÉRATIONS

Alexis Gagné, économiste, doctorant en sciences humaines appliquées à l'Université de Montréal, et analyste stratégique à la Fondation Lucie et André Chagnon

Laura O'Laughlin, économiste principale au cabinet de consultation en économie, finance et stratégie Groupe d'analyse

Isabelle Fontaine, vice-présidente de Ryan Affaires publiques, ex-présidente du Comité national des jeunes du Parti québécois

Maripier Isabelle, candidate au doctorat en économie à l'Université de Toronto, ex-présidente de la Commission-Jeunesse du Parti libéral du Québec

Julien McDonald-Guimond, candidat à la maîtrise à l'Université Queen's

Dans le contexte du vieillissement de la population québécoise, l'équité intergénérationnelle est une thématique complexe de plus en plus présente dans l'actualité. Malheureusement, cet enjeu, qui a de multiples ramifications sociales, économiques et politiques, n'est souvent traité qu'en surface par nos gouvernements. Par exemple, lorsqu'ils décident de réduire les déficits budgétaires, de procéder à des coupes ou d'instaurer une politique publique, les répercussions sur les diverses générations et sur la répartition de la richesse ne sont pas toujours prises en compte et encore moins considérées comme des priorités.

Au cours des prochaines décennies, nos gouvernements devront faire des choix difficiles en ce qui a trait au juste partage des ressources financières collectives entre une population constituée d'aînés vieillissants et d'adultes des générations X, Y et milléniale, puis des enfants qui les suivent.

C'est pourquoi nous jugeons utile de retracer ici l'historique du partage de la richesse entre les générations au cours des 40 dernières années au Québec.

En 1976, le revenu médian des Québécois âgés de 65 ans et plus, après impôt, s'élevait à 11 300 $[1]. Seulement 22 % d'entre eux étaient alors titulaires d'un diplôme d'études secondaires (DES) et 3 % d'un diplôme universitaire. En 2013, le revenu médian net des aînés avait doublé, s'élevant à 22 900 $. De plus, 57 % d'entre eux avaient obtenu un DES et 15 % un diplôme universitaire. Une progression impressionnante de 50 % !

Pendant cette même période, le revenu médian net des Québécois de 25 à 34 ans, lui, n'a progressé que de 12 %, passant de 27 900 $ à 31 400 $. Les gains des jeunes ont donc peu évolué comparativement à ceux de leurs aînés. Pourtant, le taux de diplomation de cette génération a explosé durant ces mêmes années, passant de

62 % à 91 % pour le secondaire et de 11 % à 31 % pour l'université.

Ces données suggèrent qu'au cours des 40 dernières années un déséquilibre intergénérationnel s'est installé dans la distribution des bienfaits de la croissance économique, et ce, aux dépends des jeunes. Ce constat frappant mérite cependant d'être nuancé.

du revenu disponible des plus jeunes a été plus limitée, ce qui a corrigé le déséquilibre qui prévalait auparavant.

On constate aujourd'hui le succès de ce rattrapage. En moyenne, les aînés vivent maintenant avec 71 % du revenu médian disponible des jeunes de 25 à 34 ans. Ceci

Le revenu et les actifs ne peuvent être les seuls indicateurs à considérer pour évaluer l'équité entre les générations.

UN RATTRAPAGE EFFICACE ET NÉCESSAIRE

Pendant les années 1970, le déséquilibre de revenus entre les générations était favorable aux jeunes, qui empochaient alors plus du double du revenu médian des aînés (27 900 $ contre 11 300 $ en 1976). Les sociétés québécoise et canadienne ont depuis cessé de tolérer un revenu annuel médian aussi bas pour leurs aînés. En bonifiant le régime de retraite public de la Régie des rentes du Québec créé en 1965, et en le combinant avec la pension de la sécurité de la vieillesse et le supplément de revenu garanti financés par le fédéral, nos gouvernements ont agi de manière à augmenter considérablement le revenu disponible des retraités. Parallèlement, la croissance

sans compter leur actif net médian, qui est de 341 000 $ contre 43 000 $ pour les jeunes, ni leurs dépenses habituellement plus faibles que celles des jeunes ménages (moins de dépenses familiales, hypothèque payée, etc.). Ajoutons que le taux d'emploi à temps plein des Québécois âgés de 65 ans et plus a presque triplé entre 1976 et 2015, ce qui leur permet d'engranger des revenus supplémentaires pendant leur retraite.

NIVEAU ET QUALITÉ DE VIE : UNE ÉQUITÉ FRAGILE

Cependant, à notre avis, le revenu et les actifs ne peuvent être les seuls indicateurs à considérer pour évaluer l'équité entre jeunes et aînés. L'indice d'équité entre les générations, créé par l'Institut des générations[2], donne un portrait plus complet de l'évolution du niveau de vie des Québécois. Notre second indice, publié en avril 2016, combine 16 indicateurs couvrant plusieurs aspects de la vie des Québécois et des Ontariens entre 1976 et 2013 : revenus, inégalités, chômage, heures travaillées, santé mentale, satis-

miques similaires, la magnitude de ces chocs et leurs effets ne sont toutefois pas les mêmes pour l'un et l'autre. Au cours des récessions survenues entre 1976 et 2013, les plus jeunes ont été frappés plus

Au cours des récessions survenues entre 1976 et 2013, les plus jeunes ont été frappés plus durement et vivent encore aujourd'hui avec les séquelles de la grande récession de 2008-2009.

faction générale à l'égard de la vie, etc. (voir le texte en page 307).

L'indice montre notamment qu'au cours des dernières décennies le niveau de vie des Québécois âgés de 65 ans et plus a augmenté plus rapidement que celui des jeunes de 25 à 34 ans. Bonne nouvelle, toutefois : l'indice montre aussi que les niveaux de vie des différentes générations évoluent généralement dans la même direction. Ainsi, lorsque celui des aînés s'améliore, celui des jeunes suit le mouvement. Et en période de récession, tous subissent un revers, mais à des degrés divers.

LES RÉCESSIONS BRIMENT DAVANTAGE LES JEUNES

Si grand-père Paul et son petit-fils Léo s'enrichissent suivant une même tendance et sont soumis à des chocs écono-

durement et vivent encore aujourd'hui avec les séquelles de la grande récession de 2008-2009.

Notre indice montre que le niveau de vie des Québécois âgés de 35 ans et plus a à peine été ébranlé durant cette récession, et demeure encore nettement plus élevé qu'il ne l'était avant cette crise. Mais la situation est beaucoup moins rose chez les jeunes de 25 à 34 ans, qui ont vu leur niveau de vie diminuer de façon radicale en 2008 et qui n'ont jamais comblé ce recul depuis.

LES JEUNES ONTARIENS PLUS MAL EN POINT

L'indice d'équité entre les générations montre aussi que les jeunes Québécois n'ont rien à envier à leurs voisins ontariens en ce qui a trait à la qualité de vie.

Si le niveau de vie des aînés ontariens a connu la même embellie que celui des aînés québécois depuis 40 ans – leur revenu médian disponible a augmenté de 14 000 $ à 26 000 $ –, ce n'est pas le cas des jeunes Ontariens de 25 à 34 ans, qui ont plutôt vu leur revenu médian disponible carrément diminuer, de 33 000 $ en 1976 à 30 000 $ en 2012. Pendant cette période, d'autres indicateurs ont aussi dans l'élaboration de politiques publiques qu'on souhaite équitables entre les générations.

L'exemple ontarien illustre le fait que les choix relatifs aux politiques publiques et l'évolution de la conjoncture économique peuvent aboutir à une divergence importante dans l'évolution des niveaux de vie des différentes générations, et ce, sur plusieurs décennies. Il faudra donc,

> L'exemple ontarien illustre que les choix relatifs aux politiques publiques et l'évolution de la conjoncture économique peuvent aboutir à une divergence importante dans l'évolution des niveaux de vie des différentes générations.

évolué en défaveur des jeunes Ontariens, tels que les inégalités, le prix des maisons et la satisfaction générale à l'égard de la vie.

QUELLES CONCLUSIONS TIRER ?

Comme le niveau de vie des différentes générations tend à évoluer dans le même sens, on pourrait croire qu'une politique publique qui bénéficie aux uns sera aussi profitable aux autres. Cependant, la plus grande vulnérabilité des jeunes aux chocs économiques est un facteur à considérer étant donné le vieillissement de la population québécoise, être vigilant pour maintenir l'équilibre fragile entre les générations. À notre avis, il est important de maintenir, au minimum, les politiques publiques qui bénéficient aux jeunes, des mesures qui assurent l'accès aux études supérieures pour tous, peu importe le statut socio-économique, les services de garde subventionnés, le soutien aux familles, etc.

Le Québec devrait aussi tout faire pour diminuer leur inquiétante précarité au travail, limiter la dette publique et bonifier le filet social sur lequel les jeunes peuvent s'appuyer en période de récession ou de ralentissement économique (aide sociale, augmentation du salaire minimum ou instauration d'un revenu minimum garanti, etc.). Et ce, tout en maintenant un niveau de vie décent pour nos aînés les plus vulnérables. ◊

Notes et sources, p. 322

MIEUX VAUT ÊTRE JEUNE AU QUÉBEC QU'EN ONTARIO !

L'eldorado ontarien ? Un mythe, révèle la deuxième livraison de l'indice d'équité entre les générations. Les jeunes Québécois ont désormais un meilleur niveau de vie que leurs voisins.

JONATHAN TRUDEL
Reporter au magazine *L'actualité*, dans lequel ce texte a été publié en 2016

Ah, que la vie semble plus douce chez le voisin ontarien ! On y trouverait moins de chômeurs, les travailleurs y toucheraient de meilleurs salaires et paieraient moins de taxes et d'impôts. Les routes y sont mieux entretenues, et même le lait et le vin coûtent moins cher !

Convaincus que l'herbe est plus verte en Ontario, des milliers de Québécois bouclent encore, chaque année, leurs valises pour s'y établir. Mais gagnent-ils vraiment au change ? Rien n'est moins sûr. « L'eldorado ontarien, c'est un mythe », tranche l'économiste Alexis Gagné. Depuis une génération, les Québécois ont, dans l'ensemble, largement rattrapé les Ontariens au chapitre du niveau de vie. Les jeunes du Québec ont même carrément dépassé leurs voisins.

C'est l'un des constats implacables de la toute nouvelle livraison de l'indice d'équité entre les générations (IEG), le fruit d'une vaste enquête menée par Alexis Gagné et ses collègues de l'Institut des générations (voir l'encadré « Les auteurs »).

Le premier indice, publié dans *L'actualité* il y a deux ans, révélait que, contrairement aux idées reçues, le niveau de vie des Québécois de 25 à 34 ans s'était amélioré depuis une génération. Que les boomers ne les avaient pas spoliés, finalement... Cette fois, les chercheurs ont voulu comparer l'évolution du sort des jeunes Québécois et Ontariens depuis un quart de siècle. Leurs conclusions terrassent, de nouveau, des mythes tenaces.

En bref, les jeunes Québécois comptent moins de chômeurs dans leurs rangs que leurs congénères ontariens – et quand ils sont astreints au chômage, ils y restent moins longtemps. Ils travaillent moins d'heures tout en touchant un revenu médian (après impôts) plus élevé de 5,7 %.

Ils ont donc plus d'argent dans leurs poches et doivent en dépenser beaucoup moins pour se loger que les jeunes Ontariens, premières victimes de la flambée des prix de l'immobilier. Dans la grande région de Toronto, par exemple, accéder à la propriété est devenu un rêve inaccessible pour beaucoup de jeunes familles. Le loyer moyen y est aussi prohibitif – et reste beaucoup plus élevé qu'à Montréal, malgré les hausses fulgurantes compte d'indicateurs de « qualité de vie », tels que l'espérance de vie à la naissance, le taux de dépression majeure et le taux de criminalité (une autre nouveauté).

Le Québécois médian de 25 à 34 ans a plus d'argent dans ses poches, après impôts et transferts, que l'Ontarien médian du même âge.

enregistrées dans la métropole québécoise depuis une décennie.

« En 1990, les jeunes Québécois étaient en moins bonne posture que leurs voisins ontariens. Aujourd'hui, c'est l'inverse », résume Alexis Gagné, qui a analysé une trentaine d'indicateurs, dont quelques-uns sont inédits. Ses collègues et lui ont notamment pu mesurer l'actif net des 25 à 34 ans, ce qui leur a permis de documenter l'évolution du niveau d'endettement depuis une génération.

En plus des indicateurs strictement économiques, les chercheurs ont tenu

Tout comme il y a deux ans, les chercheurs voulaient répondre à deux grandes questions :
1. Le niveau de vie des jeunes s'est-il amélioré ou non ?
2. Le partage du pouvoir, de la richesse et des emplois entre les jeunes et le reste de la société s'est-il amélioré ou non ?

Pour comparer l'évolution des jeunes en Ontario et au Québec, Gagné et ses collègues ont créé, à partir des indicateurs retenus, un indice d'équité pour chaque province. Ils ont ensuite mis en parallèle les deux trajectoires. Bilan ? « Les

LE QUÉBEC PLUS ÉGALITAIRE

Le Québec compte moins de riches que l'Ontario, mais la distribution des revenus y est moins inégale. C'est ce que révèle le coefficient de Gini, qui mesure les inégalités de revenus dans une société. Il varie de 0 (si tous les revenus sont partagés également) à 1 (une seule personne rafle tous les revenus). Parmi les jeunes Québécois de 25 à 34 ans, les inégalités ont légèrement décliné depuis 1990 (le coefficient de Gini est passé de 0,36 à 0,34), alors qu'elles ont augmenté parmi les jeunes Ontariens du même âge (de 0,34 à 0,36).

L'ACCÈS À LA PROPRIÉTÉ

Les jeunes des deux provinces ont été touchés de plein fouet par la hausse fulgurante du prix des maisons depuis 2000. Mais les jeunes Ontariens l'ont été encore plus durement. En proportion de leur revenu, les Québécois paient encore leurs maisons moins cher que ce que payaient les Ontariens... en 1990.

En 2013, le prix moyen d'une maison au Québec représentait près de 7 fois le revenu médian des jeunes de 25 à 34 ans. En 1990... c'était 5,1 fois. En 2013, le prix moyen d'une maison en Ontario représentait 10,6 fois le revenu médian des jeunes de 25 à 34 ans. En 1990 : 7,5 fois.

Ontariens font, essentiellement, du surplace, tandis que le sort des Québécois s'est légèrement amélioré. »

La balance aurait, à coup sûr, penché encore davantage du côté du Québec si les chercheurs avaient pu comparer les investissements publics dans les services de garde des deux provinces (celles-ci ont des méthodes de comptabilité différentes, ce qui rend les comparaisons hasardeuses). Malgré les hausses marquées de tarifs décrétées par le gouvernement Couillard, la plupart des parents québécois débourseront une fraction des sommes versées par les parents ontariens, qui dépassent 1 300 dollars par enfant par mois, en moyenne, dans la région de Toronto. (Avant la fin du tarif unique de 7 dollars par jour, les parents québécois dépensaient à peine 150 dollars par mois par enfant.)

Mais attention ! Tout n'est pas sombre pour les jeunes Ontariens.

Ces derniers ont encore un actif médian (en gros : la valeur de leurs biens, maison comprise, moins les dettes) plus élevé. Ils sont plus nombreux à être titulaires d'un diplôme universitaire, malgré des gains spectaculaires au Québec. Ils vivent dans un environnement plus sécuritaire – le taux de criminalité au Québec dépasse désormais celui de l'Ontario ! – et jouissent d'une meilleure qualité de l'air.

Malgré ces nuances, le portrait d'ensemble brossé par l'IEG entre en collision frontale avec un certain discours ambiant selon lequel le Québec se porte toujours plus mal que ses voisins. Les chiffres parlent d'eux-mêmes : le Québec n'est plus le petit frère pauvre qu'il a longtemps été. Comment concilier ce constat avec les nombreuses études, largement relayées par les médias, sur la « pauvreté » relative des Québécois ?

Selon Laura O'Laughlin, économiste principale au Groupe d'analyse, cabinet américain de consultation en économie, finance et stratégie, et cofondatrice de l'indice, ces études se concentrent trop souvent sur le revenu moyen des gens, un indicateur utile mais imparfait, voire trompeur.

Il suffirait, par exemple, que le fondateur de Facebook, Mark Zuckerberg, s'attable dans un petit casse-croûte pour que tous les convives deviennent, en moyenne, milliardaires ! Et ce, même si tous les autres clients vivaient dans les faits sous le seuil de la pauvreté. Le revenu médian – celui de la personne qui, dans un groupe de 10, se situe au cinquième rang – donne une lecture plus précise et plus réaliste.

Vivre mieux… au Québec (corédigée avec Luc Godbout) compare le bien-être des Québécois à celui des habitants des autres pays de l'OCDE.

Les conclusions de ce nouvel indice d'équité n'étonnent guère non plus Pierre Fortin. Cet économiste, professeur émérite à l'Université du Québec à Montréal, documente depuis de nombreuses années déjà

L'amélioration la plus notable du niveau de vie des jeunes – de 1996 à 2002, selon l'indice – coïncide avec la naissance des CPE.

En clair, le Québécois médian de 25 à 34 ans a plus d'argent dans ses poches, après impôts et transferts, que l'Ontarien médian du même âge – en dépit de leur revenu moyen quasi identique : 26 176 dollars au Québec contre 26 947 dollars en Ontario (dollars de 2013).

Fin janvier 2016, dans une tour de bureaux du centre-ville de Montréal, les auteurs de l'étude ont présenté leurs conclusions à un ensemble de « sages », un groupe choisi d'économistes et de personnalités qui guident et critiquent leurs travaux depuis les balbutiements de l'indice d'équité, il y a trois ans.

« C'est un exercice éclairant. Ça correspond à ce que j'observe aussi depuis plusieurs années dans mes propres travaux », s'est exclamé Marcelin Joanis, de Polytechnique Montréal, dont l'étude

le grand rattrapage du Québec, devenu pour ainsi dire « aussi riche » que l'Ontario, tout en étant moins inégalitaire, dit-il.

Selon lui, ce rattrapage n'est pas le fruit du hasard, mais le résultat des politiques économiques et sociales adoptées par Québec depuis 25 ans. Il cite en exemple la création des centres de la petite enfance (CPE) et les bas tarifs de garderie. « Le taux d'activité des femmes a explosé au Québec et a stagné en Ontario », dit-il, et ce n'est pas une coïncidence.

Éducation : en mode rattrapage

DÉPENSES EN ÉDUCATION EN 2013
QUÉBEC 5,2 % du PIB
ONTARIO 4,6 % du PIB

TAUX DE DIPLOMATION UNIVERSITAIRE EN 2013
QUÉBEC 31 % (14 % en 1990)
ONTARIO 35,7 % (18 % en 1990)

L'ancienne ministre péquiste Louise Harel, une autre «sage», n'a pas manqué de souligner que l'amélioration la plus notable du niveau de vie des jeunes – de 1996 à 2002, selon l'indice – coïncide avec la naissance des CPE.

La Loi sur l'équité salariale, qui a permis de hausser la rémunération de métiers traditionnellement féminins, a sans doute aussi eu un effet, note l'économiste Laura O'Laughlin. Réjean Parent, ex-président de la Centrale des syndicats du Québec, avait vu dans la première livraison de l'IEG une «réhabilitation» des boomers, accusés à tort, selon lui, d'avoir volé l'avenir de leurs enfants. «Je suis heureux de voir que ça se confirme et que la situation des jeunes évolue vers le haut, comme celle du reste de la société.» Ce syndicaliste voit lui aussi dans ces données une «preuve» de l'efficacité des efforts déployés pour aider les familles au Québec. «Ça fait du bien, parce qu'au Québec, malheureusement, nos politiciens ont tendance à naviguer à vue, dit-il. On a de la misère à mesurer l'impact de nos décisions.»

Également présent à la réunion, le nouveau PDG du Regroupement des jeunes chambres de commerce du Québec, Monsef Derraji, s'est réjoui de ce que les jeunes du Québec n'aient plus aucun complexe à entretenir vis-à-vis de leurs congénères ontariens. Mais il s'est dit inquiet des répercussions de l'augmentation des tarifs dans les services de garde décrétée par le gouvernement Couillard. «Il ne faut pas crier victoire, parce que cette mesure risque, à elle seule, de miner tous les gains qu'on a faits ces dernières années, note-t-il. La hausse du nombre de mères sur le marché de l'emploi a beaucoup aidé à augmenter le revenu des familles. On risque de voir ces gains annihilés au bout de quatre à cinq ans.»

L'économiste Marcelin Joanis adresse une autre mise en garde à ceux qui seraient tentés de célébrer trop rapidement le rattrapage avec le voisin ontarien. Il note que l'Ontario a été plus durement touché par la crise économique de 2008-2009. Cette crise, jumelée à la force du huard – longtemps dopé par les pétrodollars albertains –, a «cassé un ressort» dans l'économie ontarienne. Mais avec la faiblesse du huard, celle-ci pourrait rebondir. Et si c'était le cas, le Québec devrait... applaudir. Parce qu'il n'y a rien de réjouissant, insiste-t-il, à voir son principal partenaire commercial perdre de son pouvoir d'achat. ◊

LA RICHESSE, ÇA PROGRESSE !

Calculez la valeur de tous vos actifs (biens immobiliers compris), puis soustrayez vos dettes. Vous obtenez votre actif net. À ce chapitre, les jeunes Ontariens (67 630 dollars en 2013) ont encore un avantage indéniable sur leurs congénères québécois (43 259 dollars), qui s'explique en partie par la vigueur du marché immobilier ontarien.

LES 26 INDICATEURS DERRIÈRE L'INDICE D'ÉQUITÉ

14 indices favorables au Québec 👍

NIVEAU DE VIE DES JEUNES

1. Revenu médian après impôt, 25 à 34 ans   👍
2. Taux de chômage, 25 à 34 ans   👍
3. Durée moyenne des épisodes de chômage, 25 à 34 ans   👍
4. Nombre moyen d'heures travaillées, 25 à 34 ans   👍
5. Équité salariale : salaire hebdomadaire, 25 à 34 ans, femmes / salaire hebdomadaire,   👍
   25 à 34 ans, hommes
6. Inégalité de revenu : coefficient de Gini, 25 à 34 ans   👍
7. Actif net médian, 25 à 34 ans
8. Ratio du prix moyen des maisons et du revenu médian après impôt, 25 à 34 ans   👍
9. Ratio du loyer moyen d'un appartement de deux chambres à coucher et du revenu médian   👍
   après impôt mensuel, 25 à 34 ans
10. Taux de criminalité pour 100 000 habitants (infractions au Code de la route exclues)
11. Taux de personnes sans diplôme, 25 à 34 ans
12. Taux de diplomation à l'université, 25 à 34 ans
13. Espérance de vie à la naissance   ÉGALITÉ

ÉGALITÉ

14. Stock d'infrastructures publiques provinciales en pourcentage du PIB
15. Taux de satisfaction générale à l'égard de la vie chez les 25 à 34 ans   👍
16. Taux de dépression majeure dans la dernière année et perception de la santé mentale
    chez les 25 à 34 ans

PARTAGE DU POUVOIR ET DE LA RICHESSE

17. Ratio du revenu médian après impôt, 25 à 34 ans, et du revenu médian après impôt,   👍
    16 ans et +
18. Ratio du taux de chômage, 25 à 34 ans, et du taux de chômage, 15 ans et +   👍
19. Ratio de l'actif net médian, 25 à 34 ans, et de l'actif net médian, 16 ans et +
20. Ratio du taux de taxation moyen, 25 à 34 ans, et du taux de taxation moyen, 16 ans
    et + (revenu moyen avant impôt − revenu moyen après impôt / revenu moyen avant impôt)
21. Pourcentage du PIB allant aux dépenses provinciales en éducation   👍
22. Pourcentage du PIB allant aux dépenses provinciales en santé
23. Pourcentage des dépenses totales consolidées du gouvernement provincial allant
    au service de la dette
24. Âge moyen des membres du CA des grandes entreprises   👍
25. Émissions de gaz à effet de serre (mégatonnes d'équivalent CO_2)   👍
26. Concentration de particules fines dans le sud du Québec et le sud de l'Ontario

LES AUTEURS

L'indice d'équité entre les générations pour le Québec et l'Ontario a été réalisé par l'équipe de l'Institut des générations, sous la direction d'ALEXIS GAGNÉ, économiste, candidat au doctorat en éducation à l'Université de Montréal et analyste stratégique à la Fondation Lucie et André Chagnon.

LAURA O'LAUGHLIN, économiste principale au cabinet de consultation en économie, finance et stratégie Groupe d'analyse

CHRISTIAN BÉLAIR, président de Credo, associé principal d'IS&B Économie simplifiée, ex-PDG du Regroupement des jeunes chambres de commerce du Québec

MARIPIER ISABELLE, candidate au doctorat en économie à l'Université de Toronto, ex-présidente de la Commission-Jeunesse du Parti libéral du Québec

ISABELLE FONTAINE, vice-présidente de Ryan Affaires publiques, ex-président du Comité national des jeunes du Parti québécois ˙

NATHANIEL BÉRUBÉ-MIMEAULT, économiste

LES «SAGES» QUI ONT CONTRIBUÉ À LA RÉFLEXION

RÉJEAN PARENT, ex-président de la Centrale des syndicats du Québec

PIERRE FORTIN, économiste, professeur émérite à l'Université du Québec à Montréal

FRANÇOIS VAILLANCOURT, économiste, professeur émérite à l'Université de Montréal

MARCELIN JOANIS, économiste, professeur à Polytechnique Montréal, chercheur au Centre interuniversitaire de recherche en analyse des organisations (CIRANO)

LOUISE HAREL , ex-ministre sous différents gouvernements du Parti québécois

MONSEF DERRAJI, PDG du Regroupement des jeunes chambres de commerce du Québec

Démographie

VIEILLISSEMENT DE LA POPULATION ET EMPLOI AU QUÉBEC : PAS DE PANIQUE !

Depuis plusieurs décennies, la population du Québec vieillit inexorablement. Avec l'arrivée massive des baby-boomers à la retraite, faut-il craindre une baisse du nombre total de travailleurs ? Cette question est cruciale pour les finances publiques et le bien-être des Québécois, puisque l'emploi contribue largement à la croissance économique.

DAVID BOISCLAIR

Économiste, Chaire de recherche Industrielle Alliance sur les enjeux économiques des changements démographiques, HEC Montréal

Depuis 2009, le nombre des travailleurs de 55 ans et plus a dépassé celui des 15-24 ans au Québec, et l'écart s'accroît rapidement[1]. Avec l'arrivée à l'« âge normal de la retraite » des premiers baby-boomers en 2011, la question des impacts économiques du vieillissement de la population se fait de plus en plus pressante. Les 15 prochaines années verront le reste de cette cohorte franchir le cap des 65 ans, ce qui suscite nombre d'interrogations concernant la capacité de l'État québécois à payer pour les services publics, en particulier les soins de santé.

En effet, les individus en emploi perçoivent des revenus plus importants que ceux qui ne le sont pas et contribuent ainsi davantage aux coffres de l'État. De plus, l'emploi participe largement à la croissance économique, qui est elle-même porteuse de revenus plus importants pour l'État. Il apparaît donc pertinent de se demander si le nombre de travailleurs ira en diminuant au Québec au cours des prochaines décennies, à mesure qu'augmentent l'âge médian et la proportion de Québécois dits « âgés ». Devrait-on s'inquiéter ?

DES SIMULATIONS DÉTAILLÉES

Notre équipe de recherche a élaboré et appliqué à la question de l'emploi un modèle de « microsimulation » qui permet de réaliser des projections de la composition et des caractéristiques individuelles de la population du Québec jusqu'en 2050[2]. Même si les projections obtenues pourraient bien ne pas se concrétiser, elles constituent la meilleure approximation possible en fonction des données disponibles.

Notre modèle utilise un grand nombre de microdonnées issues d'enquêtes portant sur divers aspects de la vie des individus, comme l'Étude longitudinale et internationale des adultes (ELIA) et l'Enquête sociale générale. Celles-ci permettent d'estimer des relations statistiques entre les caractéristiques des individus ainsi qu'entre ces dernières et les comportements. En posant ensuite certaines hypothèses concernant l'avenir, par exemple au sujet de tendances sociétales comme celles relatives aux taux d'emploi en fonction de l'âge et au niveau de scolarité, ce type de modèle permet de réaliser des simulations qui, répétées un grand nombre de fois, génèrent des projections fiables.

Comme d'autres modèles de même nature qui utilisent des données individuelles plutôt que des données agrégées, le nôtre permet de comparer divers scénarios en modifiant certaines hypothèses clés. Il faut cependant présumer que les relations que nous estimons ne changeront pas trop à l'avenir afin de restreindre l'éventail des possibles. Ainsi, les projections obtenues dépendront inévitablement des hypothèses utilisées.

DES PROJECTIONS SANS ÉQUIVOQUE

À des fins de comparaison, nous avons construit dans notre étude[3] un scénario de référence, dans lequel les travailleurs québécois resteraient identiques au cours des prochaines décennies – en matière de niveau d'éducation, de caractéristiques familiales, etc. – et aucun changement ne serait apporté aux politiques et programmes publics. Avec de telles hypothèses et étant donné l'évolution démographique prévue, le taux d'emploi au Québec décroîtrait de trois points d'ici 2030 et ne rattraperait même pas en 2050 son niveau de 2015[4].

Ce scénario est bien sûr irréaliste : on sait, par exemple, que les travailleurs des prochaines décennies seront plus scolarisés et que la probabilité d'être en emploi

augmente avec le niveau de scolarité. Il est donc logique d'intégrer cette réalité dans nos projections. Notre deuxième scénario tient compte de cet « effet de composition éducationnelle », qui se traduirait notamment par des taux d'emploi plus élevés chez les individus de 55 ans et plus, et un niveau d'emploi total qui augmenterait durant quelques années encore, avant d'atteindre un creux en 2025 – au-dessus du niveau de 2015 – puis de repartir à la hausse jusqu'en 2050.

Mais que se passerait-il si les travailleurs de 55 ans et plus restaient en emploi plus longtemps qu'aujourd'hui, et ce, peu importe leur niveau de scolarité ? Avec la hausse de l'espérance de vie, cette possibilité ne paraît pas farfelue. Nous avons donc construit un troisième scénario tenant compte de l'effet de composition éducationnelle du scénario précédent, mais en supposant aussi que les taux d'emploi des travailleurs âgés augmenteront, indépendamment du niveau de scolarité. C'est d'ailleurs ce que suggèrent les données provenant de l'ELIA. Selon ce scénario, notre modèle projette une hausse soutenue du niveau d'emploi au Québec pour la période de 2015 à 2050.

Afin de vérifier la solidité de notre exercice, nous avons créé un quatrième scénario en utilisant les projections d'emploi par âge et par sexe publiées par la Régie des rentes du Québec[5]. Pour la période de 2015 à 2025, les résultats obtenus sont semblables à ceux du scénario numéro 2 (effet de composition éducationnelle seulement), tandis que de 2025 à 2040, ils se rapprochent davantage de ceux du scénario numéro 3, qui est celui que nous privilégions.

Selon les scénarios 3 et 4, l'emploi augmenterait de 4 % à 10 % d'ici 2050 et contribuerait de façon significative à la croissance économique, surtout après 2030, sans jamais descendre sous le niveau de 2015. On pourrait ainsi s'attendre à ce que l'évolution de l'emploi ajoute jusqu'à 0,3 point de pourcentage à la croissance québécoise, un apport considérable dans un monde où la croissance réelle devrait être de 1,5 % environ.

LE FUTUR DE L'EMPLOI AU QUÉBEC

Ces résultats peuvent sembler étonnants. Pourtant, de nombreuses études tendent à démontrer qu'il n'y a pas et qu'il n'y aura pas de crise de l'emploi au Canada, ni dans la plupart des provinces prises individuellement[6]. Par ailleurs, depuis une vingtaine d'années, les Québécois travaillent déjà de plus en plus longtemps, comme en font foi plusieurs études et statistiques[7].

Or, la transformation de la couverture des régimes de retraite et l'évolution du marché de l'épargne ne peuvent expliquer qu'une partie de ce rehaussement de l'âge du départ à la retraite, principalement dû à la hausse de la participation des femmes au marché du travail et à l'allongement des carrières chez les hommes (possiblement pour faire coïncider leur retraite avec celle d'une conjointe désormais en emploi). Les secondes carrières et les retours au travail sont par ailleurs fréquents, parfois pour des raisons financières, mais aussi, simplement, parce que l'état de santé des individus le permet et que le travail reste un important point d'ancrage socioéconomique.

Il ne faut toutefois pas sous-estimer l'importance pour le maintien en emploi de l'adptation des milieux de travail s'adapter aux besoins, aux forces et aux faiblesses des travailleurs expérimentés. On observe encore une certaine forme de discrimination liée à l'âge en matière d'emploi, menant plusieurs individus vers un chômage prolongé ou une retraite anticipée involontaire. Plusieurs de ceux qui se maintiennent en emploi se retrouvent par ailleurs cantonnés dans certains types d'emplois de façon disproportionnée par rapport aux travailleurs plus jeunes.

Quoi qu'il en soit, une hausse de l'emploi des travailleurs expérimentés au cours des prochaines décennies semble fort plausible au Québec, avec les effets collectifs positifs que cela implique. D'ailleurs, le scénario de projection que nous privilégions amènerait les taux d'emploi des travailleurs âgés en 2050 près de ceux observés en 2011 dans plusieurs pays de l'OCDE, comme le Japon, la Suisse ou la Norvège[8]. Voilà qui ne paraît pas déraisonnable, même si plusieurs dimensions de ce phénomène restent encore à explorer. ◊

Notes et sources, p. 322

NOTES ET SOURCES

CLÉ 01 — ÉDUCATION

L'évolution inquiétante de l'école à trois vitesses

1. La question des inégalités scolaires et de l'équité se pose aussi au collégial et à l'université, mais il nous est impossible de l'aborder ici. Kamanzi et Doray soutiennent que le collégial tend vers une démocratisation égalisatrice, alors que l'ordre universitaire a une forme plus ségrégative. Voir Pierre Canisius Kamanzi et Pierre Doray, « La démocratisation de l'enseignement supérieur au Canada : la face cachée de la massification », *Revue canadienne de sociologie*, vol. 52, no 1, 2015, p. 38-64.

2. Pierre Merle, « Démocratisation de l'éducation », dans Jean-Michel Barreau (dir.), *Dictionnaire des inégalités scolaires*, Issy-les-Moulineaux (France), ESF, coll. « Pédagogiques », p. 65-68.

3. Alec Larose, *Les projets particuliers à l'école publique en contexte de concurrence scolaire : un état des lieux*, CSQ, Fédération des syndicats de l'enseignement, 2016.

4. Il n'est plus nécessaire d'obtenir une autorisation ministérielle pour offrir de tels programmes, pourvu que le régime pédagogique de la Loi sur l'instruction publique soit respecté.

5. Conseil supérieur de l'éducation, *Les projets pédagogiques particuliers au secondaire : diversifier en toute équité*, avis au ministre de l'Éducation, du Loisir et du Sport, Québec, 2007.

6. Christian Maroy et Pierre Canisius Kamanzi, *Stratification des établissements scolaires et inégalités d'accès à l'enseignement universitaire au Québec* (à paraître).

7. G. Brisson, « Analyse des données PISA relatives à l'équité », Conseil supérieur de l'éducation, Direction de la recherche, 2015 (inédit).

8. Voir la recension des écrits de G. Rompré, « La mixité sociale à l'école », Conférence de comparaisons internationales, Rapport CSE-CNESCO, 2015. Déposé sur le site du CSE.

9. Commission des États généraux sur l'éducation du Québec, *Rénover notre système d'éducation. Dix chantiers prioritaires*, Rapport final de la commission, Québec, 1996, p. 14.

Les universités de l'après-Printemps érable : entre espoir et déception

1. Ministère de l'Enseignement supérieur, de la Recherche, de la Science et de la Technologie du Québec, *Préparons le Sommet. L'enseignement supérieur pour tous*, Québec, Gouvernement du Québec, 2012, p. 5.

2. *Ibid.*

Pour aller plus loin :

Bissonnette, Louise, et John Porter, *L'université québécoise. Préserver les fondements, engager des refondations*, Québec, Ministère de l'Enseignement supérieur, de la Recherche, de la Science et de la Technologie [MESRST], 2013.

Bouchard St-Amant, P.-A., *Rapport du chantier sur l'aide financière aux études*, Québec, MESRST, 2013.

Corbo, C., *Pour mieux servir la cause universitaire au Québec. Le Conseil national des universités*, Québec, MESRST, 2013.

Demers, G., *Rapport final du chantier sur l'offre de formation collégiale*, Québec, MESRST, 2014.

Doray, P., et C. Lessard, *50 ans d'éducation au Québec*, Québec, Presses de l'Université du Québec, 2016.

Nadeau-Dubois, G. (dir.), *Libres d'apprendre. Plaidoyers pour la gratuité scolaire*, Montréal, Écosociété, 2014.

Tremblay, H.P., et P. Roy, *Pour une réforme du financement des universités québécoises. Rapport final du chantier sur la politique de financement des universités*, Québec, MESRST, 2014.

Complément. Comment gagner un demi-million de dollars

1. Cabinet de la première ministre de l'Ontario, « Plus que jamais, les élèves de l'Ontario obtiennent un diplôme d'études secondaires », communiqué de presse, 1er avril 2015. Il faut cependant noter que l'Ontario inclut lui des « formations équivalentes » dans le calcul de ce taux de 84 % et que la note de passage aux examens est de 50 %, plutôt que 60 % comme au Québec. Par contre, en Ontario, le

diplôme du *high school* s'obtient après 12 années d'études plutôt que 11 comme au Québec.

2. La référence classique sur la question est l'article synthèse du professeur David Card, de l'Université de Californie à Berkeley, intitulé « The Causal Effect of Education on Earnings » et publié dans le volume 3A du *Handbook of Labor Economics*, sous la direction d'O. Ashenfelter et D. Card (North Holland, Amsterdam, 1999, p. 1801-1863). Le professeur Philip Oreopoulos, de l'Université de Toronto, a révélé la nature causale du lien entre revenu et éducation au Canada dans son article intitulé « The Compelling Effects of Compulsory Schooling : Evidence from Canada », *Revue canadienne d'économique*, vol. 39, n° 1, 2006, p. 22-52. Comme l'indique le titre de cet article, l'auteur s'en est servi pour suggérer qu'on envisage d'allonger la scolarité obligatoire jusqu'à l'âge de 18 ans.

3. En dollars constants de 2016.

4. Les dernières données disponibles sur le revenu annuel de la population sont celles de 2010, publiées dans l'Enquête nationale auprès des ménages de 2011 de Statistique Canada. Les chiffres estimatifs de 2016 figurant au tableau 1 sont obtenus par l'application à ces données de 2010 d'un facteur d'accroissement de 16 % visant à refléter la hausse cumulative du revenu moyen au Québec pendant les six années suivantes.

5. Les gains annuels sont additionnés tels quels, et non en valeurs actualisées au présent. Les unités monétaires sont des dollars de 2016 puisque l'inflation est déduite.

6. Voir notamment à ce sujet le rapport du Groupe d'action sur la persévérance et la réussite scolaires au Québec, *Savoir pour pouvoir. Entreprendre un chantier national pour la persévérance scolaire*, Montréal, McKinsey & Compagnie, 2009.

7. Philip Oreopoulos et Kjell Salvanes, « Priceless : The Nonpecuniary Benefits of Schooling », *Journal of Economic Perspectives*, vol. 25, n° 1, 2011, p. 159-184.

8. En dollars constants de 2016.

CLÉ 02 — SANTÉ
Le point sur les lois qui cherchent à encadrer le droit de mourir dans la dignité

1. Collège des médecins du Québec, *Le médecin, les soins appropriés et le débat sur l'euthanasie. Document de réflexion*, 16 octobre 2013.

2. Commission spéciale, *Mourir dans la dignité. Rapport*, Québec, Assemblée nationale, mars 2012.

3. Loi concernant les soins de fin de vie, RLRQ, c. S-32.0001.

4. *Loi modifiant le Code criminel et apportant des modifications connexes à d'autres lois (aide médicale à mourir)*, Lois du Canada, 2016, c. 3.

5. Collège des médecins du Québec, Mémoire, CSSS − 006M. C.P. − P. L. 52, Loi concernant les soins de fin de vie, 17 septembre 2013.

6. Office des personnes handicapées du Québec, Mémoire, CSSS − 046M. C.P. − P.L., 52, Loi concernant les soins de fin de vie, septembre 2013.

7. Protecteur du citoyen, Mémoire, CSSS − 017M., C.P. − P.L. 52, Loi concernant les soins de fin de vie, 24 septembre 2013.

8. Ordre des infirmières et infirmiers du Québec, Mémoire, CSSS − 048M. C.P. − P.L. 52, Loi concernant les soins de fin de vie, 8 octobre 2013.

9. Association québécoise de gérontologie, Mémoire, CSSS − 031M. C.P. − P.L. 52, Loi concernant les soins de fin de vie, 3 octobre 2013.

10. Réseau FADOQ, Mémoire, CSSS − 050M. C.P. − P.L. 52, Loi concernant les soins de fin de vie, sans date.

11. Association médicale du Québec, Mémoire, CSSS − 002M. C.P. − P.L. 52, Loi concernant les soins de fin de vie.

12. Commission des droits de la personne et des droits de la jeunesse, CSSS − 039M. C.P. − P.L. 52, Loi concernant les soins de fin de vie, septembre 2013.

13. *Carter c. Canada (Procureur général)*, 2015 CSC 5.

14. Commission des droits de la personne et des droits de la jeunesse, *op. cit.*

15. Conseil pour la protection des malades, Mémoire, CSSS − 024M. C.P. − P.L. 52, Loi concernant les soins de fin de vie, 26 septembre 2013.

16. Collège des médecins du Québec, *Rapport du groupe de travail conjoint sur l'aide médicale à mourir*, Montréal, 28 mars 2013.

Complément. Aide médicale à mourir : les nouvelles valeurs qui ont fait évoluer le débat

1. Raymond Boudon, *Déclin de la morale ? Déclin des valeurs ?*, Québec, Nota bene, 2002.

2. Céline Lafontaine, *La société post-mortelle*, Paris, Seuil, 2008.

CLÉ 03 — DIVERSITÉ CULTURELLE

Daesh et le défi propagandiste

1. Robert K. Merton, *Social Theory and Social Structure*, New York, Free Press, 1949.

Radicalités violentes : la prévention plutôt que la répression

1. www.midi.gouv.qc.ca/fr/dossiers/lutte-radicalisation.html.

2. https://info-radical.org.

3. James Khalil, « Radical Beliefs and Violent Actions Are Not Synonymous : How to Place the Key Disjuncture Between Attitudes and Behaviors at the Heart of our Research into Political Violence », *Studies in Conflict & Terrorism*, vol. 37, n° 2, 2014.

4. Daniel Koehler, « Violent Radicalization Revisited : A Practice-Oriented Model », *ISN Security Watch*, Zurich, ETH Zurich, 2015.

5. Amarnath Amarasingam et Craig Forcese, *Policy Options/politiques*, « Radicalization and Violence in Canada : The Aaron Driver Case », 23 août 2016, en ligne : http://policyoptions.irpp.org/magazines/august-2016/radicalization-and-violence-in-canada-the-aaron-driver-case/.

6. Asiem El Difraoui et Milena Uhlmann, « Prévention de la radicalisation et déradicalisation : les modèles allemand, britannique et danois », *Politique étrangère*, hiver, 2015.

7. Kurt Braddock et John Horgan, « Towards a Guide for Constructing and Disseminating Counternarratives to Reduce Support for Terrorism », *Studies in Conflict & Terrorism*, vol. 39, n° 5, 2015.

8. Lasse Lindekilde, « Refocusing Danish Counter-Radicalisation Efforts », dans Christopher Baker-Beall, Charlotte Heath-Kelly et Lee Jarvis (dir.), *Counter-Radicalisation : Critical Perspectives*, Londres, Routledge, 2014, p. 223-242.

9. Stevan Weine *et al.*, « Building Community Resilience to Counter Violent Extremism », *Democracy and Security*, vol. 9, n° 4, 2013.

10. Toke Agerschou, « Preventing Radicalization and Discrimination in Aarhus », *Journal for Deradicalization*, n° 1, hiver 2014-2015.

Migrants et dilution des valeurs québécoises : un débat qui suscite les passions

1. Ministère de l'Immigration, de la Diversité et l'Inclusion du Québec, *Population immigrée au Québec et dans les régions en 2011 : caractéristiques générales. Enquête nationale auprès des ménages (ENM) de 2011 : données ethnoculturelles*, Québec, 2014, p. 18.

2. *Ibid.*, p. 15.

3. *Ibid.*, p. 16.

4. Organisation des Nations unies, *Déclaration de New York pour les réfugiés et les migrants*, résolution A/RES/70/302, 9 septembre 2016.

5. Ministère de l'Immigration, de la Diversité et l'Inclusion du Québec, *Fiche synthèse sur l'immigration et la diversité ethnoculturelle au Québec*, « Faits saillants de l'année 2014 », Québec, 2014, p. 1, en ligne : www.midi.gouv.qc.ca/publications/fr/recherches-statistiques/FICHE_syn_an2014.pdf.

6. *Ibid.*, p. 4.

7. Ministère de l'Immigration, de la Diversité et de l'Inclusion du Québec, *Plan d'immigration du Québec pour l'année 2016*, Québec, 2014, p. 8. En ligne : www.midi.gouv.qc.ca/publications/fr/planification/Plan-immigration-2016.pdf.

8. Jean-François Lisée, « Leadership – Immigration – Le chemin du succès », blogue *jflisee.org*, 21 mai 2016, en ligne : http://jflisee.org/immigration-rejeter-le-chiffre-de-lechec-trouver-le-chemin-du-succes/.

Réfugiés syriens : un afflux massif incontrôlé ?

1. Gouvernement du Canada, « #Bienvenueauxréfugiés : faits importants », en ligne : www.cic.gc.ca/francais/refugies/bienvenue/jalons.asp.

2. Gouvernement du Canada, « Le Canada, terre d'asile », en ligne : www.cic.gc.ca/francais/refugies/historique.asp.

3. « Faut-il avoir peur des réfugiés ? », *Agence Science-Presse*, 17 novembre 2015, en ligne : www.sciencepresse.qc.ca/actualite/2015/11/17/faut-avoir-peur-refugies.

CLÉ 04 — VIE NUMÉRIQUE

Économie collaborative : entrons-nous à l'ère du *sharewashing* ?

1. Jean-Marc Liduena, « Ubérisation, partager ou mourir ! ? L'économie *on-demand*, ou collaborative, est un modèle disruptif qui appelle un nouveau regard sur l'innovation et le leadership », étude Monitor Deloitte, Paris, 2 juillet 2015, en ligne :

http://www2.deloitte.com/content/dam/Deloitte/fr/ Documents/strategy/deloitte_etude-economie-on-demand_juillet-15.pdf.

2. PwC, *Consumer Intelligence Series : The Sharing Economy*, avril 2015.

3. Agnès Delavault, « Plus de 180 façons d'échanger des biens ou des services », *Protégez-vous*, juillet 2016.

4. Sylvain Pioutaz, *60 jours collaboratifs*, 2016, en ligne : https://www.youtube.com/watch?v=jkxK4HUT020.

5. N. A. John, « The Social Logics of Sharing », *The Communication Review*, vol. 16, n° 3, 2013, p. 113-131.

6. M. Ertz, F. Durif et M. Arcand, « Collaborative Consumption or the Rise of the Two-Sided Consumer », *International Journal of Business and Management*, vol. 4, n° 6, 2016, p. 195-209.

7. *Baromètre de la consommation responsable au Québec 2015*, Montréal, Observatoire de la consommation responsable, en ligne : http://consommationresponsable.ca/wp-content/uploads/2015/11/BRC_2015_Final_24nov_V2-1.pdf.

8. Clément P., « Pourquoi de plus en plus de jeunes actifs n'achètent ni logements ni voitures ? Pourquoi, volontairement, renoncent-ils à la propriété ? », *Démotivateur*, 2016, en ligne : http://www.demotivateur.fr/article/investissement-argent-bien-materialiste-changement-jeune-generation-7323.

9. T.G. Loucks, « Travelers Beware : Tort Liability in the Sharing Economy », *Washington Journal of Law, Technology & Arts*, vol. 10, 2014, p. 329 ; I. Robert, A.S. Binninger et N. Ourahmoune, « La consommation collaborative. Le versant encore équivoque de l'économie de la fonctionnalité », *Développement durable et territoires. Économie, géographie, politique, droit, sociologie*, vol. 5, n° 1, 2014.

10. Isabelle Repiton, « La consommation collaborative est aussi une manière d'hyperconsommer », *Libération*, 10 décembre 2012.

11. Jean-Marc Liduena, *op. cit.*

12. *Baromètre de la consommation responsable au Québec 2015, op. cit.*

13. *La valorisation par les Québécois de l'engagement responsable des détaillants*, Observatoire de la consommation responsable, Montréal, 2013, en ligne : http://consommationresponsable.ca/

wp-content/uploads/2013/11/OCR-La-valorisation-par-les-Qu%C3%A9b%C3%A9cois-de-l%C2%B9en-gagement-responsable-des-d%C3%A9taillants.pdf.

14. Jean-Marc Liduena, *op. cit.*

Les pour et les contre de l'économie de partage

1. L'association OuiShare Québec a recensé 180 initiatives d'économie collaborative au Québec. Agnès Delavault, « Plus de 180 façons d'échanger des biens ou des services », *Protégez-vous*, juillet 2016.

2. http://www.woof.net/

3. Annie Morin, « Revenu Québec veut pister les taxis avec la techno », *Le Soleil*, 11 juillet 2016.

4. Loi visant principalement à améliorer l'encadrement de l'hébergement touristique et à définir une nouvelle gouvernance en ce qui a trait à la promotion internationale (projet de loi n° 67), http://www.fil-information.gouv.qc.ca/Pages/Article.aspx?idArticle=2312017727.

5. http://www.citq.qc.ca/fr/classification.php#a

6. Loi modifiant diverses dispositions législatives concernant principalement les services de transport par taxi (projet de loi n° 100), http://www.assnat.qc.ca/fr/travaux-parlementaires/projets-loi/projet-loi-100-41-1.html.

CLÉ 05 — POUVOIR
L'increvable Parti libéral du Québec

1. La date de création du PLQ ne fait pas consensus, même chez les historiens, mais 1867 est la date que les libéraux eux-mêmes retiennent généralement. Voir Michel Lévesque, *Histoire du Parti libéral du Québec. La nébuleuse politique, 1867-1960*, Québec, Septentrion, 2013.

2. Michel Lévesque, *op. cit.*, p. 718-722.

3. Voir la simulation faite par Radio-Canada le 9 avril 2014 : http://ici.radio-canada.ca/sujet/elections-quebec-2014/2014/04/08/010-scrutin-proportionnel-resultats-quebec-2014.shtml.

4. « La politique au Québec et au Canada », sondage Léger, 3 septembre 2016 : http://www.leger360.com/admin/upload/publi_pdf/SOFR20160903.pdf.

5. « La souveraineté en perte de vitesse », *Le Journal de Montréal*, 28 octobre 2015.

6. Tommy Chouinard, « Sondage CROP–La Presse : une course avec le Oui au plus bas », *La Presse*, 18 août 2016.

7. Selon une analyse de Valérie-Anne Mahéo ; voir Alexandre Duval, « La génération Y pourrait faire mourir le PQ, selon une étude », Radio-Canada, 16 septembre 2016.

8. « La politique au Québec et au Canada », *op. cit.*

9. Denis Lessard, « Sondage Crop–La Presse : le PLQ inébranlable », *La Presse*, 26 mai 2016.

10. Le sondage CROP du 22 septembre 2016 le montre. Avec Jean-François Lisée, l'écart PLQ/PQ ne serait que de deux points, contre neuf points avec Alexandre Cloutier.

11. Allocution du premier ministre Philippe Couillard, 28 janvier 2016, en ligne : www.premier-ministre.gouv.qc.ca/actualites/allocutions/details.asp?idAllocutions=906.

Trudeau, une nouvelle génération d'idéaux au pouvoir

1. « Rétablir l'espoir pour la classe moyenne : le budget fédéral de 2016. Discours de l'honorable Bill Morneau », 22 mars 2016, en ligne : www.budget.gc.ca/2016/docs/speech-discours/2016-03-22-fr.html, consulté le 20 septembre 2016.

2. Lia Lévesque, « Infrastructures : Trudeau et Couillard confirment les investissements », *La Presse*, 5 juillet 2016.

3. Gloria Galloway, « Veterans Disappointed with Lack of Delivery on Liberal Campaign Promise », *The Globe and Mail*, 25 juillet 2016.

4. Theophilos Argitis, « Canada Beholden to Housing Boom », *Vancouver Sun*, 3 août 2016.

5. Joan Bryden, « Indigenous Parliamentarians Brought Unique Perspective to Assisted Dying Debate », *CBC News*, 4 juillet 2016, site consulté le 18 juillet 2016.

6. Jean-François Nadeau, « Déclaration de l'ONU sur les peuples autochtones. Un geste "symbolique, mais significatif" », *Le Devoir*, 10 mai 2016.

7. « Assemblée des Premières Nations : assemblée générale annuelle », notes d'allocution pour Jody Wilson-Raybould, ministre de la Justice et procureure générale du Canada, disponible en ligne.

8. Frédéric Boily, « Canada : les défis de Justin Trudeau », *Diplomatie. Affaires stratégiques et relations internationales*, n° 79, mars-avril 2016, p. 32-36.

9. Mélanie Marquis, « Journaliste semoncée par un ministre chinois : Stéphane Dion défend sa réaction », *La Presse*, 3 juin 2016.

10. Lee Berthiaume, « Prime Minister Justin Trudeau Visits Canadian Troops in Ukraine », *The Globe and Mail*, 12 juillet 2016.

11. Michael Den Tandt, « We're Not Immune to Nativism », *Edmonton Journal*, 22 juillet 2016.

12. Justin Trudeau, « Le Canada, pays d'occasions », en ligne : https://pm.gc.ca/fra/nouvelles/2016/01/20/canada-pays-doccasions-allocution-prononcee-tres-honorable-justin-trudeau, consulté le 20 juillet 2016.

Le gouvernement Trudeau tiendra-t-il toujours autant ses promesses ?

1. Robert Thomson *et al.*, « The Program-to-Policy Linkage : A Comparative Study of Election Pledges and Government Policies », communication présentée au congrès annuel de l'American Political Science Association, Washington, 2 septembre 2014.

2. François Pétry et Dominic Duval, « To What Extent Do Political Parties Follow Their Campaign Promises ? », *Journal of Parliamentary and Political Law*, numéro spécial, 2015, p. 341-364.

3. François Pétry et Lisa Birch, « Le gouvernement de Philippe Couillard tient-il ses promesses ? », dans Annick Poitras (dir.), *L'état du Québec 2015*, Montréal, Institut du Nouveau Monde et Del Busso, p. 119-129.

4. Derek Abma, « Meet the PM's "Deliverology" Guy : PCO's Mendelsohn Doesn't Waste Time », *The Hill Times*, 9 mai 2016.

Réforme du mode de scrutin : le jeu est ouvert

1. « Au Québec, le scrutin majoritaire uninominal à un tour a presque toujours déformé la volonté populaire », texte pour le Mouvement pour une démocratie nouvelle (MDN), été 2016, p. 2. Paul Cliche, membre fondateur du MDN, a écrit *Pour réduire le déficit démocratique : le scrutin proportionnel*, Montréal, Éditions du Renouveau québécois, 1999.

2. La Commission spéciale sur la Loi électorale (CSLE) a été créée par l'Assemblée nationale du Québec en juin 2005 afin d'étudier l'avant-projet de loi modifiant la Loi électorale du Québec et diverses questions associées aux élections et aux institutions démocratiques au Québec. Cet avant-projet de loi, déposé en décembre 2004, visait principalement l'adoption d'un nouveau mode de scrutin, de type proportionnel mixte avec compensation

régionale, qui aurait remplacé l'actuel scrutin majoritaire uninominal à un tour.

3. Louis Massicotte, *À la recherche d'un mode de scrutin mixte compensatoire pour le Québec*, Québec, Secrétariat à la communication gouvernementale, 2004.

CLÉ 06 — FISCALITÉ
**Cent ans d'impôt au Canada
et la crise fiscale qui vient**

1. Organisation de coopération et de développement économiques, « La chute des recettes tirées de l'impôt sur les bénéfices des sociétés entraîne un accroissement de la pression sur les particuliers », 3 décembre 2015, en ligne : www.oecd.org/fr/fiscalite/lachutedesrecettestireesdelimpotsurlesbeneficesdessocietesentraineunaccroissementdelapressionsurlesparticuliers.htm.

CLÉ 07 — VILLES
Montréal, ville moyenne de Presqu'Amérique

1. Jean-Jacques Olier, (auteur présumé), *Les véritables motifs des messieurs et dames de la Société de Nostre Dame de Montréal pour la conversion des Sauvages de la nouvelle France*, [Paris], 1643, p. 25.

2. *Cities. Life in the World's 100 Largest Metropolitan Areas*, Washington, D.C., Population Crisis Committee, 1990.

Pour fouiller la question de l'évolution de Montréal, on peut lire le dossier du magazine *Nouveau Projet*, numéro 10 (automne-hiver 2016), ou encore feuilleter l'extraordinaire collection d'articles rassemblés par Dany Fougères (UQAM) dans les deux tomes de l'*Histoire de Montréal et de sa région*, parue récemment aux Presses de l'Université Laval.

CLÉ 08 — VILLES
La Commission royale sur les peuples autochtones : les premiers pas d'une réconciliation annoncée

1. « Points saillants du rapport de la Commission royale sur les peuples autochtones », Affaires autochtones et du Nord Canada, en ligne : www.aadnc-aandc.gc.ca/fra/1100100014597/1100100014637.

2. Enquête nationale sur les femmes et les filles autochtones disparues et assassinées, Gouverne-

ment du Canada, en ligne : www.aadnc-aandc.gc.ca/fra/1448633299414/1448633350146

3. Pendant plus de 100 ans, en vertu des clauses discriminatoires et patriarcales de la Loi sur les Indiens, non seulement les femmes indiennes qui se mariaient avec un non-Indien perdaient leur statut, mais elles se retrouvaient dans l'obligation de quitter la bande d'origine, de renoncer à leur héritage et aux terres familiales et de s'établir à l'extérieur de l'assise territoriale de la réserve. De nombreuses familles ont ainsi été brisées, sans compter les effets négatifs sur les femmes elles-mêmes et l'atteinte à leur intégrité. En 1985, la Loi sur les Indiens a été partiellement amendée afin que les femmes indiennes puissent conserver leur statut toute leur vie durant et que celles qui en avaient été dépouillées puissent le recouvrer. En 2010, l'arrêt McIvor c. Canada a assuré une transmission équitable du statut indien par les femmes et les hommes, la lignée paternelle ayant toujours un avantage juridique sur la lignée maternelle.

4. *Fondation autochtone de l'espoir et Fondation autochtone de guérison*, mars 2010, en ligne : http://staging.legacyofhope.ca/wp-content/uploads/2016/03/lespoir-et-guerison_2010-min.pdf.

5. « Appels à l'action », dans *Honorer la vérité, réconcilier pour l'avenir. Sommaire du rapport final de la Commission de vérité et réconciliation du Canada*, 2015, p. 347-370, en ligne : www.trc.ca/websites/trcinstitution/File/French_Exec_Summary_web_revised.pdf.

6. David Newhouse, « Economic and Social Development Issues », dans *Emerging Realities of Métis, Non-Status and Urban Aboriginal Populations : Building a New Policy Research Agenda*, rapport de colloque, Université Carleton, Ottawa, 2008.

CLÉ 09 — FÉMINISME
Quatre raisons de « parler féministe » en 2017

1. Ève-Lyne Couturier et Simon Tremblay-Pépin, « Les mesures d'austérité et les femmes : analyse des documents budgétaires depuis novembre 2008 », Montréal, Institut de recherche et d'informations socioéconomiques, février 2015.

2. Diane Lamoureux, *Les possibles du féminisme. Agir sans « nous »*, Montréal, Éditions du remue-ménage, 2016.

3. Conseil du statut de la femme, *Portrait des Québécoises en 8 temps*, édition 2016, en ligne : www.csf.gouv.qc.ca/wp-content/uploads/ portrait_des_quebecoises_en_8_temps_ web.pdf.

4. *Les agressions sexuelles au Québec. Statistiques 2004*, Direction de la prévention et de la lutte contre la criminalité, Ministère de la Sécurité publique du Québec, 2006.

5. Données internes fournies par l'Université Concordia et l'UQAM.

6. Site web de Kennedy Stewart, député de Burnaby-Sud, en Colombie-Britannique, http:// fr.equalseatsforwomen.ca/.

7. Site web du Conseil du statut de la femme, sous l'onglet « La parité en politique, c'est pour quand ? », www.csf.gouv.qc.ca/ femmes-en-politique/#statistiques.

8. Pascale Navarro, *Femmes et pouvoir : les changements nécessaires. Plaidoyer pour la parité*, Montréal, Leméac, 2015.

9. Voir notamment l'article « Westminster Women : The Politics of Presence », des chercheuses Joni Lovenduski et Pippa Norris, cité par Pascale Navarro dans *Femmes et pouvoir, op. cit.*

10. Jennifer L. Lawless et Richard L. Fox, *Girls Just Wanna Not Run : The Gender Gap in Young Americans' Political Ambition*, Washington, Women & Politics Institute, 2013.

11. « La victimisation avec violence chez les femmes autochtones dans les provinces canadiennes, 2009 », Statistique Canada ; *Trousse média sur la violence conjugale* de l'Institut national de santé publique du Québec, mise à jour en novembre 2015 ; et Association des femmes autochtones du Canada, *La violence envers les femmes autochtones*, sans date.

12. *Mandat d'initiative sur les conditions de vie des femmes autochtones en lien avec les agressions sexuelles et la violence conjugale. Rapport intérimaire*, Québec, Assemblée nationale, Commission des relations avec les citoyens, mai 2016.

13. Quatorze pour cent des femmes autochtones âgées de 35 à 44 ans ont un grade universitaire, contre 10 % chez les 55 à 64 ans. « Les femmes des Premières Nations, les Métisses et les Inuites », Statistique Canada, février 2016.

14. Données fournies par l'Institut Kiuna.

15. Données fournies par l'UQAT.

16. Tableau « Raisons pour ne pas signaler un incident de victimisation à la police, selon le type d'infraction, 2014 », Statistique Canada.

17. Site web du ministère de la Santé et des Services sociaux du Québec, http://www.msss.gouv. qc.ca/sujets/prob_sociaux/agression_sexuelle/ index.php?des-chiffres-qui-parlent.

18. Mathilde Roy, « 3 agressions sexuelles sur 1 000 se soldent par une condamnation. Pourquoi ? », *L'actualité*, 20 mars 2016.

19. *Enquête Sexualité, sécurité et interactions en milieu universitaire (ESSIMU) : ce qu'en disent étudiant.es, enseignant.es et employé.es*, étude indépendante menée par six universités québécoises, sous la direction de Manon Bergeron, professeure au Département de sexologie de l'Université du Québec à Montréal.

Complément. Sextivisme : les nouvelles formes d'activisme féministe

1. http://montreal.ihollaback.org/fr/

2. Pew Research Center, *Online Harassment*, 2014, en ligne : http://www.pewinternet.org/2014/10/22/ online-harassment/.

CLÉ 10 — MÉDIAS

Quand les relationnistes repoussent la frontière les séparant du journalisme

1. Les participants à la recherche ont signé une entente leur assurant l'anonymat. Le Comité institutionnel d'éthique de la recherche avec des êtres humains de l'Université du Québec à Montréal a approuvé l'entente. La recherche est financée par le Fonds de recherche du Québec – Société et culture. L'étudiante à la maîtrise Audrey Desrochers et Sophie Boulay, Ph. D., ont participé à l'élaboration et à la collecte de données.

2. Tous les relationnistes interviewés consacrent 50 % de leurs actions aux relations médias. Notre échantillon se répartit ainsi : 4 représentants d'agences de communication, 4 relationnistes œuvrant au sein d'organismes sans but lucratif, 5 relationnistes travaillant pour des entreprises privées, 13 travaillant pour le gouvernement (fédéral, provincial ou municipal) et 4 exerçant dans le secteur parapublic.

3. Les 20 journalistes travaillent pour *Le Devoir*, *La Presse*, le *Journal de Montréal*, 98,5, TVA ou Radio-Canada. Leurs champs d'intervention et leur expérience varient. L'un de leurs reportages a fait la manchette ou la une de leur média au moment de la recherche.

4. Jim Macnamara, «The Continuing Convergence of Journalism and PR : New Insights for Ethical Practice from a Three-Country Study of Senior Practitioners», *Journalism & Mass Communication Quarterly*, vol. 93, n° 1, 2016, p. 118-141 ; Helen Sissons, «Journalism and Public Relations : A Tale of Two Discourses», *Discourse and Communication*, vol. 6, n° 3, 2012, p. 273-294 ; Gaétan Tremblay *et al.*, *La presse francophone québécoise et le discours de promotion*, Montréal, FPJQ, 1988.

5. Sophie Boulay et Chantal Francoeur, «Donner priorité aux données : adopter l'induction au cours d'une recherche sur les relations publiques et le journalisme», *Approches inductives*, vol. 1, n° 1, 2014, p. 38-69.

CLÉ 11 — RECHERCHE SCIENTIFIQUE

Complément. Sciences et innovation : de nouvelles fondations en construction

1. Le Fonds de recherche du Québec – Nature et technologies, le Fonds de recherche du Québec – Santé et le Fonds de recherche du Québec – Société et culture.

CLÉ 12 — ÉCONOMIE

Le Québec dans une période de croissance molle?

1. Philippe Kabore *et al.*, «Étude spéciale : histoire économique du Québec depuis une soixantaine d'années», *Point de vue économique* (Desjardins Études économiques), 25 novembre 2014, en ligne : https://www.desjardins.com/ressources/pdf/pv1411f.pdf.

2. Germain Hébert, «Les comptes économiques de 1926 à 1987», *Le Québec statistique*, 1989, p. 45-67.

3. Ministère des Finances du Québec, «Les projections économiques du Québec 2010-2025», dans Marcelin Joanis et Luc Godbout (dir.), *Le Québec économique 2010 : Vers un plan de croissance pour le Québec*, Québec, Presses de l'Université Laval, 2010, p. 17-41.

4. Marcelin Joanis, «Pour une meilleure efficacité économique», *Policy Options / Options politiques*, mars 2014.

5. Mario Lefebvre, Marcelin Joanis et Luc Godbout (dir.), *Maximiser le potentiel économique du Québec. 13 réflexions*, Québec, Presses de l'Université Laval, 2016.

L'emploi depuis 2008 : le Québec a tiré son épingle du jeu, mais...

1. Statistique Canada, Enquête sur la population active, en ligne : www.statcan.gc.ca. Pour pousser plus loin la réflexion : Emploi-Québec, *Le marché du travail et l'emploi par industrie au Québec. Perspectives à moyen (2015-2019) et à long terme (2015-2024)*, 2016 ; Desjardins, Études économiques, *Les perspectives démographiques plus optimistes du Québec ne renversent pas la tendance baissière prévue pour la croissance économique*, 16 décembre 2014.

Coworking : une tendance qui favorise la flexibilité du travail

1. Ray Oldenburg, *Celebrating the Third Place : Inspiring Stories about the "Great Good Places" at the Heart of Our Communities*, New York, Marlowe, 2000.

2. «4.5 New Coworking Spaces Per Work Day», *Deskmag*, 4 mars 2013, www.deskmag.com.

3. «L'Europe, plus grand espace de coworking au monde», *Microsoft RSLN*, 22 mars 2013, https://rslnmag.fr/.

4. http://coworkingquebec.org/liste-espaces-de-coworking/ et http://blogue.agentsolo.com/2015/02/le-coworking-au-quebec-2/ (consultées le 03 octobre 2016) (consulté le 03 octobre 2016).

5. Arnaud Scaillerez et Diane-Gabrielle Tremblay, «Les espaces de co-working : les avantages du partage», *Gestion HEC Montréal*, vol. 41, n° 2, 2016, p. 90-92.

6. Article paru le 21 novembre 2014 sur le site de l'espace, Niviti.com (consulté le 25 novembre 2014).

7. www.boomcoworking.ca (consulté le 17 septembre 2016).

CLÉ 13 — ENTREPRENAURIAT

L'économie qui pourrait sauver notre économie

1. www.un.org/fr/events/coopsyear/.

2. www.ilo.org/global/topics/cooperatives/lang--fr/index.htm.

3. http://legisquebec.gouv.qc.ca/fr/ShowDoc/cs/E-1.1.1.

4. http://legisquebec.gouv.qc.ca/fr/ShowDoc/cs/C-67.2 et http://legisquebec.gouv.qc.ca/fr/showDoc/cs/C-67.3?&digest.

5. www.chantier.qc.ca.

6. Allocution à l'École de gestion de l'Université de Sherbrooke, 22 mars 2016 ; voir aussi www.youtube.com/watch?v=mogYlQwMxCM.

7. Direction des coopératives, Ministère du Développement économique, de l'Innovation et de l'Exportation du Québec, *Taux de survie des nouvelles entreprises au Québec*, 2008.

8. http://www.les-scop-idf.coop/devenir-scop-scic/reprendre-en-scop/.

L'entrepreneuriat collectif : la force du troisième pilier

1. *Les repères en économie sociale et en action communautaire. Panorama du secteur et de sa main-d'œuvre 2015*, Montréal, Comité sectoriel de la main-d'œuvre/ESAC, octobre 2016.

2. Indice du vivre mieux (*Better Life Index*), OCDE, www.oecdbetterlifeindex.org/fr.

CLÉ 14 — ENVIRONNEMENT
Le futur n'est plus ce qu'il était

1. Albert Jacquard, conférence prononcée le 22 avril 2004 à l'Université du Québec à Montréal à l'occasion du Jour de la Terre.

2. Paul Valéry, *Regards sur le monde actuel*, Paris, Librairie Stock, 1931, p. 35.

3. Donella Meadows, Dennis Meadows, Jørgen Randers et William W. Behrens III, *Halte à la croissance ?*, rapport du Massachusetts Institute of Technology, Paris, Fayard, 1973.

4. Alexandre Shields, *Le Devoir*, « Le modèle néolibéral, une nuisance pour l'environnement ? », 6 octobre 2016.

5. Datagueule, *Climat : le thermomètre et le philosophe – Spécial 2° avant la fin du monde*, [Vidéo en ligne], 2 novembre 2015. Repérée au https://www.youtube.com/watch?v=v4Z9sjVmj7c&index=85&list=LLSeI1sj4eKosY-IwMupxlMQ.

6. Forum sur le développement durable, Victoriaville, 26-27 octobre 2011.

CLÉ 15 — FINANCES PUBLIQUES
Politiques budgétaires : doit-on appuyer sur le frein ou sur l'accélérateur ?

1. L'auteur remercie les économistes Pierre Fortin et François Delorme pour les nombreux échanges qu'il a eus avec eux lors de la rédaction de ce texte.

2. Dans sa mise à jour de 2013, Finances Canada prévoyait un taux de croissance moyen du PIB de 2,3 % pour 2013-2018 et de 1,7 % pour 2019-2030. Dans son dernier *Rapport sur la politique monétaire* (juillet 2016), le centre de la fourchette pour le taux de croissance du PIB potentiel est de seulement 1,5 % pour la période 2016-2018. Ce taux de croissance contraste avec celui de 2,7 % pour 2007 et 2008 publié dans son rapport d'avril 2007.

3. On a ajouté aux projections de la croissance de l'emploi incluses dans le plan budgétaire de 2014 (pour 2014 et 2015) la croissance pour 2016 incluse dans le plan économique de 2015. Les récentes projections ont été calculées avec les données observées pour 2014 et 2015 ainsi qu'avec les projections pour 2016 de Desjardins, publiées en août 2016.

4. Kip Beckman, Daniel Fields et Matthew Stewart, « Un parcours difficile à négocier. Les perspectives économiques et budgétaires du Canada », Ottawa, Le Conference Board du Canada, 2014, en ligne : www.pmprovincesterritoires.ca/phocadownload/publications/conf_bd_perspectiveseconomiques etbudgetairescanada_aout2014.pdf.

Complément. Budget et inégalités : Québec et Ottawa tirent en sens contraires

1. Nicolas Zorn, *Les inégalités, un choix de société*, Montréal, Institut du Nouveau Monde, 2015.

2. http://inm.qc.ca/bulletin-budgets.

CLÉ 16 — CORRUPTION
Corruption : trois raisons d'espérer des jours meilleurs

1. Transparency International, *Corruption Perceptions Index 2015*, www.transparency.org/cpi2015.

2. « Commission Charbonneau : 4 ans d'enquête, 44,8 millions de dollars de dépenses totales », http://ici.radio-canada.ca/nouvelles/politique/2015/11/24/001-charbonneau-cout-total-enquete-avocat-politique-commission.shtml.

3. Projet de loi n° 26 : *Loi visant principalement la récupération de sommes payées injustement à la suite de fraudes ou de manœuvres dolosives dans le cadre de contrats publics* ; www.assnat.qc.ca/fr/travaux-parlementaires/projets-loi/projet-loi-26-41-1.html.

4. http://suiviceic.org/

5. www.tpsgc-pwgsc.gc.ca/ci-if/ci-if-fra.html

6. www.lautorite.qc.ca/fr/contrats-publics.html

7. www.mamot.gouv.qc.ca/pub/grands_dossiers/plan_action_allegement_administratif_municipalite.pdf

8. www.ceic.gouv.qc.ca/fileadmin/Fichiers_client/fichiers/Rapport_final/Rapport_final_CEIC_Integral_c.pdf

CLÉ 17 — INÉGALITÉS SOCIALES
Inégalités: par où commencer?

1. Ce texte est une version remaniée de Nicolas Zorn, « Inégalités : et maintenant, on fait quoi ? », *Policy Options/Options politiques*, Institut de recherche en politiques publiques, 20 juin 2016, en ligne : http://policyoptions.irpp.org/fr/magazines/juin-2016/inegalites-et-maintenant-on-fait-quoi/.

2. Nicolas Zorn, *Les inégalités, un choix de société*, Montréal, Institut du Nouveau Monde, 2015.

3. Anthony B. Atkinson, *Inégalités*, traduction de Françoise et Paul Chemla, Paris, Seuil, 2016.

4. http://inm.qc.ca/blog/inegalites.

5. À ce sujet, voir les Bulletins des budgets 2015 et 2016, publiés par l'INM.

6. Keith Banting et John Myles, « Framing the New Inequality : The Politics of Income Distribution », dans David Green, Craig Riddell et France St-Hilaire, *Income Inequality : The Canadian Story*, Montréal, Institut de recherche en politiques publiques, 2016, p. 509-540.

CLÉ 18 — TERRITOIRES
Disparités régionales : des progrès, mais encore des retards à combler

1. Cette typologie et des mesures plus détaillées ont été publiées dans Bruno Jean, *Comprendre le Québec rural*, 2ᵉ édition, Université du Québec à Rimouski, 2014, en ligne : http://semaphore.uqar.ca/856/1/UQAR_LivreQuebecRural_v6.pdf. Les auteurs remercient Lawrence Desrosiers, coauteur

de cet ouvrage, pour les calculs utilisés dans le présent article, effectués à partir de la base de données de Statistique Canada.

CLÉ 19 — GÉNÉRATIONS
Jeunes et aînés : entre les deux, la richesse balance

1. Toutes les données citées proviennent de Statistique Canada et se retrouvent dans Alexis Gagné *et al.*, « Indice d'équité entre les générations – 2016 », Institut des générations, s.l., mars 2016.

2. Organisme sans but lucratif indépendant ayant pour mission la création et la diffusion de données, d'analyses et de propositions sur des enjeux liés à l'équité entre les générations. Voir http://institutdesgenerations.org.

CLÉ 20 — DÉMOGRAPHIE
Vieillissement de la population et emploi au Québec : pas de panique !

1. Institut de la statistique du Québec, *L'état du marché du travail au Québec. Bilan de l'année 2015*, Québec, 2016.

2. N.-J. Clavet, J.-Y. Duclos et B. Fortin, « SIMUL : Modèle dynamique en forme réduite », document technique de la Chaire de recherche Industrielle Alliance sur les enjeux économiques des changements démographiques, 2014.

3. L. Bissonnette *et al.*, « Projecting the Impact of Population Aging on the Quebec Labour Market », dans *Canadian Public Policy*, à paraître.

4. Dans tous les scénarios construits et étudiés, les soldes migratoires sont présumés constants.

5. Régie des rentes du Québec, *Évaluation actuarielle du Régime de rentes du Québec au 31 décembre 2012*, Québec, 2013.

6. S.A. McDaniel, L.L. Wong et B. Watt, « An Aging Workforce and the Future Labour Market in Canada », *Canadian Public Policy*, vol. 41, n° 2, 2015.

7. À elles seules, les statistiques brutes de l'Enquête sur la population active de Statistique Canada en témoignent avec éloquence.

8. Organisaion de coopération et de développement économiques, *OECD Factbook 2011-2012 : Economic, Environmental and Social Statistics*, Paris, 2011.

Le monde de la recherche vous intéresse?

Vous souhaitez en savoir plus sur les impacts de la recherche québécoise pour notre société?

Visitez le tout nouveau site Web du scientifique en chef du Québec!
Et suivez-le maintenant sur Twitter! @SciChefQC

www.scientifique-en-chef.gouv.qc.ca

ENCOURAGER LA DISCUSSION

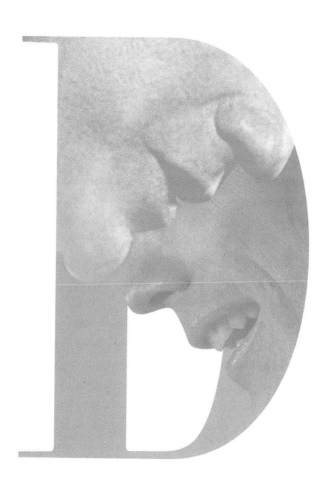

POUR LE TEXTE ET LE CONTEXTE | **LE DEVOIR**

15 ANS D'ACTUALITÉ
À VOS CÔTÉS

NOUS CÉLÉBRONS NOS 15 ANS
GRÂCE À VOUS!

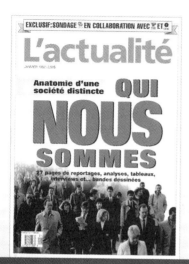

L'actualité

JANVIER 1992 / 2,50$

Anatomie d'une société distincte

QUI NOUS SOMMES

27 pages de reportages, analyses, tableaux, interviews et... bandes dessinées

INTERVIEW LE VICE CACHÉ DE L'ASSEMBLÉE NATIONALE
LE RAPPEUR SAMIAN SÉDUIE LES AUTOCHTONES
P.K. SUBBAN ET LE COMPLEXE DU « PETIT PAIN »

L'actualité

LES INSOUMIS

L'un veut chasser les économistes du discours politique, l'autre prône le retour aux valeurs identitaires.

40 ANS de regards sur le Québec

L'actualité

L'ÈRE TRUDEAU

PATRICK BRUEL, LE COPAIN REBELLE

L'actualité

RÉFÉRENDUM

NON / OUI

5 JOURS EN AOÛT
Les secrets de la négociation

DOSSIER EXCLUSIF
Ce que vous devez savoir avant de voter

L'ARGENT DU FUTUR
Adieu billets de banque, pièces de monnaie et cartes de crédit

CHOC CULTUREL
VLB PARLE AUX FRANÇAIS

SPÉCIAL ÉTATS-UNIS
UN PAYS À LA RECHERCHE D'UN NOUVEAU SOUFFLE

L'actualité

L'actualité
lactualite.com